象の消滅

村上春樹
短篇選集1980-1991

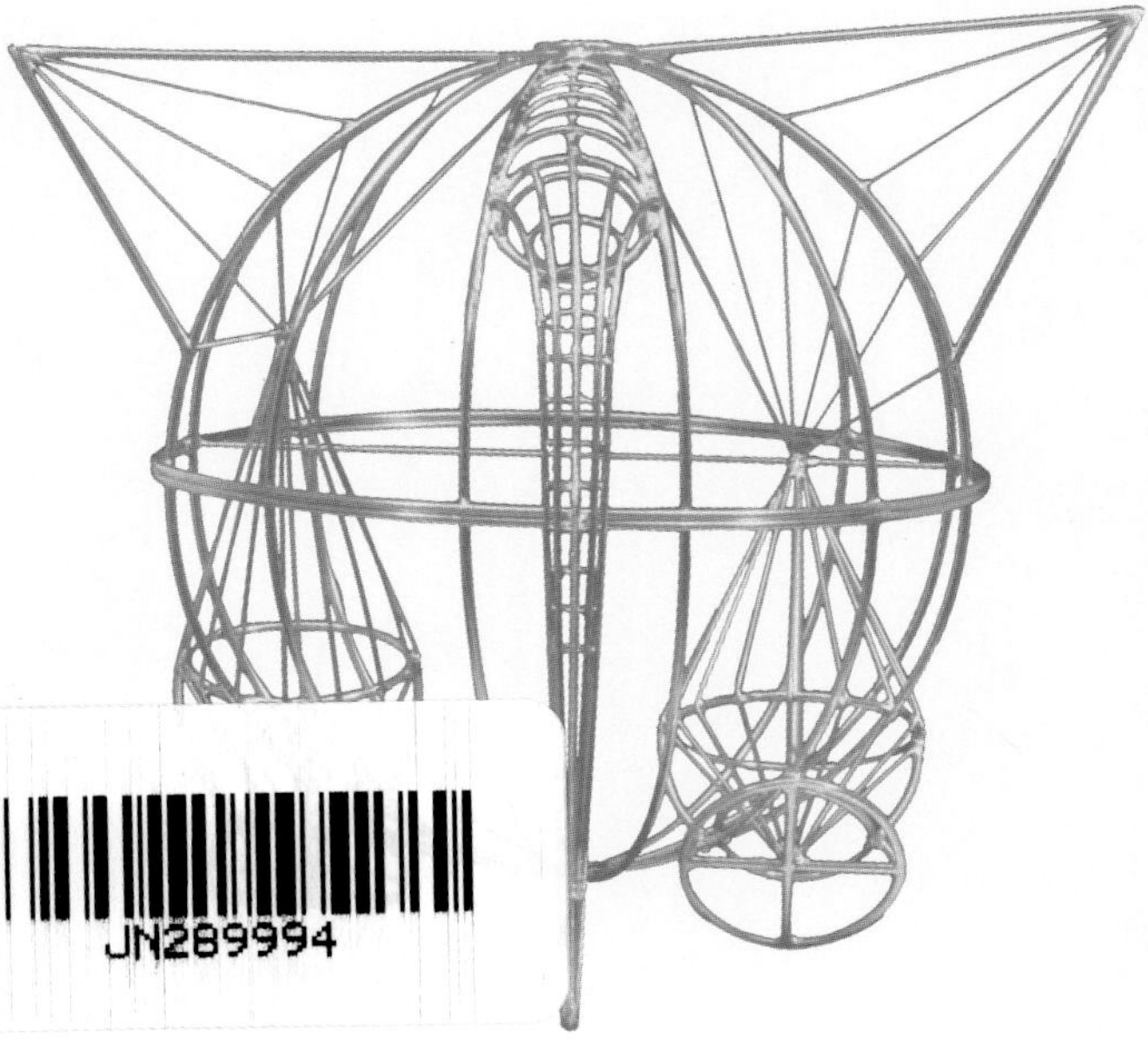

新潮社

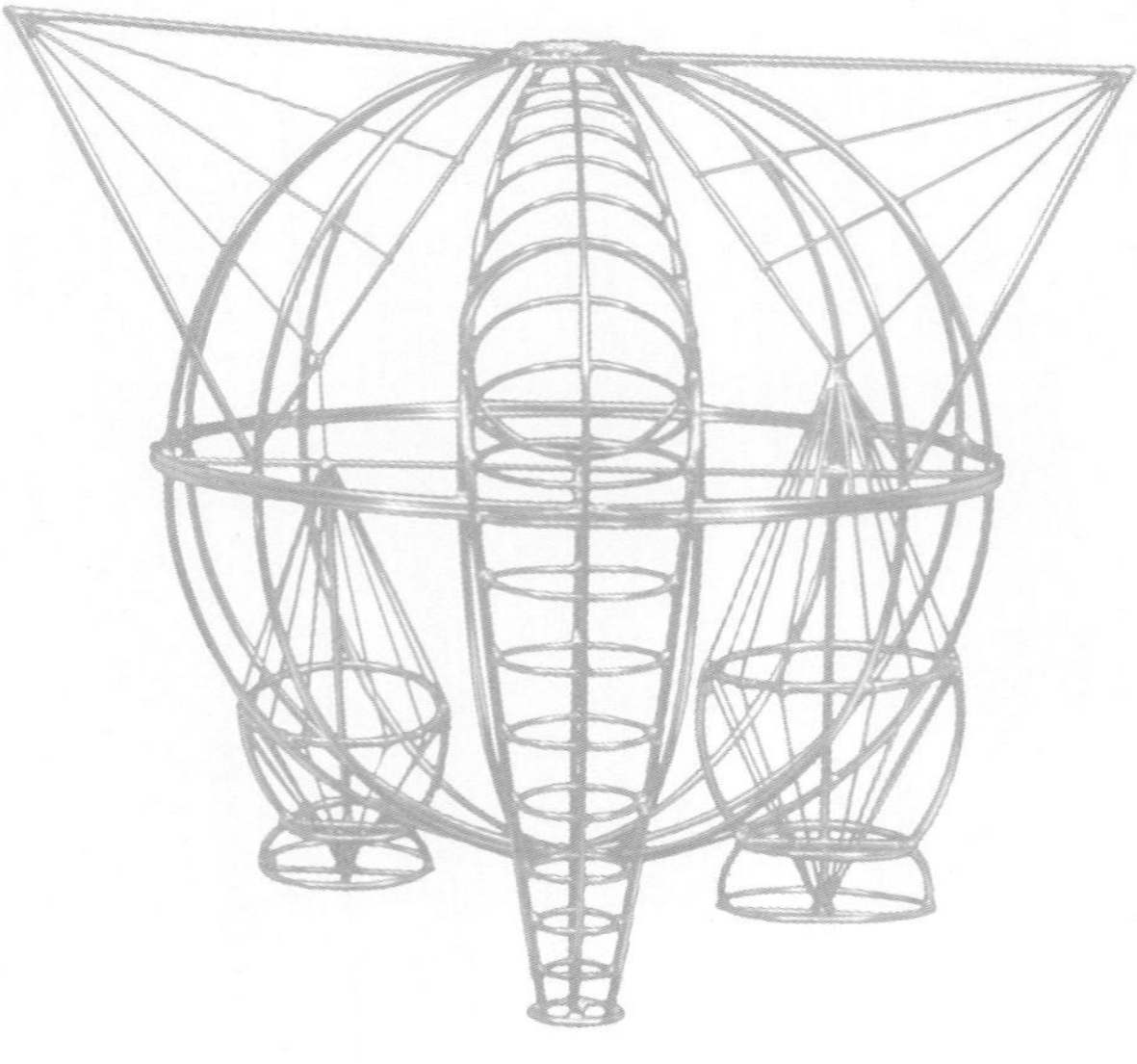

Wire Art：藤掛正邦
Photo：田村邦男〈新潮社写真部〉
Book Design：新潮社装幀室

象の消滅
短篇選集1980-1991

目次

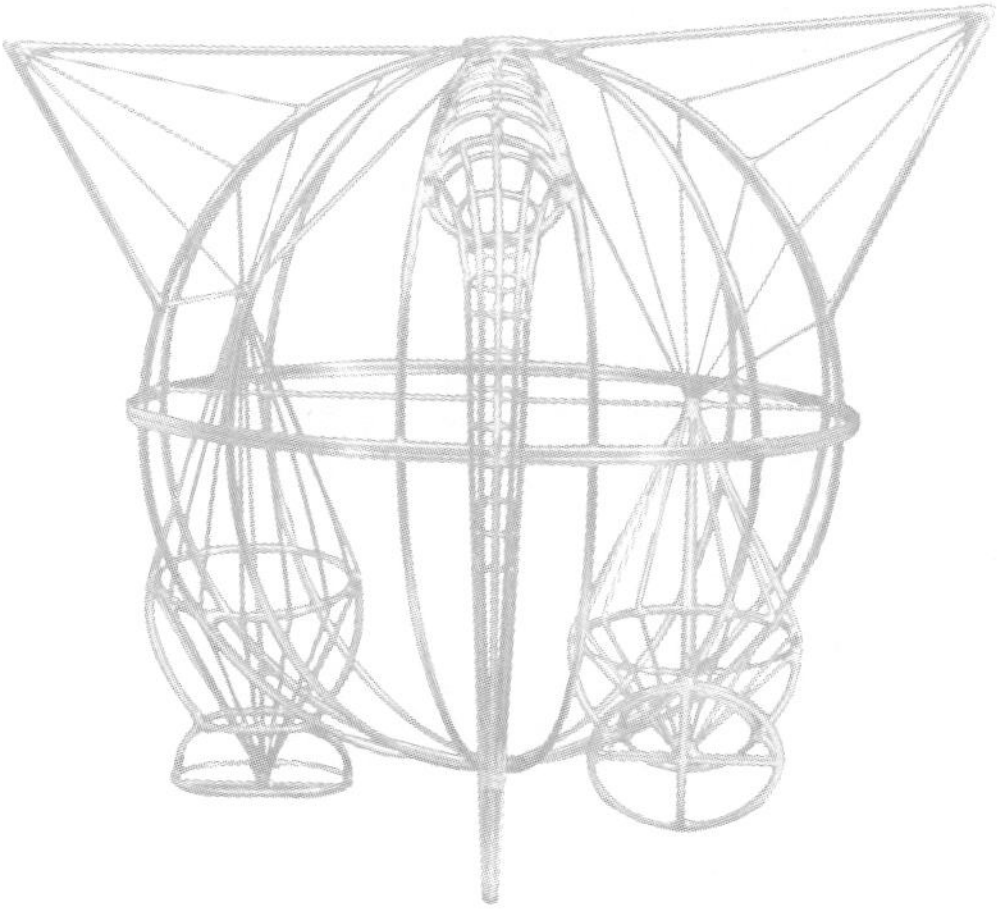

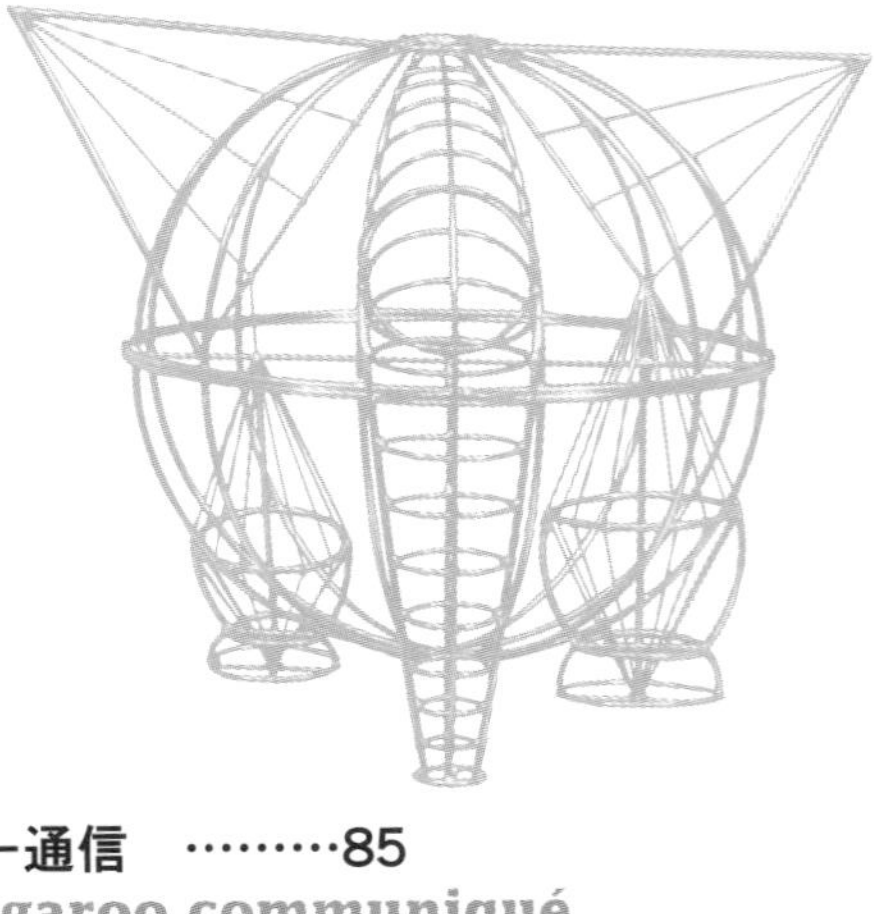

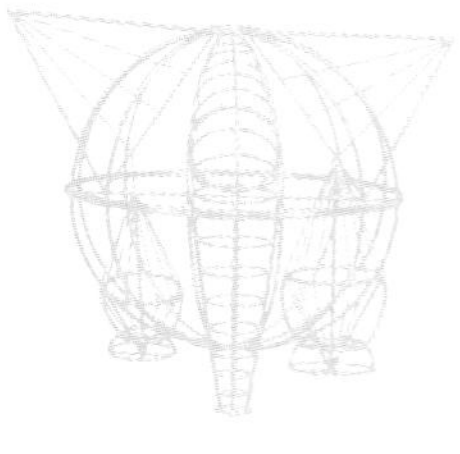

象の消滅

短篇選集1980-1991

刊行に寄せて

ゲイリー・L・フィスケットジョン
（新元良一訳）

十数年前、この短篇選集の出版を準備していた日々を思い出すと、心躍る記憶が蘇ってくるが、わたしがハルキと出会ったのはそれよりさらに前のことである。わたしたちは、ハルキが1980年代に翻訳をはじめた作家、レイモンド・カーヴァーを通じて知り合い、すぐに気心知れる仲となった。当時のレイとわたしは、長年の友人関係にあり、作家と編集者の間柄でもあった。わたしは三島由紀夫が好きで、日本文学に関心を寄せていたから、ハルキの作品が英訳されるとすぐに読破していた。それら数冊の翻訳作品は、日本の学生の英語学習用に作られたもので（ハルキの小説なら外国語であろうと読んでもらえる、とその出版社は考えたのだろう）、講談社インターナショナルが『羊をめぐる冒険』と『世界の終りとハードボイルド・ワンダーランド』の英訳出版を手がける随分前の話だ。どの作品にも感動を受けたわたしは、初対面のハルキにそう伝えた。しかしハルキは、それらの作品はさしたる出来ではないと考えていたらしく、英訳が出るのを楽しみにしていた、『ダンス・ダンス・ダンス』（これも講談社インターナショナルから出た〉についても同様と答え、いま執筆中の新作が満足いくものになってほしいと語ったのだ。言うまでもなく、作家がこれほど自作を批判的に語ることに驚かされたが、同時にわたしはとても感心させられたのだった。ハルキのように、真に卓越した作家とは、過去の功績ではなく、常に未来へのチャレンジを見つめているものなのだ。

だが、ここでは過去、つまりクノップフ社から彼の最初の本が出版されたときに始まった、わたしたちの編集作業について話したい。わたしの仕事は、ふたりの翻訳家の力を借り、入手可能なハルキの短篇をすべて読み、その中から、最初の短篇選集として、最大限に強い印象をもたらすような小説を吟味し、編纂することにあった。収録した作品の他にどんなものがあったかよく覚えていないが、相当量の作品を選んだ思い出が、わたしの中にある。そして、このとき初めて、当時、現代アメリカ文学の最高峰であったレイの小説に、ハルキが惹かれ、彼らふたりの友情がどんどん深まっていった理由がわかった（実は、レイはムラカミ夫妻を訪ねて、日本へ行く予定だったが、急に病に伏し、それは叶わぬこととなった。後にハルキは、享年五十歳だった友の死を、「ゆるやかに倒れた大木」に喩えた）。二人の文体はいずれも平易で、小説の登場人物の多くは、いわゆるヒーローのタイプではない。本書の〈納屋を焼く〉や〈パン屋再襲撃〉などは、カーヴァー文学を彷彿とさせる。とは言え、この短篇選集のどこを読んでも気づくことだが、ムラカミ文学の醸し出す世界の奥深さ、日常生活を背景にした小説世界はハルキの独壇場だ。〈TVピープル〉で、「あなたや私より、ほんの少し、まあ、20パーセントか30パーセント小柄な」人間レプリカが語り手を訪ねる場面などはその好例で、〈沈黙〉において、男が高校時代に受けたいじめを述懐し、その時に受けた心の傷のおかげで、「眠る妻を揺り起こし、彼女の胸元で、一時間泣き続けることもある」と告白する場面など、悲しみが胸を打つ。そして、〈ねじまき鳥と火曜日の女たち〉は、数年後に世に出る傑作『ねじまき鳥クロニクル』の前触れとなるのだが、これを読んだわたしは、これこそが短篇選集の巻頭を飾るのにふさわしい作品だと信じて疑わなかった。

今通読すると、これら17の短篇は、まさしく、わたしが当初期待していた通りのものとなった。すなわち、作家として多くの引き出しを持つ、驚異的なハルキの才能は、国境を越えても揺るぎなく、それが証拠に、現在、クノップフが版権を持つ彼の10作品は、年々、売り上げが上昇し続けている（11作目となる『海辺のカフカ』は、来月、アメリカで出版される）。1993年の時点で、本書を手にしたアメリカの書評家たちもこうしたことは察知していた。「ロサンゼルス・タイムズ・ブック・レビュウ」に至っては、「いずれを取っても普遍性に満ちた、近来稀に見る小説集であり、日本の近隣五千マイルの圏内に赴いたことのない人間ですら、世紀末に生きていく上で、時として、社会から離脱せざるを得ないような人生体験があることを実感させられる一冊」とまで言い切っている。彼がここまでの偉業を成し遂げようとは、当時、予見しようもなかっただろうが、『象の消滅』には、ハルキの作家としての豊かな才能を示すたしかなものが満ち溢れている。彼とのつきあいがこれまで以上に続き、手がける作品にさらなる実りがあることを、わたしは願って止まない。

2004年12月

ゲイリー・L・フィスケットジョン／クノップフ社副社長兼編集次長

アメリカで『象の消滅』が出版された頃

村上春樹

この『象の消滅』という本は、アメリカのクノップフ社から1993年に発行された僕の短編小説集"The Elephant Vanishes"の日本語版である。ラインナップも、収録順序も英語版をそのまま踏襲している。もちろん英語から日本語に翻訳されているわけではなく、原則として僕が日本語で書いたかたちのまま——つまりオリジナル・テキストのまま——収録されている（例外がいくつかあるが、それについてはあとで具体的に述べることにする）。僕の短編小説群はこれまでのところ外国では、原則的にアジアの一部地域とロシアを別にして、この"The Elephant Vanishes"という共通パッケージングで出版されている。そうしないと短編小説の場合、個々の作品の管理がとても面倒なことになってしまうからだ。また英国の劇作家サイモン・マックバーニーによって、この中の作品をいくつか組み合わせたかたちで舞台化され（タイトルは"The Elephant Vanishes"）、日本人の役者によって世界各地で公演され、高く評価されることになった。そういういくつかの点で、僕の作家としての履歴にとって、この作品集＝セレクションの持つ意味は決して小さなものではない。
良い機会なので、この英語版『象の消滅』という短編集が生まれた経緯を明らかにしておきたいと思う。

1990年の夏に、僕の短編小説『TVピープル』が、アルフレッド・バーンバウムの訳で雑誌「ニューヨーカー」(9月10日号)に掲載されると決まったところから話は始まる。今からもう十五年も前のことになるが、僕はその知らせを聞いて、ずいぶんびっくりしてしまった。というのは、僕にとって「ニューヨーカー」という雑誌は、長いあいだにわたって、ほとんど伝説か神話に近い「聖域」に属するものであったからだ。そんなところに僕の書いた小説が載る……と思うと、そんなに涼しい顔はしていられない。僕の前に「ニューヨーカー」に小説が掲載された日本人作家は一人しかいなくて、それもずいぶん昔のことである。どういう人なのか詳細は不明だが、おそらく名前からしてアメリカ在住の日系の作家ではないか、ということだった。僕のあとには1993年に大江健三郎氏、2004年に小川洋子さんの短編作品が掲載された。これからもその数はたぶん増えていくことだろう。でもとりあえず翻訳されたものに限っていえば、僕が最初の「ニューヨーカーに載った日本人作家」ということになる。ほかの人にとってはそんなのは大したことではないかもしれないけれど、僕にとっては、おおげさに言えば、「月面を歩く」のと同じくらいすごいことだった。どんな文学賞をもらうよりも嬉しかった――と言えば、その嬉しさの一端は理解していただけるかもしれない。

当たり前のことだが、「ニューヨーカー」に載る小説みんながみんな傑作というわけではない。くせのある人たちが編集している、くせのある雑誌だから、くせのある作品が選ばれるというふしもある。しかし僕の敬愛する多くのアメリカ作家たちは、この雑誌を根城として、輝かしいキャリアを積んできたのだ。トルーマン・カポーティ、J・D・サリンジャー、アーウィン・ショー、ジョン・アップダイク、レイモンド・カーヴァー、ジョン・チーヴァー……数え上げればそれこそきりがないが、みんな「ニューヨーカー」という雑誌を抜きにしては語ることのできない偉大な作家たちだ。「ニューヨーカー」に作品が掲載されることを彼らは誇りにし、それをひとつの励みにして作品を書いてきたのである。逆の言い方をすれば「ニューヨーカー」という雑誌が、長い時間をかけて、アメリカにおける短編小説のひとつのかたちを——それももっとも洗練されたかたちを——作り上げてきたのだということになる。

何年か前にニューヨークである若いユダヤ系の作家と会って、あれこれ世間話をしていて、最初に自分の作品が「ニューヨーカー」に載ったときの話になった。「あの雑誌に採用されるとわかったとき、僕はほんとうに大声で叫んで街を走り回りたくなったね」と彼は言った。彼の母親はその号を百冊くらい買って、親戚や友人知人に配ったということだ。「なにしろ、ほら、ジューイッシュ・マザーだからさ」と彼は言って楽しそうに笑った。そうか、アメリカ人の作家にとっても、「ニューヨーカー」に自分の作品が載るというのはそれくらい嬉しいものなんだなと、僕は思った。気持ちはよくわかる。二人でヴィレッジの小さなカフェでコーヒーを飲みながら、そんな思い出話を交換していた。

当時の「ニューヨーカー」の文芸部門のヘッドはロバート・ゴットリーブ、僕の担当編集者はリンダ・アッシャーだった。どちらもきわめて知的でリベラルな、生粋のニューヨーカーである。ゴットリーブはその前年に出た僕の長編小説『羊をめぐる冒険』がとても気に入っていて、この小説についての長文の評論を「ニューヨーカー」に掲載してくれた。そのおかげで、『羊をめぐる冒険』はアメリカで翻訳された日本の小説としては、かなり注目を浴びることになった。「ニューヨーカー」の彼のオフィスを訪ねたとき、その部屋の本棚に谷崎潤一郎の『細雪』の英訳本“The Makioka Sisters”が三冊置いてあるのが目についた。それで僕は「ミスタ・ゴットリーブ、どうして同じ本を三冊もここに置いているのですか?」と質問してみた。すると彼は笑って、「君と同じ質問をする人がたくさんいるからだよ」と言った。「そのたびに僕はこの小説の素晴らしさを説いて、一冊進呈することができるわけだ」

リンダ・アッシャーはずいぶん前に「ニューヨーカー」をやめてしまったが、今でもニューヨークに行くと会って話をする。彼女はアッパー・ウェストサイドの古い優雅なアパートメント（ちょうど『キャッチャー・イン・ザ・ライ』のホールデンくんの自宅があるあたりだ）に住んでいて、部屋は本の重みで傾いてしまいそうだ。今はミラン・クンデラの作品の英訳者として、またフリーランスの編集者として、多忙な日々を送っている。リンダのユーモアはいかにもニューヨーカーらしく、実に複雑ないくつものツイストがあって、僕程度の英語力では多くの場合筋をたどっていけないのだが、普通のアメリカ人でも、彼女特有のいりくんだユーモアについていくのはけっこうむずかしいということだ。

『TVピープル』は読者の評判も上々であったようで、「ニューヨーカー」は僕を気に入ってくれたらしく、そのあとも次々に作品を採用してくれた。『ねじまき鳥と火曜日の女たち』が採用された二作目の短編小説である（90年11月26日号）。それから『象の消滅』（91年11月18日号）、『眠り』（92年3月30日号）、『納屋を焼く』（92年11月2日号）と続く。翻訳者は最初のうちがアルフレッド・バーンバウムで、それからジェイ・ルービンとフィリップ・ガブリエルが登場してきた。このように優秀な翻訳者に恵まれたことも、僕の幸運のひとつであったと思う。

93年の初めに「ニューヨーカー」から、うちと優先契約を結んでくれないかという申し出があった。つまり作品が書き上がったら、まず最初に「ニューヨーカー」に持っていかなくてはならない。それが首尾よく採用になったら、そのまま「ニューヨーカー」に掲載される。もし不幸にして採用にならなかったら、そのときはどこの雑誌に持っていってもかまわない、というきわめてシンプルな契約である。「ニューヨーカー」の稿料は、ほかのアメリカの雑誌に比べてもかなり高額だから、僕としては「ニューヨーカー」を優先することに異論はまったくないのだが、しかし――縦横十センチくらいの大きな太い活字でしかしと書きたいのだが――大事なのは稿料ではない。「ニューヨーカー」と優先契約を結ぶというのは、すなわち「ニューヨーカー作家」の列に加えられるということなのだ。それが何よりも何よりも重要な意味を持つことである。もちろん僕は即座にその契約にサインした。結局これまでに、長編からの抜粋を含めて12篇の作品がこの雑誌に掲載されることになった。

「ニューヨーカー」はくせのある雑誌だと言ったが、正直言って作品採用の基準にもくせがなくはない。だから「ニューヨーカー」に採用されなかった作品もけっこうあって、それらはほかの雑誌にまわされ、掲載された。だからたとえば『パン屋再襲撃』は「プレイボーイ」誌に掲載されたし、『レーダーホーゼン』は「グランタ」誌に掲載された。ほかのものは、いわゆるリトル・マガジン（地方文芸誌）に掲載されることになった。日本のような大手文芸誌のないアメリカでは、リトル・マガジン（多くの場合、大学から刊行されている）が文芸活動の底支えをしている。これはまさに「損得抜き」の世界になってしまうわけだが、しかしそのクオリティーは高く、文学的信念も強固である。そのような雑誌の熱心な編集者たちと関わりを持つことも、僕にとっては貴重な体験のひとつであった。「ニューヨーカー」や「エスクァイヤ」といった高級誌だけがアメリカの短編小説を支えている訳ではない。

僕は1991年の初めから95年の夏までアメリカ東海岸に住んでいたので、そのときにニューヨークで文芸エージェントを捜し、出版社とも渡りをつけた。それまでは日本の著作権会社と、日本の出版社が僕の作品の翻訳と、海外での出版をハンドルしていたのだが、あちこちで職能の重なり合い・ぶつかりあいのようなことがあって、事態がけっこう錯綜していたので（話せば長い複雑な事情があるのだが、ここでは割愛する）、せっかくアメリカに住んでいるんだし、この際、翻訳出版の機能をいっそのことそっくりアメリカに移して、一本化してしまおうということになった。

それまでに僕は、ニューヨークの講談社インターナショナルから二冊の長編小説を出版していた（『羊をめぐる冒険』と『世界の終りとハードボイルド・ワンダーランド』）。だからまったくのゼロからの出発というわけではない。どちらの本も、当初の部数は日本での発行部数に比べれば貧弱なものだったが、出版業界での注目度はけっこう高かったと思う。講談社インターナショナルの人々——多くは現地採用のアメリカ人スタッフ——も、力を入れてがんばってくれた。そのことについては今でも深く感謝している。しかしそれはそれとして、アメリカという広大なマーケットで、一人の「新人作家」として、自分の実力を率直に、正面から試してみたいという気持ちが、僕には強くあった。まわりの人には「今のままでそれなりに順調に行っているんだから、あえて体制を変えることはないんじゃないか」とか、「自分一人でやっても、どうせうまくいきませんよ。アメリカ市場はそんなに甘くないから」とか忠告、あるいは警告された。でも長期的に目標を据えて、それに向かって時間をかけて、ひとつひとつ難関を乗り越えていくのが、僕の持ち味というか、生まれつきの性格である。なんとかやってみようと僕は決心した。逆にいえば、僕はそういう新しいモチベーションを必要としていたのかもしれない。『ノルウェイの森』が思いのほかたくさん売れて、それに関連する一連の騒ぎのようなものがあり、精神的にいささか疲れ果てた部分もあった。おそらく新しいフロンティアのようなものを求めていたのだと思う。

文芸エージェントに関して言えば、ニューヨークで何人かと面談した末に、ＩＣＭのアマンダ・（ビンキー）・アーバンに僕の著作権取り扱いをまかせることにした。アマンダは文芸作品のハンドルにかけてはきわめて有能な女性であり、かつ強い信念をもった人である。レイモンド・カーヴァーのエージェントとしても知られている。ブレット・イーストン・エリスの担当でもあり、彼の『アメリカン・サイコ』が政治的コレクトネスの見地から世間の攻撃を浴びたときに、敢然と立ち上がって擁護したことは業界の語りぐさになっている。タフなことでも定評がある。彼女は最初「外国の作家をこれまで扱ったことはないので」と不安げだったし、僕の方にも「ICMのような大きな会社だと、僕の存在なんて埋もれてしまうのではないか」という危惧もあった。大きな会社が相手だと、売り上げが悪いとすぐに切り捨てられる、というような話も耳にしていたからだ。しかし何度か顔をあわせ、しばらく一緒に仕事をしているうちに、お互いの性格や仕事のペースが飲み込めてきて、そのあとはきわめて円滑に親密に作業が進められるようになった。彼女は長い歳月をかけて我慢強く、熱心に僕の作品を支持してくれた。年齢もだいたい同じくらいだし、僕も彼女もタフなスポーツが好きなので（スイミング、トレッキング、ランニング）、共通の話題もたくさんある。まことに興味深い、魅力的な女性だ。

出版社も主だったところをあちこちとあたってみたのだが、アメリカ人の知人の紹介もあって、ランダム・ハウス傘下のクノップフ社に身柄をあずけることになった。サニ・メータ氏（当時クノップフ社のトップだったと記憶している）にニューヨークで会って、二人で夕食をとりながらいろんな話をし、コースが終わってデザートが出てくる頃になって、「どう、うち（クノップフ）で本を出さないか」ということになった。もちろん異論はない。小説家にとってクノップフは最高の出版社のひとつだ。結果的にはずいぶん簡単だったが、半ば生きた伝説みたいな出版業界の大物と差し向かいだから、こっちはかなり緊張して、料理の味もほとんど覚えていない。メータさんはインド系英国人なので、アップタウンのおいしいインド料理を食べに連れて行ってもらったのだが、たくさん汗をかいたのはその辛さのせいもあったかもしれない。あるいはどんな料理でも同じことだったかもしれない。

クノップフでは、好漢ゲイリー・フィスケットジョンが僕の担当編集者になった。彼もまた（あくまで偶然なのだが）レイモンド・カーヴァーの担当編集者だった。彼は僕がカーヴァーの日本語訳をしていることをよく知っていて、そのこともあってすぐに個人的に親しくなった。オレゴン出身で、ニューヨークの出版業界にいる人には珍しく、とてものんびりとした話し方をする。せかせかしたところがない。人柄も温かい。服装はだいたいカジュアルで、世の中にたてつくように、いまだに確固たるヘビー・スモーカーであり続けている。どちらかといえばクールで貴族的なメータさんとは好対照である。しかし小説出版にかけては鋭い眼識を有し、ほどよく頑固であり、しかも新しい作品に対しては意欲的である。

というようなわけで92年の夏には、なんとかエージェントもみつかり、専属出版社もでき、担当編集者も決まり、アメリカでの本格的な出版活動に乗り出す基礎がひととおり固まっていた。あとはその線路の上を進んでいくだけである。

メータやゲイリーといろいろ話し合った末に、クノップフで僕はまず短編小説集を出版することになった。というのはその時点で、手持ちの長編小説である『ダンス・ダンス・ダンス』については、講談社インターナショナルから翻訳・出版されることが既に決まっていたからだ。僕もクノップフもできることなら『ノルウェイの森』を出したかったが、契約の関係で、とりあえずはそれが不可能であることが判明した（このあたりの事情も話せば長くなるので割愛）。そこで短編小説集を出してみよう、という結論に達した——達せざるを得なかった——わけだ。

それまでに英語に翻訳されてアメリカの雑誌に掲載された僕の短編作品が集められ、まだ掲載されていないいくつかの作品が英訳され（アルフレッドとジェイは、自分たちの気に入った作品をどんどん英訳していたので、その数はけっこう多くなっていた）、そこからゲイリーが短編集に収録するための作品をピックアップした。あくまで彼が一人で取捨選択をした。だからこの選択にはゲイリー・フィスケットジョンという、一人の文芸編集者の好みが（あるいは偏見が）色濃く出ている。１９９２年の段階で、もし日本の文芸編集者が僕のベスト短編小説を選んでいたとしたら、これとはずいぶん違ったラインナップになっていたに違いない。もちろんそのあたりが、本書のひとつの面白さになっているわけだが。

装丁はクノップフの専属デザイナーであるチップ・キッドが受け持ってくれた。チップは才能あふれる若きブック・デザイナーである。彼は僕の作品を個人的にすごく気に入ってくれて、力を入れて装丁をしてくれた。それ以来チップと僕は、クノップフから出たすべての本で、一緒に仕事をしている。彼が東京に来たときには、麻布の飲み屋でずいぶんたくさん日本酒を飲んだ（彼は吟醸酒のファンである）。僕がニューヨークに行ったときには、彼のアパートメントでにぎやかなルーフ・パーティーを開いてくれた。ちなみに映画『ジュラシック・パーク』のポスターに使われた恐竜骸骨をデザインしたのは彼なのだが（映画化の際に本のカヴァーから転用された）、クノップフの社員という扱いなので、「僕のところにはほとんどお金は入らなかったよ」ということである。気の毒だ。また彼はアメリカン・コミックブックの権威で、「バットマン」グッズのコレクターとしても世界的に高名である。日本に来たときも、神保町に通い、寸暇を惜しんでその手のものを買い漁っていた。

ゲイリーもメータも「アメリカのマーケットでは、よほど名前が通った作家じゃないと、短編集はまず売れない。だからあまり期待しないように」と出版前から予言していたのだが、たしかにハードカバーの実売部数は予想どおり（というか）寂しいものだった。93年にプリンストン大学の生協でサイン会をやったときには、たった15冊しか売れなかったことを記憶している。このへんが僕にとっての、アメリカ・マーケットでのいわば「冬の時代」だった。これまでと同じように文芸業界での評判は悪くなかったし、書評でも数多く取り上げられたことが慰めではあったけれど。でも今になって振り返ってみれば、僕にとって何にも増して嬉しいのは、この本が息長く今でも売れ続けていることである。『象の消滅』はランダム・ハウス社のトレード・ペーパーバック部門であるヴィンテージから廉価版として翌年出版され、何度も装丁を変えながら、十年以上にわたって一度もカタログから消えることなく出版されている。実際に全国の書店の棚に並んでいるし、地道にではあるけれど「ロング・セラー」として、人々の手に取られ続けている。部数も順調に増えている。これは作家にとってみれば実にありがたいことだ。一時的なベストセラーになって、あとでさっと忘れられてしまうより、はるかに良かったと思う。

その後クノップフ社からは『ねじまき鳥クロニクル』『国境の南、太陽の西』『スプートニクの恋人』『神の子どもたちはみな踊る（英語題は“After the Quake”）』『海辺のカフカ』が出版され、ヴィンテージ・オリジナルとして『ノルウェイの森』『アンダーグラウンド』『エッセンシャル・ハルキ・ムラカミ』（作家選集シリーズのひとつ）が出版された。２００６年には第二短編集としてクノップフから『めくらやなぎと眠る女（Blind Willow, Sleeping Woman）』が出版される予定である。講談社インターナショナルからハードカバーで出た『羊をめぐる冒険』『世界の終りとハードボイルド・ワンダーランド』『ダンス・ダンス・ダンス』は、後日ヴィンテージのペーパーバック・シリーズに加えられている。

アメリカの（というのは実際には「ニューヨークの」というのと同義なのだが）出版業界については、いろんな風説がある。どちらかというとあまり芳しくない風説だ。僕がニューヨークのエージェンシーと出版社をハブ（軸）にして翻訳出版業務を進めているとわかると、日本でもヨーロッパでも、よく「アメリカの出版業界は徹底した利益重視主義だし、売れないとなると冷たいから、いろいろ大変でしょう」と言われる。心配されたり、同情されたりする。アメリカ文化に対する感情的反発もあるのだろうが、その裏には「我々はそうじゃないけど」という自負が見え隠れしているみたいだ。でも本当にそうなのだろうか？

たしかにアメリカの出版業界には、かなりアグレッシブな傾向が存在する。やり手の文芸エージェントは時として、法外な値段をふっかけてくる（こともある）。出版社はしょっちゅう併合したり、併合されたりするし、編集者もくびになったり、引っ張られて別の出版社に移ったりする。雑誌「ニューヨーカー」もこの十年ほどのあいだに何度か経営母体が移り、経営方針も微妙に変化し、編集者も変わり、誌面も変わり、オフィスも多くの神話が生み出されたあの42丁目の趣のある建物から、タイムズ・スクエアの超近代的なビルに引っ越してしまった（これは残念なことだ）。クノップフを吸収したランダム・ハウス社も、今度はドイツのコングロマリットに買収されてしまった。まるで小さな魚を大きな魚が食べ、その魚をもっと大きな魚が食べるみたいに。言うまでもなく、これらはおおむね利益追求のためになされたことであって、決して芸術性の追求を目的としてなされたことではない。しかしそういう現世的な、帳簿上の動きはさておいて、日本だろうがアメリカだろうがヨーロッパだろうが、心ある出版人のメンタリティーというのは、それほど大きくは違わないのではないか、というのが僕のいつわらざる実感である。

はっきり言って、お金がほしいのならもっとべつの仕事をしているよ、というのが、僕がこれまでに出会ったアメリカの——とくに純文学系の——出版人の多くの本音である。アメリカの出版業界の平均的な給与は、ほかの業種に比べて——たとえば金融や広告代理店に比べて——決して恵まれているとはいえない。日本の大手出版社の社員待遇とは、たぶん比較にならないのではないか。だからそのぶん、この業界でプロフェッショナルとして働いている人たちの目的意識ははっきりしている。「わたしは本が好きだから、作家と一緒に仕事をするのが好きだからこそ、この仕事をしているのだ」ということだ。もちろんベストセラーが出せたなら、それは何より、言うことはない。しかしそれとはべつに、自分が誇りにできる本を一冊でも多く世に出したい——心ある出版人であるなら、どこの国の人だってそう願って仕事をしているはずだ。アメリカでもそれはまったく同じなのだ。

したがって、いったん気持ちがあえば、こちらが差し出す作品を向こうが評価してくれれば、数字的な損得なんか抜きで一生懸命親身になってくれるところがある。小さな地方文芸誌相手の仕事や、自主映画制作者との交渉のような、ほとんどもうけにならないことでも、それが僕のキャリアにとって何らかのかたちで有益だと思えば、意外なくらい丁寧に対応してくれる。「ハルキ、これはお金の入らない仕事だけどやるべきだ」と忠告してくれたりもする。金銭のやりとりだけの問題ではないのだ。

　それからアメリカはぎちぎちに厳密な契約社会だと言われるけれど、それは多分にステレオタイプな俗説であって、実際に仕事をしてみればわかるのだが、この業界では多くの取り決めは握手ひとつですんでしまう。正式な契約書にはたしかに細かいことがいっぱい書かれているが、それはそれとして、ほとんどの局面においてものごとは「よし、まかせておけ」的な個人的信頼関係で成り立っている世界なのだ。編集者もエージェントも、物事がうまく運んだときには作家と抱き合って大喜びするし、うまくいかなければ一緒にがっくり落ち込みもする。そういうところは日本だってアメリカだって、だいたいにおいて同じだ——というか場合によっては、日本の出版業界よりアメリカのそれの方がむしろ「人情的」なのではないかという気がすることさえあるくらいである。というのは、日本では編集者はなんといっても「出版社の社員」であって、「会社の論理」が作家との関係よりも優先されることが、時としてあるわけだが、それに比べてアメリカの編集者は会社と作家とを結ぶ独立した「専門職」として機能しているところがあり、そのぶん個人対個人としてつきあえる土壌がある。日本の編集者は人事異動ですぐに替わってしまうが、アメリカの編集者とはほとんど一生のつきあいみたいなことになる。そのような個人的体温みたいなものも、僕がアメリカでの出版体験から実地に会得できたことのひとつである。

　ここに収められた初期の短編作品のいくつかは、翻訳されたときに少しばかり手を入れた。翻訳したいと申し込まれたときに、「昔書いたものだし、どうせ翻訳されるんだったら、良い機会だから改稿しよう」と思ったからだ。『中国行きのスロウ・ボート』についていえば、かなり手を入れた。この小説は僕が生まれて初めて書いた短編小説だったので、書き方がよくわからず、あとになって読み直してみると、不満の残る箇所がいくつかあった。二度にわたって書き直しをしたので、この作品にはヴァージョンが三つある。僕の記憶は例によってかなりあやふやだが、アメリカ版の翻訳テキストとして使ったのは、たしか二つ目のヴァージョンではなかったかと思う。ただしこの日本版『象の消滅』には三つ目のヴァージョン（講談社から出ている『村上春樹全作品』に収められているもの）が収録されている。『レーダーホーゼン』という短編は、アルフレッド・バーンバウムが雑誌の意向を受けてオリジナル・テキストに手を入れて、短くして訳した。アメリカの雑誌ではよくこのように編集の手が入ることがある。文化の違いもあり、読者の好みも異なっているので、いたしかたない部分もある。しかし結果的にはこのアルフレッド短縮版は、作品としてなかなか悪くなかった。そういうわけで、今回そのアルフレッド版をテキストにして、僕が自ら日本語に訳してみた。本書にはその「逆輸入ヴァージョン」が収録されている。つまり僕はここでは著者でありながら、同時に翻訳者でもあるというややこしい役まわりを引き受けているわけだ。あまり目くじらをたてず、一種の遊びとして楽しんでいただければと思う。またいくつかの作品には細かい部分で手を入れた。

1994年に「ニューヨーカー」誌で「ニューヨーカー作家」の特集号があって、そのときに「ニューヨーカー作家」の一人として記念写真を撮られた。十人ばかりの作家が一堂に会して、みんなで肩を並べて写真を撮った。僕のまわりにはジョン・アップダイクがいて、ニコルソン・ベイカーがいて、アリス・マンローがいて、ボビー・アン・メイソンがいて、アン・ビーティーがいて、ジャマイカ・キンケードがいて、トム・ジョーンズがいて……。カナダ人をべつにすれば外国人は僕だけだった。カメラマンは今は亡きリチャード・アヴェドン。写真撮影のあとで、かのアルゴンキン・バーにみんなで集まって和気あいあいとカクテルを飲んだ――アルゴンキン・バーのカクテルはちっともおいしくないんだけど、それはまたべつの問題だ。ジョン・アップダイクが僕を呼んで「君の作品はいつも読んでいる。どれも素晴らしいよ」と言ってくれた。もちろん社交辞令であり、先輩作家からの励ましのようなものだとは思うけれど、それでもやはり嬉しいものだ。15歳のときに彼の美しい長編小説『ケンタウロス』を読んで、胸が張り裂けそうになったことを僕は思い出した。その著者と僕は今こうして向かい合って、いちおう作家どうしとして、会話しているのだ。僕は——カフカ君ではないけれど——もう一度15歳に戻ったような気持ちになることができた。そのときに「いろいろきついこともあったけど、こつこつとがんばってやってきてよかったな」と実感した。

僕が夢中になって「ニューヨーカー」を読んでいた十代後半から二十代の初めにかけて、「君もやがて『ニューヨーカー』の常連作家になるよ」と誰かに言われたとしたら、僕はきっと笑って取り合わなかっただろう。あるいは笑うことさえしなかったかもしれない。その頃は自分がいつか小説家になるとは予測もしていなかったし、ましてや自分の書いた短編小説が「ニューヨーカー」に載るなんて、荒唐無稽というか、想像を何光年も超えたことだったからだ。正直なところ、今でももうひとつ実感がわいてこないのだけれど。

僕はあるいは「ニューヨーカー」のことを賛美しすぎているかもしれない。でも僕は正直に思うのだ。どうして日本に「ニューヨーカー」のような雑誌が存在しないのだろうと。僕が本当に言いたいのはそういうことだ。

そのようないろんな経緯がしみ込んでいるものだから、この『象の消滅』という短編小説集を手にするといつも、ほかの本とはひと味違った特別な感慨を、僕は抱くことになる。当時のいろんな情景や、いろんな思いがよみがえってくる。別の言い方をすれば、この本は僕の個人史の中で、ひとつの里程標のような役目を果たしている。見かけはささやかだけれど、それなりに中身のある里程標だ。しかしそんなことは、一般読者にとってはおそらくどうでもいいことだろう。それはそれとして、僕がキャリアの初期（1980年から1992年にかけて）に書いた短編小説の、ちょっと毛色がかわったひとつのセレクションとして、手に取っていただければ、そして楽しんでいただければ、著者としてそれにまさる喜びはない。
最後になったが、僕の三人の英語翻訳者、アルフレッド、ジェイ、フィリップに感謝したい。彼らはそれぞれに優秀で創意に富んだ翻訳者だった。そしてそれぞれの持ち味をうまく発揮してくれた。彼らの存在がなかったら、僕はおそらくどこにも行けなかったはずだ。講談社インターナショナルの熱意あふれた何人かの編集者たち、とりわけエルマー・リュークに感謝したい。このハワイ生まれの小柄な（しかしバイタリティーあふれる）中国系アメリカ人編集者が当初、僕の作品を熱意をこめてアメリカ・マーケットに売り込んでくれたのである。エルマーがまずエンジンをスタートしてくれたのだ。それから言うまでもなく、ビンキー・アーバンとサニ・メータとゲイリー・フィスケットジョンに感謝したい。チップ・キッドにも。十年以上にわたって、僕は彼らと温かい相互的な信頼関係を結んできた。そのほか、いちいち名前はあげないけれど、感謝しなくてはならない人々はたくさんいる。彼らは少しずつ、しかし確実に、僕の人生の色合いを変えてくれたのだ。

2005年1月

The wind-up bird
and Tuesday's women

ねじまき鳥と火曜日の女たち

その女から電話がかかってきたとき、台所に立ってスパゲティーをゆでていた。スパゲティーはゆであがる寸前で、僕はFMラジオにあわせてロッシーニの「泥棒かささぎ」の序曲を口笛で吹いていた。スパゲティーをゆであげるにはとりあえず最適の音楽だった。

電話のベルが聞こえたとき、僕はよほどそれを黙殺してそのままスパゲティーをゆでつづけようかと思った。スパゲティーはもう殆んどゆであがっていたし、クラウディオ・アバドはロンドン交響楽団をその音楽的ピークに持ちあげようとしていたのだ。しかしそれでもやはり僕はガスの火を弱め、菜箸を右手に持ったまま居間に行って受話器をとった。新しい仕事のことで友人から電話がかかってくるかもしれないことをふと思い出したからだ。

「十分間時間を欲しいの」と唐突に女が言った。

「失礼?」と僕はびっくりして訊きかえした。「なんておっしゃったんですか?」

「十分だけ時間が欲しいって言ったの」と女はくりかえした。

女の声に僕はまったく聞き覚えがなかった。僕は人の声色を覚えることに関しては殆んど絶対的ともいえる自信を持っていたから、そのことにはまず間違いはないはずだった。それは僕が知らない女の声だった。低くやわらかく、そしてとらえどころのない声だ。

「失礼ですがどちらにおかけですか?」と僕はあくまで礼儀正しくたずねてみた。

「そんなこと関係ないわ。とにかく十分だけ時間を欲しいの。そうすればお互いもっとよくわかりあえると思うわ」と女はたたみかけるような早口で言った。

「わかりあえる？」

「気持ちがよ」と女は簡潔に答えた。

僕は開きっぱなしになったドアから首をつきだして、台所をのぞいてみた。スパゲティーの鍋からは気持ちの良さそうな白い湯気が立ちのぼり、アバドは「泥棒かささぎ」の指揮をつづけていた。

「悪いけど、今ちょうどスパゲティーをゆでてるところなんです。もうそろそろゆであがるところだし、あなたと十分も話していたらスパゲティーが駄目になっちゃう。切っていいですか？」

「スパゲティー？」と女はあきれたように言った。「だって今は朝の十時半よ。どうして朝の十時半にスパゲティーなんかゆでるの？　そんなの変じゃない？」

「変にしろ変じゃないにしろ、あなたには関係ない」と僕は言った。「朝食を殆んど食べなかったんで、今頃になって腹が減ってきたんです。僕が自分で作って食べるんだ。何時にどんなものを食べようがそれは僕の勝手じゃないですか？」

「ええ、いいわよ、それは。じゃあ、まあ切るわね」と女は油を流したようなのっぺりとした声で言った。不思議な声だ。ちょっとした感情の変化で、まるでスイッチで周波数を切りかえるみたいに声のトーンががらりとかわるのだ。「またあとでもう一度かけなおすから」

「ちょっと待って」と僕はあわてて言った。「もしこれが何かのセールスの手だとしたら、何度電話をかけてきたって無駄ですよ。僕は今失業中だし、何かを買うほどの余裕なんてないから」

「そんなこと知ってるから大丈夫よ」と女は言った。

「知ってる？　知ってるって何を？」

「だからあなた失業中なんでしょ。知ってるわよ、そんなこと。だから早くスパゲティーをゆでてくれば？」

「ねえ、あなたはいったい――」と僕が言いかけたところでぷつんと電話が切れた。あまりにも唐突な切れ方だった。受話器を置いたのではなく、指でスイッチをクリックしたのだ。

僕は感情の持っていき場のないまま、手に持った受話器をしばらく茫然と眺めていたが、やがてスパゲティーのことを思い出してそれをもとに戻し、台所に行った。そしてガスの火を切ってスパゲティーをざるにあけ、小さな鍋であたためておいたトマト・ソースをかけて食べた。スパゲティーはわけのわからない電話のせいで心もち柔かくなりすぎていたが、致命的なほどではなかったし、それにスパゲティーの微妙なゆで加減を云々するにはあまりにも腹が減りすぎていた。僕はラジオの音楽を聴きながら、その一五〇グラムぶんの麺を一本残さずゆっくりと胃の中に送りこんだ。

皿と鍋を流しで洗い、そのあいだにやかんに湯をわかし、ティーバッグで紅茶をいれた。そしてそれを飲みながら先刻の電話について考えをめぐらせてみた。

わかりあえる？

いったいあの女は何を求めて僕に電話をかけてきたんだ？　そしてあの女はいったい誰なんだ？

すべては謎に包まれていた。知らない女から匿名の電話がかかってくるような覚えもなかったし、彼女が何を言おうとしていたかについてもまるで見当がつかなかった。

いずれにせよ――と僕は思った――どこの誰だかわからない女と気持ちをわかりあいたくなんかない。そんなことしたって何の役にも立たない。とりあえず僕にいちばん必要なのは新しい仕事をみつけることなのだ。そして、もし可能であるなら、僕なりの新しい生活サイクルを確立することなのだ。

それでも居間のソファーに戻って図書館で借りたミステリー小説を読みながら電話機をちらちら眺めて

いると、その女の言う「十分間でわかりあうことのできる何か」というのがいったいどういうことなのかだんだん気になりはじめてきた。十分で何がわかりあえるのだろう？

考えてみれば女はそもそもの最初からきちんと十分と時間を区切っていた。そして彼女はその限定された時間の設定に対してかなりの確信を抱いているようだった。九分では短かすぎるし、十一分では長すぎるのかもしれない。ちょうどスパゲティーのアルデンテみたいに……。

そんなことをぼんやりと考えていると小説の筋がわからなくなってきたので、軽い体操をしてからシャツにアイロンをかけることにした。僕は頭が混乱してくるとよくシャツにアイロンをかける。昔からずっとそうなのだ。

僕がシャツにアイロンをかける工程はぜんぶで十二にわかれている。それは(1)襟（表）にはじまって(12)左袖・カフで終る。その順番が狂うことはまったくない。ひとつひとつ番号を数えながら、順番にアイロンをかけていく。そうしないことにはうまくアイロンがかからないのだ。

スチーム・アイロンの蒸気音とコットンが熱せられる独得の匂いを楽しみながら、僕は三枚のシャツにアイロンをかけ、しわのないことを確認してからハンガーで吊した。アイロンのスイッチを切り、アイロン台と一緒に押入れの中にしまってしまうと、頭はいくぶんすっきりとしたようだった。

水を飲みたくなって台所に行こうとしたところで、また電話のベルが鳴った。やれやれ、と僕は思った。そのまま台所に行こうか居間に戻ろうか少し迷ってから、やはり居間に戻って受話器をとることにした。あの女がかけなおしてきたのであれば、今アイロンをかけているところだからと言って、切ってしまえばいいのだ。

しかしその電話をかけてきたのは妻だった。ＴＶの上の置時計を見ると、針は十一時半をさしていた。

「元気？」と彼女は言った。

「元気だよ」と僕はほっとして言った。

「何してたの？」

「アイロンをかけてた」

「何かあったの？」と妻は訊ねた。彼女の声には微かな緊張の響きが混っていた。僕が混乱するとアイロンがけをするということを彼女はちゃんと知っているのだ。

「何もないよ。ただシャツにアイロンをかけようと思っただけさ。べつに何もない」と僕は言って椅子に座り、左手に持っていた受話器を右手に移しかえた。「それで、何か用事？」

「ええ、仕事のことなの。ひとつちょっとした仕事がありそうなんだけど」

「へえ」と僕は言った。

「あなた詩はかける？」

「詩？」と僕はびっくりしてききかえした。詩？　詩ってなんだ、いったい？

「知りあいの雑誌社で若い女の子むけの小説誌を出してるんだけど、そこで詩の投稿の選択と添削する人を探してるの。それから扉用の詩も毎月ひとつ書いてほしいんだって。簡単な仕事のわりにはギャラは悪くないわよ。もちろんアルバイト程度のものだけど、それがうまくいけば編集の仕事をまわしてもらえるかもしれないし――」

「簡単？」と僕は言った。「ちょっと待ってくれよ。僕が探してるのは法律事務所の仕事なんだぜ。どこで詩の添削なんて話が出てくるんだよ？」

「だってあなた高校時代に何か書いてたって言ってたじゃない」

「新聞だよ。高校新聞。サッカー大会でどこのクラスが優勝しただとか、物理の教師が階段で転んで入院しただとか、そういうどうでもいい記事を書いてただけだ。詩じゃない。詩なんか書けない」

「でも詩って言ったって女子高校生の読むような詩よ。たいしたものじゃなくていいのよ。べつに後世に残る詩を書けっていってるわけじゃないし、適当にやればそれでいいんだから」

「適当にも何も詩なんて書けない」と僕はきっぱりと言った。書けるわけがないじゃないか。

「ふうん」と残念そうに妻は言った。「でも法律関係の仕事って、みつかりそうにないじゃない」

「今いくつか話をまわしてもらってるんだ。今週中には返事がくるはずだし、もしそれが駄目だったらそのときにまた考える」

「そう？　まあそれはそれでいいわ。ところで今日は何曜日だっけ？」

「火曜日」と僕は少し考えてから言った。

「じゃあ銀行に行ってガス料金と電話料金を振りこんでおいてくれる？」

「いいよ、そろそろ夕飯の買物にも行くつもりだし、そのついでに寄るよ」

「夕食は何にするの？」

「さあ、わからないな」と僕は言った。「まだ決めてないんだ。買物に行ってから考える」

「あのね」とあらたまった口調で妻は言った。「私、思うんだけど、あなたべつに仕事探さなくていいんじゃないかしら」

「どうして？」と僕はまたびっくりして言った。世界中の女が僕をびっくりさせるために電話をかけてきているみたいだ。「どうして仕事探さなくていいんだよ？　あと三ヵ月で失業保険は切れちゃうんだぜ。ぶらぶらしてるわけにはいかないじゃないか」

「私のお給料もあがったし、副業の方も順調だし、貯金だってけっこうあるし、贅沢さえしなきゃ十分食べていけるじゃない？」

「そして僕が家事をやるんだな？」

「嫌？」

「わからない」と僕は正直に言った。わからない。「考えてみるよ」

「考えてみて」と妻は言った。「ところで猫は戻ってきた？」

「猫？」とききかえしてから、僕は自分が朝から猫のことをすっかり忘れていたことに気づいた。「いや、戻ってきてないみたいだな」

「ちょっと近所を探してみてくれない？ これでもういなくなって四日目だから」

僕は生返事をして、受話器をまた左手に移しかえた。

「たぶん『路地』の奥の空き家の庭にいるんじゃないかと思うの。鳥の石像のある庭よ。そこで何回か見かけたことあるから。そこ知ってる？」

「知らない」と僕は言った。「でも、いつ一人で『路地』になんか行ったんだよ？ そんな話これまでに一度も――」

「ねえ、悪いけど電話切るわよ、そろそろ仕事に戻んなくちゃならないから。猫のことお願いね」

そして電話が切れた。

僕はまたしばらく受話器を眺めてから、それを下に置いた。

何故女房が「路地」のことなんて知ってるんだ、と僕は不思議に思った。「路地」に入るには庭からかなり高いブロック塀を乗り越えなくてはならないし、それにそんなことまでしてわざわざ「路地」に入る意味なんて何もないのだ。

僕は台所に行って水を飲み、FMラジオのスイッチを入れて、爪を切った。ラジオはロバート・プラントの新しいLPを特集していたが、二曲ばかり聴いたところで耳が痛くなってきたのでスイッチを切った。そして縁側に出て猫の食事用の皿を調べてみたが、皿の中の煮干は昨夜僕がそこに盛ったまま一匹も減っていなかった。やはり猫は戻ってきてはいないのだ。

縁側に立ったまま、明るい初夏の日差しのさしこむ我が家の狭い庭を眺めてみた。眺めたからといって心がなごむような庭ではない。一日のうちほんの少しの時間しか日が差さないから土はいつも黒く湿っているし、植木といっても隅の方に二株か三株ぱっとしないアジサイがあるだけだ。それにだいいち僕はアジサイという花があまり好きではない。

近所の木立からまるでねじでも巻くようなギイイイッという規則的な鳥の声が聞こえた。我々はその鳥を「ねじまき鳥」と呼んでいた。妻がそう名づけたのだ。本当の名前は知らない。どんな姿をしているのかも知らない。でもそれに関係なくねじまき鳥は毎日その近所の木立にやってきて、我々の属する静かな世界のねじを巻いた。

いったいどうして僕がわざわざ猫を探しに行かなくちゃならないんだ、とねじまき鳥の声を聞きながら思った。それにもしかりに猫がみつかったとして、それからどうすればいいんだ？　家に帰るように猫を説得すればいいのか？　ねえ、みんな心配してるから家に戻ってきてくれないかな、と頼めばいいのか？

やれやれ、と僕は思った。まったくやれやれだ。猫なんて好きなところに行って好きに暮していればいいじゃないか。いったい俺は三十にもなってこんなところで何をやっているんだ？　洗濯をして、夕食の献立を考えて、そして猫探しだ。

かつては――と僕は思った――僕も希望に燃えたまともな人間だった。高校時代にはクラレンス・ダロウの伝記を読んで弁護士になろうと志した。成績も悪くなかった。高校三年のときには「いちばん大物になりそうな人」投票でクラスの二位になったこともある。そして比較的きちんとした大学の法学部にも入った。それがどこかで狂ってしまったのだ。

僕は台所のテーブルに頬杖をつき、それについて――いったいいつどこで僕の人生の指針が狂いはじめたかについて――少し考えてみた。でも僕にはわからなかった。とくに何か思いあたることがあったというわけではないのだ。政治運動で挫折したのでもないし、大学に失望したのでもないし、とくに女の子に入れこんだというのでもない。僕は僕としてごく普通に生きていたのだ。そして大学を卒業しようかというころになって、僕はある日突然自分がかつての自分でなくなっていることに気づいたというわけだ。

きっとそのずれは最初のうちは目にも見えないような微小なものだったのだろう。しかし時が経過するに従ってそのずれはどんどん大きくなり、そしてやがてはそもそものあるべき姿が見えなくなってしまうような辺境に僕を運んできてしまったのだ。太陽系にたとえるなら、たぶん僕はいま土星と天王星の中間点あたりにいるはずだった。もう少しいけば冥王星だって見ることができそうだ。そして――と僕は思った――その先にはいったい何があるんだっけ？

二月のはじめに僕はずっとつとめていた法律事務所を辞めたのだが、それはとくに何か理由があってのことではなかった。仕事の内容が気に入らなかったというのでもない。とくに心躍る内容の仕事とはいえないにしても給料は悪くなかったし、職場の雰囲気だって友好的だった。

その法律事務所における僕の役割はひとくちでいえば専門的使い走りだった。でも僕は僕なりによく働いたと思う。自分で言うのも変かもしれないけれど、僕はそういった実際的な職務の遂行に限っていえばかなり有能な人間なのだ。理解は速いし、行動はてきぱきしているし、文句は言わないし、現実的なものの考え方をする。だから僕が仕事を辞めたいと言いだしたとき老先生――というのはその事務所の持ち主である親子の弁護士の親の方だ――は給料を上げてもいいからなんとか残ってくれないかと提案したくらいだった。

でも僕は結局その事務所を辞めた。どうして辞めてしまったのか、その理由は自分でもよくわからない。辞めて何をするというはっきりした希望も展望もなかったのだ。もう一度家にこもって司法試験の勉強をするというのはどう考えても億劫だったし、それにだいいちとくに弁護士になりたいというわけでもないのだ。

僕が夕食のときに妻に「仕事を辞めようと思うんだけど」と切りだしたとき、「そうね」と彼女は言った。その「そうね」というのがどういう意味なのかよくわからなかったが、それっきり彼女はしばらく黙っていた。

僕も黙っていると、「辞めたいのなら辞めればいいじゃない」と彼女は言った。「あなたの人生なんだもの、あなたの好きにすればいいわよ」そしてそれだけ言ってしまうとあとは魚の骨を箸で皿の端にとりわける作業にかかった。

妻はデザイン・スクールで事務の仕事をしてまずまず悪くない給料をとっていたし、友だちの編集者からちょっとしたイラストレーションの仕事をまわしてもらっていて、その収入も馬鹿にはならなかった。僕の方も半年間は失業保険を受けとることができた。それに僕が家にいて毎日きちんと家事をすれば、外食費やクリーニング代といった余分な出費を浮かすこともできるし、暮しむきは僕が働いて給料をとっているときとたいして変らないはずだった。

そんな風にして僕は仕事を辞めたのだ。

十二時半にいつものように大きなキャンバス地のバッグを肩から下げて買物に出た。まず銀行に寄ってガスと電話の料金を払い、スーパーマーケットで夕食の買物をし、マクドナルドでチーズ・バーガーを食べてコーヒーを飲んだ。

家に帰ってきて冷蔵庫に食料品を詰めこんでいるところで電話のベルが鳴った。そのベルはひどく苛立って鳴っているように聞こえた。僕はプラスチックのパックを半分だけひきはがした豆腐をテーブルの上に置いて居間に行き、受話器をとった。

「スパゲティーはもう終わったかしら？」と例の女が言った。

「終わったよ」と僕は言った。「でもこれから猫を探しにいかなくちゃならないんだ」

「でも十分くらいなら待てるでしょ？　猫を探しにいくのは」

「まあ、十分くらいならね」

何をやってるんだ、俺はいったい、と思った。どうしてどこかのわけのわからない女と十分しゃべらなきゃならないんだ？

「じゃあ私たちわかりあえるわね？」と女は静かに言った。女が――どんな女かはわからないけれど――電話の向うで椅子にゆったりと座りなおし、脚を組んだような雰囲気が感じられた。

「さあ、どうかな」と僕は言った。「十年間一緒にいたってわかりあえないってこともあるからね」

「試してみれば？」と女は言った。

僕は腕時計をはずしてストップ・ウォッチのモードに切りかえ、スイッチを押した。ディジタルの数字が1から10までを刻んだ。これで十秒だ。

「どうして僕なんだ？」と僕は訊ねてみた。「どうして他の誰かじゃなくて僕に電話をかけてきたんだよ？」

「理由はあるのよ」と女は食物をゆっくりと咀嚼するときのように丁寧に言葉を切ってしゃべった。「あなたのこと知ってるもの」

「いつ、どこで？」

「いつか、どこかでよ」と女は言った。「でもそんなことどうでもいいわよ。大事なのは今よ。そうでしょ？　それにそんなこと話してたらすぐに時間なくなっちゃうわよ。私だって急いでないわけじゃないの

よ、

「証拠を見せてくれないかな。僕を君が知ってるって証拠を」

「たとえば？」

「僕の年は？」

「三十」と女は即座に答えた。「三十と二ヵ月。それでいい？」

僕は黙りこんだ。たしかにこの女は僕を知っている。しかしどれだけ考えてみても、僕は女の声に聞き覚えがなかった。僕が人の声を忘れたり聞きちがえたりするなんてことはまずありえない。たとえ顔や名前は忘れても、声だけははっきりと思い出せる。

「じゃあ今度はあなたが私のことを想像してみて」と女は誘いかけるように言った。「声から想像するのよ。私がどんな女かってね。できる？　あなたそういうの得意なんじゃなかったの？」

「わからない」

「試してごらんなさいよ」

僕は時計に目をやった。まだ一分と五秒しか経っていない。僕はあきらめて溜め息をついた。引き受けてしまったのだ。一度引き受けてしまえば、最後までやるしかない。僕は昔よくやったように――たしかに彼女が言ったようにそれはかつて僕の特技だったのだ――神経を相手の声に集中した。

「二十代後半、大学卒、東京生まれ、子供のころの生活環境は中の上」と僕は言った。

「驚いたわね」と女は言って、受話器のそばでライターを擦って煙草に火をつけた。「もっとやってみてよ」

「かなりの美人だね。少くとも自分ではそう思っている。でもコンプレックスはある。背が低いとか、乳房が小さいとか、そんなところだ」

「かなり近いわね」と女はくすくす笑いながら言った。

「結婚してる。でもしっくりといっていない。問題がある。問題がない女は自分の名前を名乗らずに男に電話をかけたりはしないからね。でも僕は君を知らない。少くともしゃべったことはない。これだけ想像してもどうしても君の姿が頭に浮かんでこないものね」

「そうかしら」と女は僕の頭にやわらかな楔を打ちこむように、静かな口調で言った。「あなたそれほど自分の能力に自信が持てるの？　あなたの頭の中のどこかに致命的な死角があるとは思わないの？　そうじゃなければあなたは今頃もう少しまともな人間になっていると思わない？　あなたくらい頭が良くてひとかどの能力を持った人ならね」

「君は僕を買いかぶっているんだ」と僕は言った。「君が誰だかは知らないけど、僕はそんな立派な人間じゃない。僕には何かをなしとげる能力が欠けてるんだ。だからどんどん脇道にそれていってしまうんだ」

「でも私、あなたのこと好きだったのよ。昔の話だけど」

「じゃあそれは昔の話なんだ」と僕は言った。

二分五十三秒。

「それほど昔の話じゃないわ。私たち歴史の話をしてるわけじゃないのよ」

「歴史の話だよ」と僕は言った。

死角、と僕は思った。たしかにこの女の言うとおりかもしれない。僕の頭の、体の、そして存在そのもののどこかには失われた地底世界のようなものがあって、それが僕の生き方を微妙に狂わせているのかもしれない。

いや違うな、微妙にじゃない。大幅にだ。収拾不可能なほどにだ。

「私は今ベッドの中にいるのよ」と女は言った。「さっきシャワーを浴びたばかりで何もつけてないの」

やれやれ、と僕は思った。何もつけてない。これじゃまるでポルノ・テープじゃないか。

「何か下着をつけた方がいい？　それともストッキングの方がいい？　その方が感じる？」

「なんだってかまわないよ。好きにすればいい」と僕は言った。「でも悪いけど、電話でそういう話をする趣味はないんだ」

「十分でいいのよ。たった十分よ。十分使ったからってべつに致命的な損失ってわけじゃないでしょ？それ以上は何も求めないわ。よしみってものがあるでしょ？　とにかく質問に答えてよ。裸のままがいい？　それとも何かつけた方がいい？　私、いろんなもの持ってるのよ。ガーター・ベルトとか……」

ガーター・ベルト？　と僕は思った。頭がおかしくなりそうだった。今どきガーター・ベルトをつけてる女なんて「ペントハウス」のモデルくらいじゃないか。

「裸のままでいいよ。動かなくていい」と僕は言った。

これで四分だ。

「陰毛がまだ濡れてるのよ」と女は言った。「よくタオルで拭かなかったの。だからまだ濡れてるの。あたたかくてしっとりと湿ってるの。すごくやわらかい陰毛よ。真っ黒で、やわらかいの。撫でてみて」

「ねえ、悪いけど――」

「その下の方もずっとあたたかいのよ。まるであたためたバター・クリームみたいにね。すごくあたたかいの。本当よ。私いまどんな格好をしていると思う？　右膝をたてて、左脚を横に開いてるの。時計の針で言うと十時五分くらい」

声の調子から、彼女が嘘をついていないことはわかった。彼女は本当に両脚を十時五分の角度に開き、ヴァギナをあたたかく湿らせているのだ。

「唇を撫でて。ゆっくりとよ。そして開くの。ゆっくりとね。指の腹でゆっくりと撫でるの。そう、すごくゆっくりとよ。そしてもう片方の手で左の乳房をいじって。下の方からやさしく撫であげて、乳首をそっとつまむの。それを何度もくりかえして。私がいきそうになるまでね」

僕は何も言わずに電話を切った。そしてソファーに寝転んで、天井を眺めながら煙草を一本吸った。ストップ・ウォッチは五分二十三秒でとまっていた。

目を閉じると様々な色あいの絵の具を出鱈目に塗りかさねたような暗闇が僕の上に降りかかってきた。どうしてなんだ？　と僕は思った。どうして僕のことをみんなそっとしておいてくれないんだ？

十分ばかりあとでまた電話のベルが鳴ったが、今度は受話器をとらなかった。電話のベルは十五回鳴って、そして切れた。ベルが死んでしまうと、まるで重力が均衡を失ってしまったような深い沈黙があたりに充ちた。氷河にとじこめられてしまった五万年前の石のような深く冷たい沈黙だった。十五回の電話のベルが僕のまわりの空気の質をすっかり変えてしまったのだ。

二時の少し前に僕は庭のブロック塀をのりこえて「路地」に下りた。

「路地」とは言っても、それは本来的な意味での路地ではない。正直なところ、それは何とも呼びようのない代物なのだ。正確に言えば道ですらない。道というのは入口と出口があって、そこを辿っていけば然るべき場所に行きつける通路のことだ。

しかし「路地」には入口も出口もなく、それを辿ったところでブロック塀か鉄条網にぶつかるだけのことだ。それは袋小路でさえない。少くとも袋小路には入口というものがあるからだ。近所の人々はその小径をただ便宜的に「路地」と呼んでいるだけの話なのだ。

「路地」は家々の裏庭のあいだを縫うようにして約二〇〇メートルばかりつづいていた。道幅は一メートルと少しというところだが、垣根がせりだしていたり、いろんなものが路上に置かれていたりするせいで、体を横に向けないことには通り抜けられないところも何ヵ所かある。

話によれば――その話をしてくれたのは我々にとびっきり安い家賃でその家を貸してくれている僕の親切な叔父だった――「路地」にもかつては入口と出口があり、通りと通りを結ぶ近道のような機能を果していた。しかし高度成長期になってかつて空き地であった場所に家が新しく建ちならぶようになってからは、それに押されるような格好で道幅もぐっと狭くなり、住人たちも自分の家の軒先や裏庭を人が往き来するのを好ましく思わなかったので、その小径はそれとなく入口を塞がれるようになった。はじめのうちは穏やかな垣根のようなもので目かくしをされているだけだったが、一人の住民が庭を拡張してブロック塀で一方の入口を完全に塞いでしまい、それに呼応するようにもう一方の入口も鉄条網で犬も通れないようにブロックされてしまった。住人たちはもともと殆んどその道を通路として利用していなかったから、両方の入口を塞がれたところで誰も文句を言わなかったし、防犯のためにはその方が好都合だった。だから今ではその道はまるで放棄された運河のように人知れずとりのこされ、利用するものもなく、家と家を隔てる緩衝地帯のような役割を果しているだけである。地面には雑草が茂り、いたるところに蜘蛛がねばねばとした巣をはって虫の到来を待ち受けていた。

妻がどうしてそんなところに何度も出入りしていたのか、見当もつかない。僕だってそれまでに一度しかその「路地」を歩いたことはなかったし、彼女はただでさえ蜘蛛が嫌いなのだ。

しかし何かを考えようとすると、僕の頭は固くてはりのあるガス状のものでいっぱいになった。そして両側のこめかみがひどくだるくなった。昨夜うまく寝つけなかったのと、五月のはじめにしては暑すぎる気候のせいと、そしてあの奇妙な電話のせいだ。

まあいい、と僕は思った。とにかく猫を探そう。そのあとのことはまたそのあとで考えればいい。それに家にじっとして電話のベルを待っているよりは、こうして外を歩きまわっていた方がずっとましだ。少くとも何か目的のあることをやっているわけなのだから。

いやにくっきりとした初夏の日差しが、頭上にはりだした樹木の枝の影を路地の地面にまだらに散らしていた。風がないせいで、その影は永遠に地表を離れることなく固定された宿命的なしみのように見えた。地球はそんなささやかなしみを抱えこんだまま西暦が五桁になるまで太陽のまわりをまわりつづけるのかもしれなかった。

僕が枝の下をとおりすぎると、そのちらちらとした影は僕のグレーのTシャツの上を素速く這って、それからまたもとの地表に戻った。

あたりには物音ひとつなく、草の葉が日の光を浴びて呼吸する音までが聞こえてきそうだった。空にはいくつか小さな雲が浮かんでいたが、それらはまるで中世の銅版画の背景に描きこまれた雲のように鮮明で簡潔なかたちをとっていた。目につく何もかもが見事にくっきりとしているせいで、僕自身の肉体がいかにも茫洋としてとりとめのない存在であるように感じられた。そしてひどく暑い。

僕はTシャツに薄手の綿のズボンにテニス・シューズという格好だったが、それでも日なたを長く歩いていると、わきの下や胸のくぼみにじっとりと汗がにじんでくるのが感じられた。TシャツもズボンもΤの朝に夏ものの衣料を詰めた箱からひっぱりだしてきたばかりだったので、大きく息をすると防虫剤のつんとするにおいが、まるで尖ったかたちをした微細な羽虫のように僕の鼻の中にもぐりこんできた。

僕は両側に注意ぶかく目を配りながら、ゆっくりと均一な歩調で路地を歩いた。そしてときどき歩をとめて、小さな声で猫の名前を呼んでみた。

路地をはさむようにして建った家々は、まるで比重の異る液体を混ぜあわせたみたいに、はっきりとしたふたつのカテゴリーにわかれていた。ひとつはゆったりとした広い裏庭を持つ昔からの家のグループで、もうひとつは比較的最近建てられたこぢんまりとした家のグループだった。新しい方の家には概して裏庭と呼べるほどの広いスペースはなく、中には庭というものをひとかけらたりとも持たないものもあった。そんな家では軒先と路地のあいだには、物干しがやっと二本並ぶ程度の空間しかあいていない。ときには物干しが路地の上にまではみだして置かれていることもあり、僕はまだ水滴をしたたらせているようなタオルやシャツやシーツの列をすりぬけるようにして前に進まねばならなかった。軒先からＴＶの音や水洗便所の水音がくっきりと聞こえてくることもあり、カレーを煮る匂いが漂ってくることもあった。

それに比べると古くからある家の方からは生活の匂いというようなものはほとんど感じられなかった。垣根には目かくし用に様々な種類の灌木やカイヅカイブキが効果的に配され、その隙間からは手入れのいきとどいた庭が広がっているのが見えた。母屋の建築スタイルは様々だった。長い廊下のある日本風の家屋があり、古びた銅屋根の洋館があり、つい最近改築されたらしいモダンなつくりのものもあったが、そのどれにも共通しているのは、住んでいる人の姿が見えないことだった。何の音も聞こえず、何の匂いもしなかった。洗濯ものさえ殆んど目につかなかった。

こんなにゆっくりとあたりを観察しながら路地を歩くのははじめてのことだったので、僕の目にはまわりの風景がとても新鮮にうつった。一軒の裏庭の隅には茶色く枯れてしまったクリスマス・ツリーがぽつんと置いてあった。ある家の庭にはまるで何人もの人間の少年期の名残りを集めてぶちまけたみたいに、ありとあらゆる子供の遊び道具が並んでいた。三輪車や輪なげやプラスチックの剣やゴムボールや亀のかたちをした人形や小さなバットや木製のトラックなんかだ。バスケット・ボールのゴールが設置された庭もあったし、立派なガーデン・チェアと陶製のテーブルが並んだ庭もあった。白いガーデン・チェアはもう何ヵ月も（あるいは何年も）使われていないようで、土ぼこりをたっぷりとかぶっていた。テーブルの上には紫色の木蓮の花弁が雨に打たれてはりついていた。

ある家では、アルミ・サッシの大きなガラス戸をとおして、居間の内部を一望することができた。そこには肝臓のような色をした皮ばりのソファー・セットがあり、大型のTVセットがあり、飾り戸棚がありその上には熱帯魚の水槽と何かのトロフィーがふたつのっている）、装飾的なフロア・スタンドがあった。それはまるでTVドラマのセットみたいに非現実的に見えた。

まわりに金網をめぐらせた大型犬用の巨大な犬舎のある庭もあった。しかしその中には犬の姿はなく、扉は開きっぱなしになっていた。金網はまるで誰かが何ヵ月も内側からもたれっぱなしになっていたみたいに丸く膨らんで、外にぽっくりとつきだしていた。

妻が教えてくれた空き家はその犬舎のある家の少し先にあった。それが空き家であることはすぐに見てとれた。それも二ヵ月や三ヵ月空いていたといった生やさしいものではない。比較的新しいつくりの二階建ての家なのだが、閉めきりになった木の雨戸だけがいやに古びて、二階の窓についた手すりにも今にも崩れ落ちんばかりに赤い錆が浮いていた。こぢんまりとした庭には翼を広げた鳥をかたどった人の胸くらいの高さの台座のついた石像が置かれていたが、そのまわりにはたっぷりと雑草が茂り、とりわけ丈の高いセイタカアワダチソウは先端を鳥の足もとにまで届かせていた。鳥は——それがどんな種類の鳥であるのかは僕にもわからなかったけれど——そんな状況に苛立って、それで翼を広げて今にも飛び立とうとしているかのようだった。

その石像の他には、庭には装飾と呼べるほどのものはなかった。古ぼけたプラスチックのガーデン・チェアがふたつ軒の下にきちんと並べられ、そのとなりではつつじが妙に現実感のない鮮かな色あいの赤い花をつけていた。それ以外に目につくものといえば雑草だけだった。

僕は胸の高さまでの金網の仕切りにもたれて、しばらくその庭を眺めていた。いかにも猫が好みそうな庭だったが、どれだけ眺めていてもそこには猫の姿らしきものは見あたらなかった。屋根の上にたったT

Vアンテナの先に鳩が一羽とまって、単調な声をあたりに響かせているだけだった。石の鳥の影は生い茂った雑草の葉の上に落ちて、ばらばらな形に分断されていた。

僕はポケットから煙草をとりだしてマッチで火をつけ、金網にもたれかかったまま吸った。そのあいだ鳩はTVアンテナの上に立って、同じ調子で際限なく啼きつづけていた。

煙草を吸い終わって地面で踏み消してからも、僕はずいぶん長いあいだそこにじっとしていたのだと思う。どれくらいの時間その金網にもたれかかっていたのか、僕にはわからない。ひどく眠くて頭がぼんやりとしていたし、殆んど何も考えずに鳥の石像の影のあたりをじっと眺めていたからだ。

あるいは僕は何かを考えていたのかもしれない。しかしもしそうだとしても、その作業は僕の意識の領域から外れた場所で行われていた。現象的には僕は草の葉の上に落ちた鳥の影をじっと見つめていただけだった。

鳥の影の中に誰かの声らしいものがしのびこんできたような気がした。女の声だ。どこかで誰かが僕を呼んでいるようだった。

うしろを振りむくと、向いの家の裏庭に十五か十六の女の子が立っているのが見えた。小柄で、髪はまっすぐで短かい。飴色の縁の濃いサングラスをかけ、肩口からはさみで両袖を切りとったライト・ブルーのアディダスのTシャツを着ている。そこからつきだした細い両腕はまだ五月だというのによく日焼けしていた。彼女は片手をショート・パンツのポケットにつっこみ、もう一方の手を腰までの高さの竹の開き戸の上に置いて不安定に体を支えていた。

「暑いわね」と娘が僕に言った。

「暑いね」と僕も言った。

やれやれ、とまた僕は思った。今日いちにち、話しかけてくるのは女ばかりだ。

「ねえ、煙草持ってる」とその女の子がたずねた。

僕はズボンのポケットからショートホープの箱をとりだし、それを娘にさしだした。彼女はショート・パンツのポケットから手を出して煙草を一本抜きとり、しばらく珍しそうに眺めてから口にくわえた。口は小さく、上唇がほんの少し上にめくれあがっている。僕は紙マッチを擦って、その煙草に火をつけた。娘が首をかがめると、耳のかたちがくっきりと見えた。たった今できあがったばかりといったかんじの生めかしい耳だった。その細い輪郭に沿って短かいうぶ毛が光っていた。

彼女は手馴れた様子で唇のまんなかから満足そうに煙を吹きだし、それからふと思い出したように僕の顔を見あげた。サングラスのふたつのレンズの上に、僕の顔がふたつにわかれて映っているのが見えた。レンズの色がひどく濃くて、おまけに光をはねかえすつくりになっていたので、その奥にある彼女の目を見とおすことはできなかった。

「近所の人？」と娘が訊いた。

「そう」と僕は答えて、自分の家のある方向を指さそうとしたが、いったいそれが正確にどちらの方向に位置しているのか僕にはわからなくなっていた。奇妙な角度に折れまがった曲り角をいくつも通り抜けてきたせいだ。それで僕は適当な方角を指さしてごまかすことにした。どちらにしたってたいした変りはないのだ。

「ずっとそこで何してたの？」

「猫を探してたんだ。三、四日前から行方がわからない」と僕は汗ばんだ手のひらをズボンのわきでこすりながら答えた。「このへんでうちの猫をみかけた人がいるんだよ」

「どんな猫？」

「大柄な雄猫だよ。茶色の縞で、尻尾の先が少し曲って折れてる」

「名前は？」

「名前って？」

「猫の名前よ。名前あるんでしょ？」娘はサングラスの奥からじっと僕の目をのぞきこみながら――たぶんのぞきこんでいたのだと思う――言った。

「ノボル」と僕は答えた。「ワタナベ・ノボル」

「猫にしちゃずいぶん立派な名前ね」

「女房の兄貴の名前なんだ。感じが似てるんで冗談でつけたんだよ」

「どんな風に似てるの？」

「動作が似てるんだ。歩き方とか、眠そうなときの目つきとか、そういうのがね」

娘ははじめてにっこりと笑った。表情が崩れると、彼女は最初の印象よりずっと子供っぽく見えた。わずかにめくれあがった上唇が不思議な角度に宙につきだしていた。

撫でて、という声が聞こえたような気がした。でもそれはあの電話の女の声だった。この娘の声ではない。僕は手の甲で額の汗を拭った。

「茶色の縞猫で、尻尾の先が少し折れ曲っているのね」と娘は確認するようにくりかえした。「首輪とかそういうのは？」

「のみとり用の黒いのがついてる」と僕は言った。

娘は片手を木戸の上に置いたまま、十秒か十五秒くらい考えこんでいた。それから短かくなった煙草を僕の足もとの地面にひょいと落とした。

「それ踏んどいてくれる？　私、裸足なの」

僕はテニス・シューズの底で煙草を丁寧に踏んで消した。

「その猫ならたぶん私、見たことあると思う」と娘はゆっくりと文節を区切るようにして言った。「尻尾の先のことまでは注意して見なかったけれど、茶色のトラ猫で、大きくて、たぶん首輪をつけてた」

「それを見たのはいつごろ？」

「さあ、いつごろかな？　でも何度かは見かけた。ここのところずっと庭で日光浴してるから、いつがいつなのかよく思い出せないんだけど、なんにせよこの三、四日のことよ。うちの庭は近所の猫のとおり道になっていて、いろんな猫がしょっちゅう歩いてるの。みんな鈴木さんの家の垣根から出てきて、うちの庭を横切って、宮脇さんの庭に入っていくの」

娘はそう言って、向いの空き家の庭を指さした。空き家の庭ではあいかわらず石の鳥が翼を広げ、セイタカアワダチソウが初夏の日差しを受け、TVアンテナの上では鳩が単調な声で啼きつづけていた。

「教えてくれてありがとう」と僕は娘に言った。

「ねえ、うちの庭で待ってみれば。どうせ猫はみんなうちを通っておむかいに行くんだし、それにこのあたりをうろうろしてると泥棒だと思われて警察に電話されちゃうわよ。これまでに何度もそういうのあったんだから」

「でも知らない人の庭に入って猫を待ってるわけにはいかないよ」

「いいのよ、そんなの、遠慮しなくても。うちには私しかいないし、話し相手がいなくてすごく退屈してたところなの。二人で庭で日光浴しながら猫が通りかかるのを待ってればいいじゃない。私、目がいいから役に立つわよ」

僕は腕時計を見た。二時三十六分だった。今日いちにち僕に残された仕事といえば、日が暮れるまでに洗濯ものをとりこんで夕食の仕度をすることだけだった。

「じゃあ、三時までいさせてもらうよ」と僕は言った。

木戸を開けて中に入り、娘のあとについて芝生の上を歩いていくと、彼女が右脚を軽くひきずっていることに気づいた。娘の小さな肩は機械のクランクのように右にかしいで規則的に揺れていた。彼女は何歩か歩くと立ちどまって、となりを歩くようにと僕に指示した。

「先月事故っちゃったのよ」と娘は簡単に言った。「バイクのうしろに乗せてもらってて、放り出されちゃったの。ついてないわ」

芝生の庭のまん中にキャンバス地のデッキ・チェアがふたつ並んでいた。片方の背もたれにはブルーの大きなタオルがかかり、もうひとつのデッキ・チェアの上にはマールボロの赤い箱と灰皿とライターと大型のラジオ・カセットと雑誌が雑然と置かれていた。ラジオ・カセットはつけっ放しになっていて、スピーカーからは僕の知らないハード・ロックが小さな音で流れていた。

彼女はデッキ・チェアの上にちらばったものを芝生の上におろし、そこに僕を座らせ、ラジオ・カセットのスイッチを切って音楽を止めた。椅子に腰を下ろすと樹木のあいだから路地とそれを隔てた空き家を見とおすことができた。白い鳥の石像もセイタカアワダチソウも金網の塀も見えた。たぶん娘はここに座って僕の姿をじっと観察していたのだろうと僕は想像した。

広くてシンプルな庭だった。芝生がなだらかな斜面を作って広がり、ところどころに木立が配されていた。デッキ・チェアの左手にはコンクリートで固められたかなり大きな池があったが、最近は使われていないらしく、水が抜かれて、まるであおむけにされた水生動物のように淡い緑色に変色した水底を太陽にさらしていた。背後の木立のうしろには優雅に面とりをした古い西洋風の母屋が見えたが、家じたいはさして大きくはなかったし、贅沢な作りにも見えなかった。ただ庭だけが広く、それも実に丁寧に手入れされているのだ。

「昔、芝刈り会社でアルバイトしてたことがあるんだ」と僕は言った。

「そうなの?」とあまり興味なさそうに娘は言った。

「これだけ広い庭の手入れをするのは大変だろうな」

「あなたの家には庭がないの?」

「小さな庭しかないよ。アジサイが二株か三株はえているようなね」と僕は言った。「いつも君ひとりなの?」

「ええ、そうよ。昼間は私がいつもひとりでここにいるの。午前中と夕方にはお手伝いのおばさんがくるけど、あとはいつも私ひとり。ねえ、何か冷たいもの飲まない? ビールもあるわよ」

「いや、いらない」

「本当? 遠慮しなくていいのよ」

「喉が乾いてないんだ」と僕は言った。「君は学校にいかないの?」

「あなたは仕事にいかないの?」

「行こうにも仕事がない」と僕は言った。

「失業?」

「まあね。自分で辞めたんだ」

「これまでどんな仕事をしてたの?」

「弁護士の使い走りのような仕事だよ」と僕は言った。そしてゆっくりと深呼吸をして、話のペースを少し落とした。「役所や官庁に行っていろんな書類をあつめたり、資料の整理をしたり、判例をチェックしたり、裁判所の事務手続きをしたりね、そんなこと」

「でも辞めたのね?」

「そう」

「奥さんは働いてるの?」

「働いてる」と僕は言った。

僕は煙草を出して口にくわえ、マッチを擦って火をつけた。近くの樹上でねじまき鳥が啼いていた。ねじまき鳥は十二回か十三回ねじを巻いてからどこかべつの木に移っていった。

「猫はいつもあのあたりを通るのよ」と娘は言って、前方の芝生の切れめのあたりを指さした。「あの鈴木さんの垣根のうしろに焼却炉が見えるでしょ? あそこのわきから出てきて、ずっと芝生をつっきって、木戸の下をくぐって、おむかいの庭に行くの。いつも同じコース。――ねえ、鈴木さんの御主人って、大学の先生でよくTVにでてるのよ。知ってる?」

「鈴木さん?」

娘は鈴木さんの説明をしてくれたが、僕はその人物のことを知らなかった。

「TVって殆んど見ないんだ」と僕は言った。

「嫌な一家よ」と娘は言った。「有名人気取りなのね。TVに出るような連中ってみんなインチキよ」

「そう?」

娘はマールボロの箱を手にとって一本抜きとり、火をつけずにしばらく手の中で転がしていた。

「まあ中には立派な人も何人かはいるかもしれないけど、私は好きじゃない。宮脇さんはまともな人だったわ。奥さんが良い人で、御主人はファミリー・レストランを二つか三つ経営してたのよ」

「どうしていなくなったの?」

「知らないわ」と娘は煙草の先端を爪ではじきながら言った。「借金か何かじゃないかしら。ばたばたといなくなっちゃったの。いなくなってもう二年になるかしら。家は放りだしっぱなしで、猫はふえるし、不用心だし、お母さんはいつも文句言ってるわ」

「そんなに沢山猫がいるの？」

娘はやっと煙草を口にくわえ、ライターで火をつけた。そして肯いた。

「いろんな猫がいるわ。毛がはげちゃったのもいるし、片目のもいるし……目がとれちゃって、そこが肉のかたまりになっちゃってるの。すごいでしょ」

「すごいね」と僕は言った。

「私の親類に指が六本ある人がいるのよ。私より少し年上の女の子なんだけど、小指のとなりにもう一本赤ん坊の指のような小さいのがついているの。でもいつも器用に折りこんでいるから、ちょっと見にはわからないの。綺麗な子よ」

「ふうん」と僕は言った。

「そういうのって遺伝すると思う？　なんていうか……血統的に」

「わからない」と僕は言った。

彼女はしばらくのあいだ黙っていた。僕は煙草を吸いながら、猫のとおり道をじっとにらんでいた。これまでのところ猫は一匹として姿を見せていなかった。

「ねえ、本当に何か飲まない？　私はコーラを飲むけれど」と娘が言った。

いらない、と僕は答えた。

娘がデッキ・チェアから立ちあがって片脚をひきずりながら木立の陰に消えてしまうと、僕は足もとの雑誌を手にとってぱらぱらとページを繰ってみた。それは僕の予想に反して男性向けの月刊誌だった。まん中のグラビアでは性器のかたちと陰毛がすけて見える薄い下着をつけた女がスツールの上に座って不自然な姿勢で両脚を大きく開いていた。やれやれ、と僕は思って雑誌をもとの場所に戻し、胸の上で両腕を組んで再び猫のとおり道に目を向けた。

ずいぶん長い時間がたってから、コーラのグラスを手に娘が戻ってきた。彼女はアディダスのTシャツを脱いで、ショート・パンツとビキニの水着のブラジャーという格好になっていた。乳房のかたちがはっきりとわかるような小さなブラで、うしろは紐でむすんでとめるようになっている。

たしかにそれは暑い午後だった。デッキ・チェアの上で太陽に身をさらしてじっとしていると、グレーのTシャツのところどころに汗が黒くにじんでくるのが見えた。

「ねえ、もしあなたが好きになった女の子に指が六本あることがわかったら、あなたはどうする?」と娘は話のつづきを始めた。

「サーカスに売るね」と僕は言った。

「本当に?」

「冗談だよ」と僕はびっくりして言った。「たぶん気にしないと思うね」

「子供に遺伝する可能性があるとしても?」

僕は少しそれについて考えてみた。

「気にしないと思うね。指が一本多くったって、たいした支障はない」

「乳房が四つあったとしたら?」

僕はそれについてもしばらく考えてみた。

「わからない」と僕は言った。

乳房が四つ? 話にきりがなさそうだったので、僕は話題をかえてみることにした。

「君はいくつ?」

「十六」と娘は言った。「十六になったばかりよ。高校の一年生」

「学校は休んでるの？」

「長く歩くとまだ脚が痛むのよ。目のわきに傷もついちゃったし。けっこううるさい学校なんだ、バイクから落ちて怪我したなんてわかったらどんな目にあわされるかわかんないし……だもんで病欠ってことにしてあるの。べつに一年休学したっていいのよ。急いで高校二年生になりたいわけじゃないから」

「ふうん」と僕は言った。

「でもさ、さっきの話だけど、あなた指が六本ある女の子となら結婚してもいいけど、乳房が四つあるのは嫌だって言ったわね」

「嫌だなんて言ってない。わからないって言ったんだ」

「どうしてわからないの？」

「うまく想像できないから」

「指が六本っていうのは想像できるの？」

「なんとかね」

「どこに差があるのかしら？　六本の指と四つの乳房に？」

僕はそのことについてまた少し考えてみたが、うまい説明は思いつけなかった。

「ねえ、私って質問しすぎる？」と彼女は言って、サングラスの奥から僕の目をのぞきこんだ。

「そう言われることがあるの？」と僕は訊いた。

「ときどきね」

「質問するのは悪いことじゃないよ。質問されれば相手も何かを考えるしさ」

「でも大抵の人は何も考えてくれないわ」と彼女は足の先を見ながら言った。「みんな適当に返事するだけよ」

僕は曖昧に首を振って、猫のとおり道の方に視線を戻した。俺はいったいここで何をしているんだろう、と僕は思った。猫なんてまだ一匹も姿を見せていないじゃないか。

僕は胸の上で手を組んだまま、二十秒か三十秒目を閉じた。じっと目を閉じていると、体の様々な部分に汗が浮かんでいるのが感じとれた。額や鼻の下や首に、まるで湿った羽毛か何かをのせられたような微かな違和感があり、Tシャツは風のない日の旗のようにだらりと僕の胸にしなだれかかっていた。太陽の光は奇妙な重みを持って、僕の体に注いでいた。娘がコーラのグラスを振ると、氷がまるでカウベルのような音を立てた。

「眠かったら眠っててていいわよ。猫の姿が見えたら起こしてあげるから」と娘が小さな声で言った。

僕は目を閉じたまま黙って肯いた。

しばらくのあいだあたりには物音ひとつ聞こえなくなった。鳩もねじまき鳥もどこかに消えてしまっていた。風もなく、車の排気音さえ聞こえなかった。そのあいだ僕はずっと電話の女のことを考えていた。僕は本当にその女のことを知っていたのだろうか？

でも僕にはその女を思い出すことができなかった。まるでキリコの絵の中の情景のように、女の影だけが路上を横切って長くのびていた。そしてその実体は僕の意識の領域をはるか遠く離れたところにあった。僕の耳もとでいつまでもベルが鳴りつづけていた。

「ねえ、寝ちゃった？」と娘が聞こえるか聞こえないかといったような声で僕に訊ねた。

「寝てない」

「もっと近くに寄っていい？　小さな声でしゃべった方が私、楽なの」

「かまわないよ」と僕は目を閉じたまま言った。

娘は自分のデッキ・チェアを横にずらせて僕の座ったデッキ・チェアにくっつけたようだった。木枠の触れあうかたんという乾いた音がした。

変だな、と僕は思った。目を開いて聞いているときの娘の声と目を閉じて聞いているときの娘の声は、まるで違って聞こえるのだ。こんなことってはじめてだ。

「少ししゃべってていい？」と娘は言った。「すごく小さな声でしゃべるし、返事しなくていいし、途中でそのまま眠っちゃってもいいから」

「いいよ」と僕は言った。

「人が死ぬのって、素敵よね」と娘は言った。

彼女は僕のすぐ耳もとでしゃべっていたので、その言葉はあたたかい湿った息と一緒に僕の体内にそっともぐりこんできた。

「どうして？」と僕は訊いた。

娘はまるで封をするように僕の唇の上に指を一本置いた。

「質問はしないで」と彼女は言った。「今は質問されたくないの。それから目も開けないでね。わかった？」

僕は彼女の声と同じくらい小さく肯いた。

彼女は僕の唇から指を離し、その指を今度は僕の手首の上に置いた。

「そういうのをメスで切り開いてみたいって気がするのよ。死体をじゃないわよ。その死のかたまりみたいなものをよ。そういうものがどこかにあるんじゃないかって気がするのね。ソフトボールみたいに鈍くって、やわらかくて、神経が麻痺してるの。それを死んだ人の中からとりだして、切り開いてみたいの。いつもそう思うのよ。中がどうなってるんだろうってね。ちょうど歯みがきのペーストがチューブの中で固まるみたいに、中で何かがコチコチになってるんじゃないかしら？　そう思わない？　いや、いいのよ、返事しないで。まわりがぐにゃぐにゃとしていて、それが内部に向うほどだんだん硬くなっていくの。だから私はまず外の皮を切り開いて、中のぐにゃぐにゃしたものをとりだし、メスとへらのようなものを使ってそのぐにゃぐにゃをとりわけていくの。そうすると中の方でだんだんそのぐにゃぐにゃが硬くなっていってね、小さな芯みたいになってるの。ボールベアリングのボールみたいに小さくて、すごく硬いのよ。そんな気しない？」

娘は二、三度小さな咳をした。

「最近いつもそのこと考えるのよ。きっと毎日暇なせいね。本当にそう思うわ。暇だと考えがどんどんどんどん遠くまで行っちゃうのよ。考えが遠くまで行きすぎて、うまくそのあとが辿れなくなるの」

そして娘は僕の手首につけた指を離し、グラスをとってコーラの残りを飲んだ。氷の音でグラスが空になったことがわかった。

「大丈夫よ、ちゃんと猫のことは見張ってるから。心配しないで。ワタナベ・ノボルの姿が見えたらちゃんと教えてあげるわ。だからそのままじっと目を閉じててね。ワタナベ・ノボルは今頃きっとこのあたりを歩いているはずよ。だって猫ってみんな同じところを歩くんだもの。きっと現われるわよ。想像しながら待つのよ。ワタナベ・ノボルは今ここに近づいているってね。草のあいだを通って、塀の下をくぐり抜けて、どこかでたちどまって花の匂いをかいだりしながら、少しずつこちらに近づいているのよ。そんな姿を思い浮かべて」

言われたとおり猫の姿を頭に思い浮かべようとしたが、実際に思い浮かべることができるのは、逆光を浴びた写真のようなひどく漠然とした猫の像にすぎなかった。強い太陽の光が瞼をとおり抜けて僕の暗闇を不安定に拡散させていたし、それにどれだけ努力しても猫の姿を正確に思い出すことができなかった。僕が思い浮かべることのできるワタナベ・ノボルの姿はまるで失敗した似顔絵のようにどことなくいびつで不自然だった。特徴だけは似ているのだが、肝心な部分がすっぽりと欠落している。彼がどのような歩き方をしたのかさえ、もう思い出せない。

　娘は僕の手首にもう一度指を置いて、今度はそっとその上に模様のようなものを描いた。形の定まらない奇妙な図形だった。彼女が僕の手首にその図形を描くと、まるでそれに呼応するように、これまであったものとはべつの種類の暗闇が意識の中にもぐりこもうとしているように感じられた。おそらく僕は眠ろうとしているのだろう、と僕は思った。眠りたくはなかったけれど、もう何をもってしてもそれを押しとどめることは不可能であるようだった。なだらかなカーブを描くキャンバス地のデッキ・チェアの上で、僕の体は不格好なくらいに重く感じられた。

　そんな暗闇の中で、ワタナベ・ノボルの四本の脚だけを思い浮かべた。足のうらにゴムのようなやわらかいふくらみがついた四本の静かな茶色の脚だ。そんな足が音もなくどこかの地面を踏みしめていた。

　どこの地面だ？

　でもそれは僕にはわからなかった。

　あなたの頭の中のどこかに致命的な死角があるとは思わないの？　と女は静かに言った。

　目が覚めたとき、僕はひとりだった。わきにぴたりとつきつけられたデッキ・チェアの上に娘の姿はなかった。タオルと煙草と雑誌はそのままだったが、コーラのグラスとラジオ・カセットは消えていた。日は西に傾いて、松の木の枝の影がくるぶしのあたりまで僕の体をすっぽりと包んでいた。時計の針は三時四十分を指している。空き缶を振るような感じで何度か頭を振り、椅子から立ちあがってあたりを見まわした。まわりの風景は最初に見たときとまったく同じだった。広い芝生、干あがった池、垣根、石像の鳥、セイタカアワダチソウ、ＴＶアンテナ。猫の姿はない。そして娘の姿も。

僕は芝生の日かげになった部分に腰を下ろし、手のひらで緑の芝を撫でながら、猫のとおり道に目をやり、娘が戻ってくるのを待った。しかし十分が過ぎても、猫も娘もあらわれなかった。あたりには動くものの気配すらなかった。いったいどうすればいいのか、うまく判断できなかった。眠っていたあいだになんだかひどく年をとってしまったような気がした。

僕はもう一度立ちあがり、母屋の方に目をやってみた。しかしそこにも人の気配はなかった。出窓のガラスが西日を受けて眩しく光っているだけだった。僕は仕方なく芝生の庭を横切って路地に出て、家にひきかえした。結局猫はみつからなかったけれど、でもとにかくやるだけのことはやったのだ。

家に戻ると乾いた洗濯ものをとりこみ、簡単な食事の用意をした。それから居間の床に座り壁にもたれて夕刊を読んだ。五時半に電話のベルが十二回鳴ったが、受話器をとらなかった。ベルが鳴りやんだあとも、その余韻は部屋の淡い夕闇の中にちりのように漂っていた。置時計がその硬い爪先で空間に浮かんだ透明な板を叩いていた。まるで機械仕掛けの世界のようだな、と僕は思った。一日に一度ねじまき鳥がやってきて、世界のねじを巻いていくのだ。そして僕一人がそんな世界の中で年をとり、白いソフトボールのような死をふくらませていくのだ。土星と天王星のあいだで僕がぐっすりと眠っているあいだにも、ねじまき鳥たちは怠りなくその職分を果しているのだ。

ねじまき鳥たちについての詩を書いてみたらどうだろうとふと思った。しかしどれだけ考えてみてもその最初の一節が浮かんでこなかった。それにだいいち女子高校生たちがねじまき鳥についての詩を読んで楽しんでくれるとは思えなかった。彼女たちはまだねじまき鳥そのものの存在を知らないのだ。

妻が戻ってきたのは七時半だった。

「ごめんね。残業があったのよ」と彼女は言った。「どうしても一人分の授業料の納入書類がみつからなくてね。アルバイトの女の子がいい加減なせいなんだけど、一応私のうけもちだから」

「かまわないよ」と僕は言った。そして台所に立って魚のバター焼きとサラダと味噌汁をつくった。そのあいだ妻は台所のテーブルで夕刊を読んでいた。

「ねえ、五時半頃あなた家にいなかったの？」と彼女が訊ねた。「少し遅くなると言おうと思ってうちに電話かけたんだけど」

「バターが切れてたから買いにでてたんだ」と僕は嘘をついた。

「銀行には行ってくれた？」

「もちろん」と僕は答えた。

「猫は？」

「みつからない」

「そう」と妻は言った。

食事のあとで風呂から出てくると、妻は電灯を消した居間の暗闇の中にひとりでぽつんと座っていた。グレーのシャツを着て暗闇の中にじっとうずくまっていると、彼女はまるで置き去りにされた荷物のように見えた。僕は彼女がひどく気の毒に思えた。彼女は間違った場所に置き去りにされたのだ。もっとべつの場所にいれば、あるいはもっと幸せになれたかもしれない。

僕はバスタオルで髪を拭いて、彼女の向い側のソファーに座った。

「どうかしたの？」と僕は訊ねた。

「きっともう猫は死んじゃったのよ」と妻は言った。

「まさか」と僕は言った。「どこかで遊びまわってるんだよ。そのうちに腹を減らして戻ってくるさ。前にも一度あったじゃないか。高円寺に住んでるころにやっぱり――」

「今度は違うのよ。私にはわかるのよ。猫は死んじゃって、どこかの草むらの中で腐ってるのよ。空き家の庭の草むら探してくれた？」

「おい、よせよ。いくら空き家だって他人の家だぜ、そんなの勝手に入れるわけないじゃないか」

「あなたが殺したのよ」と妻は言った。

僕は溜め息をついてもう一度バスタオルで頭を拭った。

「あなたが猫を見殺しにしたのよ」と暗闇の中で彼女はくりかえした。

「よくわからないな」と僕は言った。「猫は自分でいなくなったんだ。僕のせいなんかじゃない。それくらいのことは君にだってわかるだろ？」

「あなた、猫のことなんてべつに好きじゃなかったんでしょ？」

「そりゃそうかもしれない」と僕は認めた。「少くとも君ほどはあの猫のことは好きじゃなかったかもしれない。でも僕はあの猫をいじめたこともないし、毎日ちゃんと飯をやってた。僕が飯をやってたんだよ。とくに好きじゃないからって、僕が猫を殺したことにはならない。そんなことを言いだしたら、世界の大部分の人間は僕が殺したことになる」

「あなたってそういう人なのよ」と妻は言った。「いつもいつもそうよ。自分では手を下さずにいろんなものを殺していくのよ」

僕は何かを言おうとしたが彼女が泣いているのを知ってやめた。そして風呂場の脱衣籠にバスタオルを放りこみ、台所に行って冷蔵庫からビールを出して飲んだ。出鱈目な一日だった。出鱈目な年の、出鱈目な月の、出鱈目な一日だった。

ワタナベ・ノボル、お前はどこにいるのだ？ と僕は思った。ねじまき鳥はお前のねじを巻かなかったのか？

まるで詩の文句だな。

ワタナベ・ノボル
お前はどこにいるのだ？
ねじまき鳥はお前のねじを
巻かなかったのか？

ビールを半分ばかり飲んだところで電話のベルが鳴りはじめた。

「出てくれよ」と僕は居間の暗闇に向ってどなった。

「嫌よ。あなたが出てよ」と妻が言った。

「出たくない」と僕は言った。

答えるもののないままに電話のベルは鳴りつづけた。ベルは暗闇の中に浮かんだちりを鈍くかきまわしていた。僕も妻もそのあいだ一言も口をきかなかった。僕はビールを飲み、妻は声を立てずに泣きつづけていた。二十回までベルの音を数えたが、それからあとはあきらめて鳴るにまかせた。いつまでもそんなものを数えつづけるわけにはいかない。

The second bakery attack

パン屋再襲撃

パン屋襲撃の話を妻に聞かせたことが正しい選択であったのかどうか、いまもって確信が持てない。たぶんそれは正しいとか正しくないとかいう基準では推しはかることのできない問題だったのだろう。つまり世の中には正しい結果をもたらす正しくない選択もあるし、正しくない結果をもたらす正しい選択もあるということだ。このような不条理性——と言って構わないと思う——を回避するには、我々は実際には何ひとつとして選択してはいないのだという立場をとる必要があるし、大体において僕はそんな風に考えて暮している。起こったことはもう起こったことだし、起こっていないことはまだ起こっていないことなのだ。

そのような立場から物事を考えると、僕は何はともあれとにかく妻にパン屋襲撃のことを話してしまった——ということになる。話してしまったことは話してしまったことだし、そこから生じた事件は既に生じてしまった事件なのだ。そしてもしその事件が人々の目に奇妙に映るとすれば、その原因は事件を包含する総体的な状況存在の中に求められて然るべきであろうと僕は考える。しかし僕がどんな風に考えたところで、それで何かが変わるというものではない。そういうのはただの考え方に過ぎないのだ。

僕が妻の前でパン屋襲撃の話を持ちだしたのは、ほんのちょっとしたなりゆきからだった。その話を持ちだそうと前もって決めていたわけでもないし、そのときにふと思い出して「そういえば——」という風に話しはじめたわけでもない。僕自身その「パン屋襲撃」という言葉を妻の前で口に出すまで、自分がかつてパン屋を襲撃したことなんてすっかり忘れてしまっていたのだ。

そのとき僕にパン屋襲撃のことを思い出させたのは堪えがたいほどの空腹感だった。時刻は夜中の二時前だ。僕と妻は六時に軽い夕食をとり、九時半にはベッドにもぐりこんで目を閉じたのだが、その時刻にどういうわけか二人とも同時に目を覚ましてしまった。目を覚ましてしばらくすると、「オズの魔法使い」にでてくる竜巻のように巨大な空腹感が襲いかかってきた。それは理不尽と言っていいほどの圧倒的な空腹感だった。

しかし冷蔵庫の中には食物という名を冠することのできそうな食物は何ひとつとしてなかった。そこにあるものはフレンチ・ドレッシングと六本の缶ビールとひからびた二個の玉葱とバターと脱臭剤だけだった。我々はその二週間ほど前に結婚したばかりで、食生活に関する共同認識というものをまだ明確に確立してはいなかった。我々がその当時確立しなくてはならないものは他に山ほどあったからだ。

その頃僕は法律事務所に勤めており、妻はデザイン・スクールで事務の仕事をしていた。僕は二十八か九のどちらかで（どういうわけか結婚した年をどうしても思い出すことができないのだ）、彼女は僕より二年八ヵ月年下だった。我々の生活はひどく忙しく、立体的な洞窟のようにごたごたと混みいっており、とても予備の食料のことまでは気がまわらなかった。

我々はベッドを出て台所に移り、何をするともなくテーブルをはさんで向いあっていた。もう一度眠りにつくには二人とも腹が減りすぎていたし——体を横にするだけで苦痛なのだ——かといって起きて何かをするにも腹が減りすぎていた。このような強烈な空腹感がどこからどのようにしてやってきたのか、我々には見当もつかなかった。

僕と妻は一縷の望みを抱いて交代で冷蔵庫の扉を何度か開いてみたが、何度開けてみてもその内容は変化しなかった。ビールと玉葱とバターとドレッシングと脱臭剤だ。玉葱のバター炒めを作るという手もあったが、二個のひからびた玉葱が我々の空腹を有効に埋めてくれるとも思えなかった。玉葱というのは何かと一緒に口にするべきものであって、それだけで飢えを充たすという種類の食物ではないのだ。

「フレンチ・ドレッシングの脱臭剤炒めは?」と僕は冗談で提案してみたが予想したとおり黙殺された。

「車で外に出て、オールナイトのレストランを探そう」と僕は言った。「国道に出ればきっとそういうのが何かあるよ」

しかし妻はその僕の提案を拒否した。外に出て食事をするのなんて嫌だと彼女は言った。

「夜の十二時を過ぎてから食事をするために外出するなんてどこか間違ってるわ」と彼女は言った。彼女はそういう面ではひどく古風なのだ。

「まあ、そうだな」と僕はひと呼吸置いて言った。

結婚した当初にはありがちなことなのかもしれないが、妻のそのような意見(ないしはテーゼ)はある種の啓示のように僕の耳に響いた。彼女にそう言われると、僕には、自分の今抱えている飢餓が国道沿いの終夜レストランで便宜的に充たされるべきではない特殊な飢餓であるように感じられたのだ。

特殊な飢餓とは何か?

僕はそれをひとつの映像としてここに提示することができる。

①僕は小さなボートに乗って静かな洋上に浮かんでいる。②下を見下ろすと、水の中に海底火山の頂上が見える。③海面とその頂上のあいだにはそれほどの距離はないように見えるが、しかし正確なところはわからない。④何故なら水が透明すぎて距離感がつかめないからだ。

終夜レストランになんて行きたくないと妻が言ってから、僕が「まあ、そうだな」と同意するまでの二秒か三秒のあいだに僕の頭に浮かんだイメージはだいたいそのようなものだった。僕はもちろんジグムント・フロイドではないので、そのイメージが何を意味しているかを明確に分析することはできなかったが、それが啓示的な種類のイメージであることだけは直観的に理解できた。だからこそ僕は——空腹が異様なほど強烈なものであったにもかかわらず——食事のために外出はしないという彼女のテーゼ（ないしは声明）に半ば自動的に同意したのだ。

仕方なく我々は缶ビールを開けて飲んだ。玉葱を食べるよりはビールを飲む方がずっとましだったからだ。妻はビールをそれほどは好まなかったので、僕は六本のうちの四本を飲み、彼女が残りの二本を飲むことになった。僕がビールを飲んでいるあいだ、彼女は十一月のリスのようにこまめに台所の棚を探しまわり、袋の底にバター・クッキーが四枚残っていたのをみつけた。それはチーズケーキの台を作ったときの残りで、湿ってすっかり柔かくなっていたが、我々はそれを大事に二枚ずつかじった。

しかし残念ながら缶ビールもバター・クッキーも、空から見たシナイ半島のごとき茫漠とした我々の空腹には何の痕跡も遺さなかった。それらはみすぼらしい風景の一部のように窓の外を素速く通りすぎていっただけだった。

我々はビールのアルミ缶に印刷された字を読んだり、時計を何度も眺めたり、冷蔵庫の扉に目をやったり、昨日の夕刊のページを繰ったり、テーブルの上にちらばったクッキーのかすを葉書の縁で集めたりした。時間は魚の腹に呑み込まれた鉛のおもりのように暗く鈍重だった。

「こんなにおなかがすいたのってはじめてのことだわ」と妻が言った。「こういうのって結婚したことと何か関係があるのかしら？」

わからない、と僕は言った。あるのかもしれないし、ないのかもしれない。

妻があらたなる食物の断片を求めて台所を探しまわっているあいだ、僕はまたボートから身をのりだして海底火山の頂上を見下ろしていた。ボートを取り囲む海水の透明さは、僕の気持ちをひどく不安定なものにしていた。みぞおちの奥のあたりにぽっかりと空洞が生じてしまったような気分だった。出口も入口もない、純粋な空洞である。その奇妙な体内の欠落感——不在が実在するという感覚——は高い尖塔のてっぺんに上ったときに感じる恐怖のしびれにどこかしら似ているような気がした。空腹と高所恐怖に相通じるところがあるというのは新しい発見だった。

かつてこれと同じような経験をしたことがあると僕が思ったのはちょうどそのときだった。僕はあのときも今と同じように腹を減らしていたのだ。あれは——

「パン屋襲撃のときだ」と僕は思わず口に出した。

「パン屋襲撃って何のこと?」とすかさず妻が質問した。

そのようにしてパン屋襲撃の回想が始まったのだ。

「ずっと昔にパン屋を襲撃したことがあるんだ」と僕は妻に説明した。「それほど大きなパン屋じゃないし、名のあるパン屋でもない。とくに美味しくもなく、とくに不味くもない。どこにでもある平凡な町のパン屋だった。商店街のまん中にあって、親父が一人でパンを焼いて売っていた。朝に焼いたぶんが売り切れるとそのまま店を閉めてしまうような小さなパン屋だった」

「どうしてそんなぱっとしないパン屋を選んで襲ったの?」と妻が質問した。

「大きな店を襲ったりする必要がなかったからさ。我々は自分たちの飢えを充たしてくれるだけの量のパンを求めていたんであって、何も金を盗ろうとしていたわけじゃない。我々は襲撃者であって、強盗ではなかった」

「我々?」と妻は言った。「我々って誰のこと?」

「僕にはその頃相棒がいたんだ」と僕は説明した。「もう十年も前のことだけれどね。我々は二人ともひどい貧乏で、歯磨粉を買うことさえできなかった。もちろん食べものだっていつも不足していた。だからその当時我々は食べものを手に入れるために実にいろんなひどいことをやったものさ。パン屋襲撃もそのうちのひとつで――」

「よくわからないわ」と妻は言って、僕の顔をじっとのぞきこんだ。それはまるで夜明けの空に色褪せた星の姿を探し求めるような目だった。「どうしてそんなことをしたの？　何故働かなかったの？　少しアルバイトをすればパンを手に入れるくらいのことはできたはずでしょ？　どう考えてもその方が簡単だわ。パン屋を襲ったりするよりはね」

「働きたくなんてなかったからさ」と僕は言った。「それはもう、実にはっきりとしていたんだ」

「でも今はこうしてちゃんと働いているじゃない？」と妻は言った。

僕は肯いてからビールをひとくちすすった。そして手首の内側で瞼をこすった。何本かのビールが僕に眠気をもたらそうとしていた。それは淡い泥のように僕の意識にもぐりこみ、空腹とせめぎあっていた。

「時代が変われば空気も変わるし、人の考え方も変わる」と僕は言った。「でも、もうそろそろ寝ないか？　二人とも朝は早いんだし」

「眠くなんかないし、パン屋襲撃の話を聞きたいわ」と妻は言った。

「つまらない話だよ」と僕は言った。「少くとも君が期待しているような面白い話じゃない。派手なアクションもないしね」

「それで襲撃は成功したの？」

僕はあきらめて新しいビールのプルリングをむしりとった。妻は何かを聞き始めたら、最後まで聞きとおさずにはいられない性格なのだ。

「成功したとも言えるし、成功しなかったとも言える」と僕は言った。「要するに我々はパンを好きなだけ手に入れることができたんだけれど、それは強奪としては成立しなかったんだ。つまり我々がパンを強奪しようとする前に、パン屋の主人が我々にそれをくれたんだ」

「無料《ただ》で？」

「無料《ただ》じゃない。そこがややこしいところなんだ」と僕は言って首を振った。「パン屋の主人はクラシック音楽のマニアで、ちょうどそのとき店でワグナーの序曲集をかけていたんだ。そして彼は我々に、もしそのレコードを最後までじっと聴きとおしてくれるなら店の中のパンを好きなだけ持っていっていいという取引を申し出たんだ。僕と相棒はそれについて二人で話しあった。そしてこういう結論に達したんだ。音楽を聴くくらいまあいいじゃないかってね。それは純粋な意味における労働ではないし、誰を傷つけるわけでもないしね。それで我々は包丁とナイフをボストン・バッグにしまいこみ、椅子に座ってパン屋の主人と一緒に『タンホイザー』と『さまよえるオランダ人』の序曲を聴いた」

「そしてパンを受けとったのね」

「そう。僕と相棒は店にあったパンのあらかたをバッグに放りこんで持ちかえり、四日か五日それを食べつづけた」と僕は言って、またビールをすすった。眠気は海底地震によって生じた無音の波のように僕のボートを鈍く揺さぶっていた。

「もちろんパンを手に入れるという所期の目的は達せられたわけだけれど」と僕はつづけた。「それはどう考えても犯罪と呼べる代物じゃなかった。それはいわば交換だったんだ。我々はワグナーを聴き、そのかわりにパンを手に入れたわけだからね。法律的に見れば商取引のようなものさ」

「でもワグナーを聴くことは労働ではない」

「そのとおり」と僕は言った。「もしパン屋の主人がそのとき我々に皿を洗うことやウィンドウを磨くことを要求していたら、我々はそれを断乎拒否し、あっさりパンを強奪していただろうね。しかし主人はそんなことは要求せず、ただ単にワグナーのLPを聴きとおすことだけを求めたんだ。それで僕と相棒はひどく混乱してしまった。ワグナーが出てくるなんて、当然のことながら我々はまったく予想しちゃいなかったからね。それはまるで我々にかけられた呪いのようなものだった。今にして思えば、我々はそんな提案には耳を貸さず、最初の予定どおりに刃物で奴を脅してパンを単純に強奪しておくべきだったんだ。そうすれば問題は何もなかったはずだった」

「何か問題が起こったの？」

僕はまた手首の内側で瞼をこすった。

「そうだね」と僕は答えた。「でもそれははっきりと目に見える具体的な問題というわけじゃないんだ。ただいろんなことがその事件を境にゆっくりと変化していっただけさ。そして一度変化してしまったものは、もうもとには戻らなかった。結局僕は大学に戻って無事に卒業し、法律事務所で働きながら司法試験の勉強をした。そして君と知りあって結婚した。二度とパン屋を襲ったりはしなくなった」

「それでおしまい？」

「そう、それだけの話だよ」と僕は言ってビールのつづきを飲んだ。それで六本のビールは全部空になった。灰皿の中には六個のプルリングがそげ落ちた半魚人のうろこのように残っていた。

もちろん本当に何も起こらなかったというわけではない。はっきりと目に見える具体的なことだっていくつかはちゃんと起こったのだ。しかしそのことについては僕は彼女にしゃべりたくなかった。

「それで、そのあなたの相棒は今どうしているの？」と妻が訊ねた。

「知らないな」と僕は答えた。「そのあとでちょっとしたことがあって、我々は別れたんだ。それ以来一度も会っていないし、今何をしているかもわからない」

妻はしばらく黙っていた。おそらく彼女は僕の口調に何かしら不明瞭な響きを感じとったのだと思う。しかし彼女はその点についてはそれ以上あえて言及しなかった。

「でも、あなたたちがコンビを解消したのはそのパン屋襲撃事件が直接の原因だったのね？」

「たぶんね。その事件から我々が受けたショックというのは見かけよりずっと強烈なものだったと思う。我々はその後何日もパンとワグナーの相関関係について語りあった。果して我々のとった選択が正しかったかどうかってね。でも結論は出なかった。まともに考えれば選択は正しかったはずだった。誰一人として傷つかず、みんなそれぞれにいちおうは満足したわけだからね。パン屋の主人は――何のためにそんなことをしたのかいまだに理解することができないけれど、とにかく――ワグナーのプロパガンダをすることができたし、我々は腹いっぱいパンを食べることができた。にもかかわらず、そこに何か重大な間違いが存在していると我々は感じたんだ。そしてその誤謬は原理のわからないままに、我々の生活に暗い影を落とすようになったんだ。僕がさっき呪いという言葉を使ったのはそのせいなんだ。それは疑いの余地なく呪いのようなものだった」

「その呪いはもう消えてしまったのかしら？　あなたがた二人の上から？」

僕は灰皿の中の六個のプルリングを使ってブレスレットほどの大きさのアルミニウムの輪を作った。

「それは僕にもわからないな。世の中にはずいぶん沢山の呪いがあふれているみたいだし、何かまずいことが起こってもそれがどの呪いのせいなのか見きわめることはむずかしいもの」

「いいえ、そんなことはないわ」と妻は僕の目をじっとのぞきこみながら言った。「よく考えればわかることよ。そしてあなたが自分の手でその呪いを解消しない限り、それは虫歯みたいにあなたを死ぬまで苦しめつづけるはずよ。あなたばかりではなく、私をも含めてね」

「君を？」

「だって今では私があなたの相棒なんだもの」と彼女は言った。「たとえば今私たちが感じているこの空腹がそうよ。結婚するまで私はこんなひどい空腹感を味わったことなんてただの一度もなかったわ。こんなのって異常だと思わない？　きっとあなたにかけられた呪いが私まで巻きこんでいるのよ」

僕は肯いて、輪にしたプルリングをまたばらばらにして灰皿の中に戻した。彼女の言っていることが真実なのかどうか、僕にはよくわからなかった。しかしそう言われてみればそうかもしれないという気はした。

しばらく意識の外側に遠のいていた飢餓感がまた戻ってきた。その飢餓は以前にも増して強烈なもので、そのせいで頭の芯がひどく痛んだ。胃の底がひきつると、その震えがクラッチ・ワイヤで頭の中心に伝導されるのだ。僕の体内には様々な複雑な機能が組みこまれているようだった。

僕はまた海底火山に目をやった。海水はさっきよりずっと透明度を増していて、よく注意して見ないことには、そこに水が存在することさえ見落としてしまいそうなほどだった。まるでボートが何の支えもなくぽっかりと空中に浮かんでいるような感じだ。そして底にある小石のひとつひとつまでが、手にとるようにくっきりと見える。

「あなたと一緒に暮すようになってまだ半月くらいしか経ってないけれど、たしかに私はある種の呪いの存在を身近に感じつづけてきたのよ」と彼女は言った。そして僕の顔をじっと見つめたままテーブルの上で左右の手の指を組んだ。「もちろんそれが呪いだとは、あなたの話を聞くまではわからなかったけれど、今ではそれがはっきりとわかるわ。あなたは呪われているのよ」

「君はその呪いをどのような存在として感じるんだい？」と僕は質問してみた。

「何年も洗濯していないほこりだらけのカーテンが天井から垂れ下っているような気がするのよ」

「それは呪いじゃなくて僕自身なのかもしれないよ」と僕は笑いながら言った。

彼女は笑わなかった。

「そうじゃないわ。そうじゃないことは私にはちゃんとわかるのよ」

「もし君が言うようにそれが呪いだとしたら」と僕は言った。「僕はいったいどうすればいいんだろう?」

「もう一度パン屋を襲うのよ。それも今すぐにね」と彼女は断言した。「それ以外にこの呪いをとく方法はないわ」

「今すぐに?」と僕は聞きかえした。

「ええ、今すぐよ。この空腹感がつづいているあいだにね。果されなかったことを今果すのよ」

「でもこんな真夜中にパン屋が店を開けているものなのかな?」

「探しましょう」と妻は言った。「東京は広い街だもの、きっとどこかに一晩中営業しているパン屋の一軒くらいあるはずよ」


僕と妻は中古のトヨタ・カローラに乗って、午前二時半の東京の街を、パン屋の姿を求めて彷徨《さまよ》った。僕がハンドルを握り、妻は助手席に座って、道路の両側に肉食鳥のような鋭い視線を走らせていた。後部座席にはレミントンのオートマティック式の散弾銃が硬直した細長い魚のような格好で横たわり、妻の羽織ったウィンドブレーカーのポケットでは予備の散弾がじゃらじゃらという乾いた音を立てていた。それからコンパートメントには黒いスキー・マスクがふたつ入っていた。どうして妻が散弾銃を所有したりしていたのか、僕には見当もつかなかった。スキー・マスクにしたってそうだ。僕も彼女もスキーなんて一度もやったことがないのだ。しかしそれについて彼女はいちいち説明はしなかったし、僕も質問しなかった。結婚生活というのは何かしら奇妙なものだという気がしただけだった。

しかしその完璧とも言える装備にもかかわらず、我々は終夜営業のパン屋を一軒たりとも見つけることはできなかった。僕は夜中のすいた道路を代々木から新宿へ、そして四谷、赤坂、青山、広尾、六本木、代官山、渋谷へと車を進めた。深夜の東京には様々な種類の人々や店の姿が見受けられたが、パン屋だけはなかった。彼らは真夜中にパンを焼いたりはしないのだ。

我々は途中で二度警察のパトロール車と出会った。一台は道路のわきにじっと身をひそめており、もう一台は比較的ゆっくりとした速度で背後から我々の車を追い越していった。僕はそのたびにわきの下に汗がにじんだが、妻はそんなものには目もくれず、一心にパン屋の姿を探し求めていた。彼女が体の角度を変えるたびに、ポケットの散弾が枕のそば殻のような音を立てた。

「もうあきらめようぜ」と僕は言った。「こんな夜中にパン屋なんて開いちゃいないよ。こういうことはやはり前もって下調べしてからじゃないと──」

「停めて！」と妻が唐突に言った。

僕はあわてて車のブレーキを踏んだ。

「ここにするわ」と彼女は静かな口調で言った。

僕はハンドルに手を置いてまわりを見まわしてみたが、あたりにはパン屋らしきものは見あたらなかった。道路沿いの商店はみんな黒々としたシャッターを下ろして、ひっそりと静まりかえっていた。床屋の看板がねじれた義眼のように、闇の中に冷やかに浮かんでいた。二〇〇メートルばかり先の方に、マクドナルド・ハンバーガーの明るい看板が見えるだけだった。

「パン屋なんてないぜ」と僕は言った。

しかし妻は何も言わずにコンパートメントを開けて布製の粘着テープをとりだし、それを手に車を下りた。僕も反対側のドアを開けて外に出た。妻は車の前部にしゃがみこむと、粘着テープを適当な長さに切ってナンバー・プレートに貼りつけ、番号が読みとれないようにした。それから後部にまわって、そちらのプレートも同じように隠した。とても手馴れた手つきだった。僕はぼんやりとつっ立ったまま彼女の作業を見つめていた。

「あのマクドナルドをやることにするわ」と妻は言った。まるで夕食のおかずを告げるときのようなあっさりとしたしゃべり方だった。「マクドナルドはパン屋じゃない」と僕は指摘した。

「パン屋のようなものよ」と妻は言って、車の中に戻った。「妥協というものもある場合には必要なのよ。とにかくマクドナルドの前につけて」

僕はあきらめて車を二〇〇メートル前に進め、マクドナルドの駐車場に入れた。駐車場には赤いぴかぴかのブルーバードが一台停まっているだけだった。妻は毛布にくるんだ散弾銃を僕にさしだした。

「そんなもの撃ったことないし、撃ちたくないよ」と僕は抗議した。

「撃つ必要はないわ。持っているだけでいいのよ。誰も抵抗しやしないから」と妻は言った。「いい？私の言うとおりにするのよ。まず二人で堂々と店の中に入っていくの。そして店員が『ようこそマクドナルドへ』と言ったらそれを合図にさっとスキー・マスクをかぶるのよ。わかった？」

「それはわかったけど、でも――」

「そしてあなたは店員に銃をつきつけて、全部の従業員と客を一ヵ所に集めさせるの。それを素速くやるの。あとは私が上手くやるから任せておいて」

「しかし――」

「ハンバーガーはいくつくらい必要だと思う？」と彼女は僕に訊いた。「三十個もあればいいかしら？」

「たぶん」と僕は言った。そして溜め息をついて散弾銃を受けとり、毛布を少しめくってみた。銃は砂袋のように重く、夜の闇のように黒々としていた。

「本当にこうすることが必要なのかな？」と僕は言った。それは半分は彼女に向けられた質問であり、半分は僕自身に向けられた質問だった。

「もちろんよ」と彼女は言った。

「ようこそマクドナルドへ」とマクドナルド帽をかぶったカウンターの女の子がマクドナルド的な微笑を浮かべて僕に言った。僕は深夜のマクドナルドでは女の子は働かないものだと思いこんでいたので、彼女の姿を目にして一瞬頭が混乱したが、それでもすぐに思いなおして、スキー・マスクを頭からすっぽりとかぶった。

カウンターの女の子は突然スキー・マスクをかぶった我々の姿を唖然とした表情で眺めた。そのような状況についての対応法は〈マクドナルド接客マニュアル〉のどこにも書かれていないのだ。彼女は「ようこそマクドナルドへ」の次をつづけようとしたが、口がこわばって言葉はうまく出てこないようだった。しかしそれでも、営業用の微笑だけは明け方の三日月のように唇の端のあたりに不安定にひっかかっていた。

僕はできるだけ急いで毛布をといて銃をとりだし、それを客席に向けたが、客席には学生風のカップルが一組いるだけで、それもプラスチックのテーブルにうつ伏せになって、ぐっすりと眠っていた。テーブルの上には彼らの頭がふたつとストロベリー・シェイクのカップがふたつ、前衛的なオブジェのように整然と並んでいた。二人は死んだように眠っていたので、彼らを放置しておいたところで我々の作業にとくに支障が生じるとも思えなかった。それで僕は銃口をカウンターの中に向けた。

マクドナルドの従業員は全部で三人だった。カウンターの女の子と、二十代後半と思える血色の悪い卵型の顔をした店長と、表情というものが殆んど感じとれない薄い影のような調理場の学生アルバイトだった。三人はレジスターの前に集まって、インカの井戸を眺める観光客のような目つきで僕の構えた銃口をじっと見つめていた。誰も悲鳴を上げたりしなかったし、誰もつかみかかってはこなかった。銃はひどく重かったので、僕は引き金に指をかけたまま銃身をレジスターの上にのせた。

「金はあげます」と店長がしゃがれた声で言った。「十一時に回収しちゃったからそんなに沢山はないけれど、全部持ってって下さい。保険がかかってるから構いません」

「正面のシャッターを下ろして、看板の電気を消しなさい」と妻は言った。

「待って下さい」と店長は言った。「それは困ります。勝手に店を閉めると私の責任問題になるんです」

妻は同じ命令をもう一度ゆっくりとくりかえした。

「言われたとおりにした方がいい」と僕は忠告した。店長がずいぶん迷っているように見えたからだ。彼はレジスターの上の銃口と妻の顔をしばらく見比べていたが、やがてあきらめて看板の明りを消し、パネルのスイッチを押して正面扉のシャッターを下ろした。どさくさにまぎれて彼が非常警報装置か何かのボタンを押すのではないかと僕はずっと警戒していたが、どうやらマクドナルド・ハンバーガー・チェーン店には非常警報装置は設置されていないようだった。ハンバーガー・ショップが襲撃されるかもしれないなんて誰も思いつかなかったのだろう。

正面のシャッターがバットでバケツを叩いてまわるような大きな音を立てて閉まったあとでも、テーブルのカップルはまだこんこんと眠りつづけていた。僕はそれほどまで深い眠りというものをもう長いあいだ目にしたことがなかった。

「ビッグマックを三十個、テイクアウトで」と妻は言った。

「お金を余分にさしあげますから、どこか別の店で注文して食べてもらえませんか」と店長が言った。「帳簿の処理がすごく面倒になるんです。つまり――」

「言われたとおりにした方がいい」と僕はくりかえした。

三人は連れだって調理場に入り、三十個のビッグマックを作りはじめた。学生アルバイトがハンバーグを焼き、店長がそれをパンにはさみ、女の子が白い包装紙でくるんだ。そのあいだ誰もひとことも口をきかなかった。僕は大型の冷蔵庫にもたれて、散弾銃の銃口を鉄板《グリドル》の上に向けていた。鉄板の上には茶色い水玉模様のように肉が並び、ちりちりという音を立てていた。肉の焼ける甘い匂いが、まるで目には見えない微小な虫の群れのように僕の体じゅうの毛穴からもぐりこみ、血液に混じって体の隅々を巡った。そして最終的には僕の体の中心に生じた飢えの空洞に集結し、そのピンク色の壁面にしっかりとしがみついた。

白い包装紙にくるまれてわきに積みあげられていくハンバーガーをひとつかふたつ手にとってすぐにでも貪り食べたいような気分だったが、そうすることが我々の目的に沿った行為であるという確信が今ひとつ持てなかったので、とにかく三十個のハンバーガーがひとつ残らず焼きあがるまでじっと待つことにした。調理場の中は暑く、僕はスキー・マスクの下で汗をかきはじめていた。

三人はハンバーガーを作りながら、ときどき銃口にちらりと目をやった。僕はときどき左手の小指の先で両方の耳を掻いた。僕は緊張するときまって耳の穴がかゆくなるのだ。僕がスキー・マスクの上から耳の穴を掻くと、銃身が不安定に上下に揺れ、それが三人の気持ちをいくぶんかき乱しているようだった。銃の安全ロックはかけたままだったから暴発の心配はなかったのだが、三人はそのことは知らなかったし、僕の方もわざわざ教えるつもりはなかった。

三人がハンバーガーを作り、僕が銃口を鉄板《グリドル》に向けて見張っているあいだ、妻は客席をのぞいたり、出来あがったハンバーガーの数を数えたりしていた。彼女は包装紙にくるまれたハンバーガーを紙の手さげ袋にきちんと詰めていった。ひとつの手さげ袋には十五個のビッグマック・ハンバーガーが入った。

「どうしてこんなことをしなくちゃいけないんですか？」と女の子が僕に向って言った。「お金を持って逃げて、それで好きなものを買って食べればいいのに。だいいちビッグマックを三十個食べたって、それがいったい何の役に立つっていうの？」

僕は何も答えずにただ首を横に振った。

「悪いとは思うけれど、パン屋が開いてなかったのよ」と妻がその女の子に説明した。「パン屋が開いていれば、ちゃんとパン屋を襲ったんだけれど」

そんな説明が状況を理解するための何かの手がかりになったとは僕にはとても思えなかったけれど、とにかく彼らはそれ以上口をきかず、黙って肉を焼き、パンにはさみ、それを包装紙にくるんだ。

ふたつの手さげ袋に三十個のビッグマックが収まると、妻は女の子にラージ・カップのコーラをふたつ注文し、そのぶんの金を払った。

「パン以外には何も盗る気はないのよ」と妻は女の子に説明した。女の子は複雑な形に頭を動かした。それは首を振っているようでもあり、肯いているようでもあった。たぶん両方の動作を同時にやろうとしたのだろう。彼女の気持ちは僕にもなんとなくわかるような気がした。

妻はそれからポケットから荷づくり用の細びきの紐をとりだし――彼女は何でも持っているのだ――三人の体をボタンでも縫いつけるみたいに要領よく柱に縛りつけた。三人はもう何を言っても無益だと悟ったらしく、黙ってされるがままになっていた。妻が、「痛くない？」とか「トイレに行きたくない？」とか訊いても彼らはひとことも口をきかなかった。僕は毛布に銃を包み、妻は両手にマクドナルドのマーク入りの手さげ袋を持って、シャッターの隙間から外に出た。客席の二人はそのときになっても、まだ深海魚のようにぐっすりと眠りつづけていた。いったい何がこの二人の深い眠りを破ることになるのだろうと僕はいぶかった。

三十分ばかり車を走らせてから、適当なビルの駐車場に車を停め、我々は心ゆくまでハンバーガーを食べた。僕は全部で六個のビッグマックを胃の空洞に向けて送りこみ、彼女は四個を食べ、コーラを飲んだ。

それでも車のバックシートにはまだ二十個のビッグマックが残っていた。夜明けとともに、我々のあの永遠に続くかと思えた深い飢餓も消滅していった。太陽の最初の光がビルの汚れた壁面を藤色に染め、〈ソニー・ベータ・ハイファイ〉の巨大な広告塔を眩しく光らせていた。時折通りすぎていく長距離トラックのタイヤ音に混じって鳥の声が聞こえるようになった。FENはカントリー・ミュージックを流していた。我々は二人で一本の煙草を吸った。煙草を吸い終わると、妻は僕の肩にそっと頭をのせた。

「でも、こんなことをする必要が本当にあったんだろうか？」と僕はもう一度彼女に訊ねてみた。

「もちろんよ」と彼女は答えた。それから一度だけ深い溜め息をついてから、眠った。彼女の体は猫のようにやわらかく、そして軽かった。

一人きりになってしまうと、僕はボートから身をのりだして、海の底をのぞきこんでみたが、そこにはもう海底火山の姿は見えなかった。水面は静かに空の青みを映し、小さな波が風に揺れる絹のパジャマのようにボートの側板をやわらかく叩いているだけだった。

僕はボートの底に身を横たえて目を閉じ、満ち潮が我々二人をしかるべき場所に運んでいってくれるのを待った。

The kangaroo communiqué

カンガルー通信

やあ、元気ですか？

今日は休日だったので、朝のうちに近所の動物園にカンガルーを見に行ってきました。たいして大きな動物園ではないのですが、それでもゴリラから象まで一応の動物はなんとか揃っています。でも、もしあなたがラマとかアリクイのファンだとしたら、たぶんこの動物園には来ない方が良いでしょう。ここにはラマもアリクイもいません。インパラもハイエナもいません。豹さえいません。

そのかわりにカンガルーが四匹います。

一匹は子供で、二ヵ月前に生まれたばかりです。それから雄が一匹に雌が二匹。いったいどういう家族構成になっているものか、僕には見当もつきません。

カンガルーを見るたびに、いったいカンガルーであるというのはどんな気持がするんだろうと、いつも不思議に思います。彼らはいったい何のために、オーストラリアなんていう気の利かない場所を、ああい

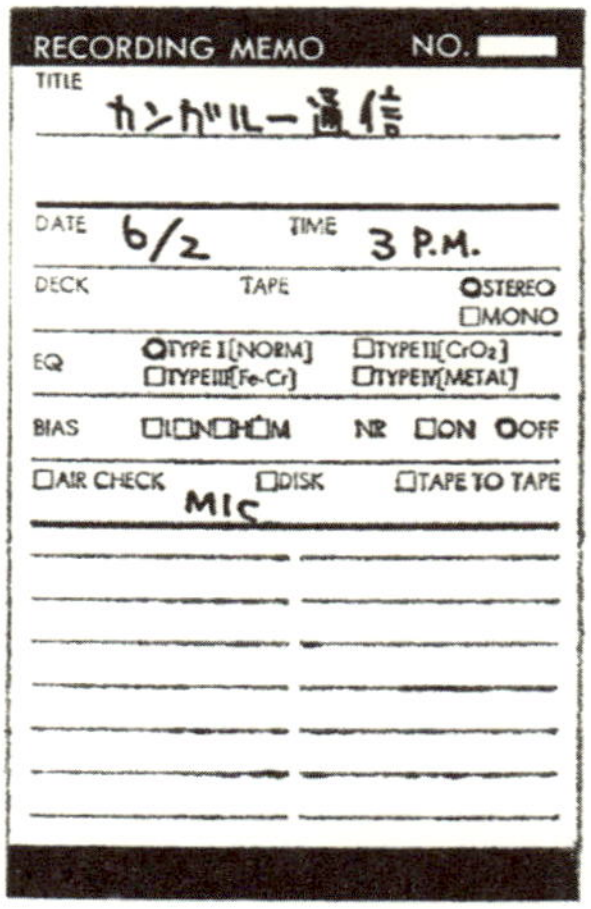

うへんてこな格好をしてはねまわっているんでしょう。そして何のために、ブーメランなんていう不細工な棒切れで簡単に殺されちゃうんでしょう？

でもまあ、それはどうでもいいです。たいした問題じゃありません。少なくとも話の本筋には関係のないことです。

とにかくカンガルーを眺めているうちに、僕はあなたに手紙を出したくなったというだけです。あるいはあなたは不思議に思うかもしれませんね。どうしてカンガルーを眺めていたら私に手紙を出したくなるのか、カンガルーと私のあいだにいったいどんな関係があるのか、と。でも、そんなことはどうか気にしないで下さい。カンガルーはカンガルーだし、あなたはあなたです。カンガルーとあなたのあいだに、とくに人目を引くようなはっきりとした相関関係があるわけではないのです。

つまりこういうことです。

カンガルーとあなたに手紙を書くこととのあいだには36の微妙な工程があって、それをしかるべき順序でひとつひとつ辿っているうちに、僕はあなたに手紙を書くところに行きついたと、それだけのことなんです。その工程をいちいち説明してみてもきっとあなたにはよくわからないだろうし、だいいち僕だってよく覚えてない。だって36の工程ですよ！

そのうちのひとつでも手順が狂っていたら、僕はあなたにこんな手紙を出してはいなかったでしょう。あるいは僕はふと思いたって南氷洋でマッコウクジラの背中に跳び乗っていたかもしれない。あるいは僕は近所の煙草屋に放火していたかもしれない。しかしこの36の偶然の集積の導くところによって、僕はこのようにあなたに手紙を送る。

不思議なものだとは思いませんか？

それではまず自己紹介から始めましょう。

僕は二十六歳で、デパートの商品管理課に勤めています。これは——あなたにも容易に想像がつくと思うのですが——おそろしくつまらない仕事です。まず仕入課が仕入れると決めた商品に問題がないかどうかを調べます。これは仕入課と業者の癒着を防ぐための作業なのですが、それはあなたがこの文脈から想像なさるであろうほどシビアなものではありません。昔はともかく、現在のデパートは爪切りからモーターボートまでありとあらゆるタイプの商品を扱っていますし、それらの商品は日々大きく変貌を遂げていますから、そんなものをいちいち丁寧に商品テストしていたら一日が64時間あって、僕らの手が八本あってもとても追いつきません。会社の方も僕らの課にそこまでの機能を要求しているわけではありません。だから要するに、靴のバックルをちょっとひっぱってみたり、菓子をいくつかつまんでみたり、その程度の適当なものになってしまうわけです。これがいわゆる商品管理というやつです。

だからどちらかと言いますと、対処療法——つまり苦情を受けて、その苦情をひとつひとつ点検していくということに我々の仕事の中心が置かれることになるわけです。我々はそれを分析して、原因を調べ、メーカーに苦情を言うか、仕入れを打ち切るかします。たとえば、買ったばかりのストッキングが二足続けてすぐに伝線してしまっただとか、ぜんまい仕掛けの熊がテーブルから落としただけで動かなくなってしまっただとか、バスローブを洗濯機にかけたら¼も縮んでしまっただとか、そういう類いの苦情です。

まああなたは御存じないと思うけれど、こういった苦情の数は実にうんざりするほど多いのです。僕の扱っているのは商品そのものに対する苦情だけですが、それでもデパートにはものすごく沢山の苦情が舞い込んでくるのです。僕の属する課には四人の人間がいますが、我々は朝から晩まで他人の苦情に追われていると言ってもいいと思います。苦情が文字どおり飢えた獣のように我々の後を追ってくるのです。苦情の中にはもっともだと思われるのもあるし、また実に理不尽なものもあります。そしてそのどちらとも決めがたいものもあります。

我々はそれらを便宜上ＡＢＣの三ランクに分類しています。部屋のまんなかにＡＢＣという三つの大きな箱があって、そこに手紙を放り込んでいくわけです。我々はこの作業を「理性の三段階評価」と呼んでいます。しかしこれはもちろん、職業上の冗談です。気にしないで下さい。

とにかく三つのランクの説明をしますと、

(A) もっともな苦情。当方が責任を負わねばならぬケースです。我々は菓子折をもって客の家を訪問し、しかるべき商品と交換します。

(B) 道義的・商業慣習的・法律的には当方に責任はないのですが、デパートのイメージを傷つけぬため、無用のトラブルを避けるために相応の措置を取ります。

(C) 明らかに客の責任であり、当方は事情を説明しておひきとり願います。

で、先日あなたが寄せられた苦情について我々は慎重に検討してみたのですが、結局あなたの苦情はＣランクに分類されるべき性格のものである、という結論に達しました。その理由としては――いいですか、よく聞いて下さいよ、

①一度買ったレコードは②とくに一週間も経ったあとで③レシートもなしに、他の商品と交換するわけにはいかないのです。世界中どこに行ってもできないのです。

僕の言ってることおわかりになりますか？

さて、これで僕の事情説明は終りました。

あなたの苦情は却下されました。

しかし職業的観点を離れれば——実のところ僕はしょっちゅうそれを離れてしまうんですが——僕は個人的にはあなたの苦情に対して——ブラームスのシンフォニーとマーラーのシンフォニーのレコードを間違えて買ってしまったという苦情に対して——心から同情しています。これは嘘ではありません。だからこそ僕はとおりいっぺんの事務通知ではなく、このような、ある意味では親密さをこめたメッセージを、あなたに送っているのです。

実を言うと、この一週間ばかり、僕は何度も何度もあなたに手紙を書こうとしたんです。「申しわけありませんが商業慣習上レコードを交換することはできません、しかしあなたが当方に寄せられたお手紙には何かしら私の心を打つものがありました、個人的にはベラベラベラ……」、こんな手紙です。でも上手く書けませんでした。僕は決して文章を書くのが苦手なわけではありません。どちらかというと、自分でいうのもなんですが、得意な方だと思います。手紙を書くのに苦労した覚えというのがあまりないのです。でもあなたに手紙を書こうとするとどうしても正しい言葉が頭に浮かんでこないんです。浮かんでくる言葉はいつも見当違いなものばかりです。字面としては正しくても、そこには気持というものが感じられないのです。僕は書き上げて封筒にいれて、切手まで貼った手紙を何通も破りすてました。

というようなわけで、僕はあなたに返事を出さないことに決めました。だって不完全な手紙を出すくらいなら何も出さない方がマシだからです。そう思いませんか？　僕はそう思います。完璧じゃないメッセージなんて、誤植のある時刻表みたいなもんです。そんなものはまったく存在しない方がずっと気が利いています。

しかし今朝、カンガルーの柵の前で、僕は36の偶然の集積を経て、ひとつの啓示を得たのです。つまり大いなる不完全さ、ということです。

大いなる不完全さとは何か、とあなたは訊ねるかもしれない——当然訊ねるでしょうね。大いなる不完全さというのは、まあ簡単に言っちゃえば、誰かが誰かを結果的に許すということかもしれません。僕がカンガルーを許し、カンガルーがあなたを許し、あなたが僕を許す——例えばこういうことです。

しかしこのようなサイクルはもちろん恒久的なものではなくて、ある時カンガルーがもうあなたを許したくはないと考えるかもしれません。でもだからといってカンガルーのことを怒らないで下さい。それはカンガルーのせいでもあなたのせいでもないのです。あるいは僕のせいでもありません。カンガルーの方にも、とても込み入った事情があるのです。いったい誰がカンガルーを非難できるでしょう？

瞬間をつかむこと、我々にできるのはそれだけです。瞬間をつかんで記念写真を撮っておくことです。前列左端よりあなた、カンガルー、僕というような感じですね。

文章を書くことはもうあきらめました。簡単な事務通知的な文章でも駄目です。字そのものがもう信用できないのです。例えば僕が「偶然」という字を書く。しかしこの「偶然」という字体からあなたが感じるものは、僕が同じ字体から感じるものとはまったく別のもの——あるいは逆のもの——かもしれません。これはすごく不公平なことじゃないか、と僕は思うのです。僕はパンツまで脱いでいるのに、あなたはブラウスのボタンを三つしかはずしていない、これはどう考えても不公平ではありませんか？　僕は不公平さというものを好みません。もちろん世界というものは不公平なものです。しかし少なくとも、僕の方からは積極的にそんなものには加担したくない。それが僕の基本的な姿勢です。

だから僕はカセット・テープに、あなたへのメッセージを吹き込むことにしました。

（口笛——「ボギー大佐のマーチ」八小節）

どうです、聞こえますか？

この手紙――つまりカセット・テープですね――を受け取ってあなたがどのような気持になるのか、僕にはわかりません。正直言ってまったく想像がつきません。あるいはあなたはとても不愉快に感じるかもしれませんね。なぜなら、デパートの商品管理係が顧客の苦情の手紙に対してカセット・テープに吹き込んだ返事を――それも個人的なメッセージをですよ――送るなんてことは誰が考えても極めて異例な事態であり、考えようによっては実に馬鹿げているとも言えるからです。そしてもしあなたが不快な気持になって、あるいは激怒して、このテープを僕の上司あてに送り返されたとすれば、僕は社内でおそろしく微妙な立場に立たされることになります。

もしそうしたければ、そうして下さい。そうされても、僕は腹を立てたりあなたを恨んだりはしません。いいですか、我々の立場は一〇〇パーセント対等なのです。つまり僕はあなたに手紙を出す権利を有しているし、あなたは僕の生活を脅かす権利を有している。そうですよね。どうです、公平でしょう？　そう、僕はそれなりの責任を引き受けているのです。僕は何も冗談やいたずらでこんなことをやっているわけではないのです。

そうだ、言い忘れました。僕はこの手紙を「カンガルー通信」と名付けました。だって、どんなものにも名前は必要だからです。

たとえばあなたが仮りに日記をつけているとすれば、「本日デパートの商品管理係から苦情に対する返事（カセット・テープに吹き込まれたもの）が届く」なんて長たらしく書くかわりに、「本日『カンガルー通信』届く」、これで済んじゃうからです。どうです、簡単でいいでしょう？　それに「カンガルー通信」というのはなかなか素敵な名前だと思いませんか？　広い草原の向うから、カンガルーがおなかの袋に郵便を詰めてぴょんぴょんと跳んでくるようじゃありませんか。

コン・コン・コン。（机を叩く音）

これはノックです。ノック・ノック・ノック……わかりますね？　僕があなたの家のドアをノックしているのです。

もしあなたがドアを開けたくなければ、開けなくてもかまいません。嘘じゃありません。僕としては本当にどちらでもいいんです。これ以上聞きたくなければここでテープを止めて、ゴミ箱にでも放り込んでおいて下さい。僕はただあなたの家の玄関の前に座ってしばらくのあいだ一人でしゃべってみたい、それだけのことなんです。あなたがそれを聞いてくれているのかどうか、僕にはまるでわからないわけだし、もしわからないとすれば、実際のところあなたが聞いても聞かなくてもどちらでもいいわけじゃないですか。ははは。これも事態が公平であることの証左です。僕にはしゃべる権利がある。あなたには聞かない権利がある。

いいです、まあとにかくやりましょう。ノックはしたし、あなたにはそれに応える義務がないことも確認した。

でも不完全さというのもなかなか大変なものです。原稿もなしプランもなしでマイクに向ってしゃべるのがこれほど辛いことだとは思いませんでした。まるで砂漠のまん中に立って、コップで水を撒いているような感じです。何ひとつ見えず、何ひとつ手応えがないんです。

だから僕は今、ずっとＶＵメーターの針に向って話しかけています。ＶＵメーターって知ってますよね。音量にあわせてピクピクと針が振れるあれです。ＶとＵというのが何の頭文字なのか、僕にはわからない。

しかしなんといっても、彼らは僕の演説に対して反応を示してくれる唯一の存在なのです。

VとUというのは実に厳格な二人組です。VにあらざればU、UにあらざればV、それだけです。素敵な世界です。僕が何を考えていようが、何をしゃべろうが、誰に向ってしゃべろうが、そんなことは彼らにとってはどうでもいいことなんです。彼らが興味を持つのは、僕の声がどれだけ強く空気を震わせるか、それだけです。彼らにとっては空気が震えるが故に僕が存在するのです。

素敵だと思いませんか?

彼らを眺めていると、なんでもいいからとにかくしゃべりつづけようという気になってくるんです。なんでもいいのです。不完全だろうがなんだろうが、そんなことは彼らは気にしないんです。彼らの求めているのは空気の震えなのです。意味ではありません。ただの空気の震えです。それが彼らの糧なのです。

ふう。

そういえば、このあいだとてもかわいそうな映画を観ました。どれだけ冗談を言っても誰も笑ってくれないコメディアンの話です。いいですか、誰ひとりとして笑わないんです。

今こんな風にマイクに向ってしゃべっていると、ついついその映画のことを思い出してしまいます。

不思議なものですね。

同じ科白でも、ある人がしゃべると死ぬほどおかしいし、別の人がしゃべるとちっともおかしくない。不思議じゃないですか? それで僕は考えてみたのだけれど、その差というのはどうも生まれつきのものなんじゃないかっていう気がするんです。つまりほら、三半規管の先っぽが人よりちょっと余分に曲っているとか、そんな感じです。もしそんな能力が僕にあったらどんなに幸せだろうって時々思います。僕はいつもおかしいことを思いついて一人で笑い転げたりするのですが、いざ口に出して誰かに聞かせてみると、これがちっとも、ぴくりとも面白くないんです。まるでエジプトの砂男になってしまったような気分

です。それにだいいち……、
エジプトの砂男って知ってますか？
うーん、つまりね、エジプトの砂男はエジプトの王子として生まれたんです。ずっと昔、ピラミッドやらスフィンクスやら何やかやの時代です。でも彼はとても醜い顔をしていたので――本当におそろしく醜かったんです――王様に疎まれてジャングルの奥に捨てられちゃいます。で、どうなるかというと、結局狼だか猿だかに育てられて生き延びちゃうんですね。よくある話だけど。そしてどういうわけか砂男になってしまいます。砂男はですね、手に触れるもの全てを砂に変えてしまうんです。そよ風は砂塵になり、せせらぎは流砂になり、草原は砂漠になってしまいます。これが砂男の話。聞いたことありますか？ないでしょう？ だってこれ、僕が勝手に作った話なんだから。ははは。
とにかく、僕はあなたに向ってこうしてしゃべっていると、エジプトの砂男になってしまったような気がするんです。僕の手に触れるものの全てが砂、砂、砂、砂、砂、砂……。

僕はどうも自分自身についてしゃべりすぎているような気がします。でも考えてみればこれは仕方のないことですよね。だって僕はあなたについてほとんど何ひとつとして知らないんだから。僕があなたについて知っていることといえば住所と名前、それだけです。年はいくつなのか、年収は幾らか、どんな鼻の形をしているのか、太っているのかやせているのか、結婚しているのかどうか、僕にはまったくわからないのです。でもそんなのはたいした問題ではありません。その方がかえって好都合でもあるのです。僕はできれば単純に、なるべく単純に、いわば形而上的にものごとを処理したいのです。

つまり、ここにあなたの手紙があります。

僕にはこれで十分です。

ひどいたとえで申しわけないのですが、動物学者がジャングルで採集した糞をもとに象の食生活や行動様式や体重や性生活を推し測るように、僕は一通の手紙をもとにあなたという人の存在を実感することができるのです。もちろん容貌とか香水の種類とか、そんな下らないものは抜きです。存在――そのものです。

あなたの手紙は実に魅惑的なものでした。文章、筆跡、句読点、改行、レトリック、なにもかもが完璧です。優れている、ということではありません。それはただ完璧なのです。改変のしようがないのです。僕は毎月五百通を超す苦情に関する手紙や報告書を読んでいるのですが、正直言ってあなたの手紙ほど感動的な苦情の手紙を読んだのは初めてでした。僕はあなたの手紙をこっそり家に持ち帰って、何度も何度も読み返してみました。そしてあなたの手紙を徹底的に分析したんです。短い手紙ですから、これはたいした手間ではありません。分析することによって、いろんな事実がわかりました。まず読点の数が圧倒的に多いんです。句点ひとつに対して読点が6・36、どうです、多いと思いませんか？　いや、それだけではありません。その読点の打ち方が実に無原則なのです。

ねえ、こんなことを言ったからといって、僕があなたの文章をからかっているとは思わないで下さい。僕はただ単に感動しているのです。

そうです。感動です。

句読点だけではありません。あなたの手紙の全ての部分が――インクのしみひとつに到るまで――僕を挑発し、揺り動かすのです。

何故か？

結局のところ、その文章の中にあなたがいないからです。もちろんストーリーはあります。一人の女の子が――あるいは女性が――間違えてレコードを買ってしまう。そのレコードにはどうも違う曲が入っているような気がしたのだけれど、レコードそのものが間違っていることに彼女が気づくのにちょうど一週間かかる。売り場の女の子は交換してくれない。そこで苦情の手紙を書く。これがストーリーです。

僕はそのストーリーを理解するまでに、あなたの手紙を三度読みなおさねばなりませんでした。なぜならあなたの手紙は、我々のもとに寄せられる他のどんな苦情の手紙ともまるっきり違っていたからです。苦情の手紙には苦情の手紙の書き方というのがあります。それは居丈高であったり、あるいは卑屈であったり、あるいは理屈っぽかったりします。しかしそのトーンがどのようなものであれ、そこには苦情を呈する人間の存在という核が触知できます。その核があって、その核を軸として様々な種類の苦情が形成されるのです。嘘じゃありません。僕はありとあらゆる種類の苦情の手紙を読んでいるのです。言うなれば苦情の権威なのです。しかしあなたの苦情は、僕の目から見れば苦情とさえ言えないのです。なぜなら苦情を提出するあなた自身と、あなたの提出した苦情とのあいだには、ほとんどつながりらしきものが見当たらないからです。それは言うなれば血管のついていない心臓のようなものです。チェーンのない自転車のようなものです。

正直なところ、僕は少々悩みました。あなたの手紙の目的が果して苦情なのか告白なのか宣言なのか、それともある種のテーゼの確立なのか、僕にはまるでわからなかったからです。あなたの手紙は僕に大量虐殺の現場写真を連想させました。コメントもなし、記事もなし、ただの写真だけです。どこか知らない国の知らない道ばたにゴロゴロと死体が転がっている写真です。

あなたがいったい何を求めているのか、僕にはそれさえわからない。あなたの手紙はまにあわせに作った蟻の巣みたいにゴタゴタと込み入っていて、そのくせとりかかる手がかりひとつ与えてはくれないのです。見事なもんです。

バンバンバンバンバン……大量虐殺です。

そうですね、物事をもう少し単純化してみましょう。ごくごく単純にです。

つまり、あなたの手紙は僕を性的に高揚させるんです。

そういうことです。性的にです。


セックスについて話したいと思います。

コン・コン・コン。

ノックです。

興味がなければテープを止めて下さい。十秒間沈黙します。そのあと僕はVUメーターに向って一人でしゃべります。だからもし聞きたくないのなら、その十秒間のあいだにあなたはテープを止めて、捨てるなりデパートに送るなりしてください。いいですか、今から黙ります。


（十秒間の沈黙）


始めます。

前肢は短く五指を有するが、後肢は著しく長大で四指を有し、第四指だけが強大に発達し、第二指第三指はきわめて小さく互いに結合している。

……これはカンガルーの足についての描写です。ははは。


それではセックスについて。

僕はあなたの手紙を家に持ち帰って以来、ずっとあなたと寝ることばかり考えています。ベッドに入ると隣りにあなたがいて、朝目が覚めるとやはり隣りにあなたがいます。僕が目を覚ました時にはもうあなたは起きだしていて、ワンピースのジッパーを上げる音が聞こえたりします。でも僕は——ねえ知ってますか、商品管理課の人間としてひとこと言わせていただければ、ワンピースのジッパーほど壊れやすいものはないんですよ——目を閉じたままじっと寝たふりをしています。僕にはあなたを見ることはできないのです。そしてあなたは部屋を横切って洗面所の中に消えます。それからやっと僕は目を開けるのです。そして食事を済ませ、会社にでかけます。

夜はまっ暗で——僕はとくにまっ暗になるように窓に特別なブラインドをつけているんです——あなたの顔はもちろん見えません。年も体重も、何もわかりません。だから体に手を触れることもできません。

でもまあ、いいんです。

本当のことを言うと、僕はあなたとセックスをしてもしなくてもどちらでもいいんです。

……いや、違うな。

少し考えさせて下さい。

オーケー、こういうことです。僕はあなたと寝たい。でも寝なくてもいいんです。つまりさっきも言ったように僕はできる限り公平な立場にいたいのです。人に何かを押しつけたり、人から何かを押しつけられたりしたくはないのです。あなたの存在を僕のそばに感じるとか、あなたの句読点が僕のまわりをぐるぐると駆けまわっているとか、それだけで僕はもう十分なのです。

わかってもらえるかな?

つまりこうです。

僕は時々、個について――コタイのコです――考えるのがとても辛くなるんです。考え始めると体がバラバラになっちゃいそうな気がするんです。

……例えば電車に乗りますね。電車の中には何十人もの人が乗っている。原則的に考えればこれはただの「乗客」です。青山一丁目から赤坂見附まで運ばれる「乗客」です。ただね、時々そんな乗客の一人一人の存在がとても気になっちゃうことがあるんです。この人はいったいなんだろう、あの人はいったいなんだろう、どうして銀座線になんて乗っているんだろう、ってね。するともう駄目なんです。気になりだすと止まらなくなるんです。あのサラリーマンはいまに額の両脇から禿げあがってくるだろうなとか、あの女の子の脛毛は少し濃すぎる、週に一度は剃っているんだろうかとか、どうして向いに座った若い男はあんなに色のあわないネクタイをしめているんだろうとか、まあそんな具合です。そして最後には体がガタガタ震えてきて、電車から飛び下りてしまいたくなっちゃうんです。この前なんて――きっとあなたは笑うだろうけど――もうちょっとでドアの脇の非常停止ボタンを押してしまうところだったんですよ。

でもこんなことを言ったからって、僕を感じ易い人間だとか神経質な人間だとか、そんな風に考えないで下さい。僕はそんなに感じ易くもありませんし、他人に比べてとくに神経質でもありません。ごく普通の、どこにでもいる平凡なサラリーマンです。デパートの商品管理課に勤めて、苦情の処理をしています。

性的にも問題があるわけではありません。自分以外の人間になったことがないのではっきりと断言はできませんが、そういう点では僕はどちらかというとまともすぎるくらいまともな方ではないかと思います。僕には恋人のような女性も一人いて、一年ほど前から週に二度は彼女と寝ていますし、彼女も僕もそういう関係にけっこう満足しています。ただ僕は彼女についてはあまり深く考えないように努力しています。結婚する気もありません。もし結婚しちゃえばきっと僕は彼女という人間の細部について深く考え始めるだろうし、そうなった時に彼女とうまくやっていけるという自信はまるでないのです。だってそうでしょう、一緒に暮している女の子の歯並びやら爪の形を気にしながら、どうしてうまくやっていけるんです。

もう少し僕自身についてしゃべらせて下さい。

今回はノックはなしです。

ここまで聞いたんなら、ついでに最後まで聞いて下さい。

ちょっと待って下さい。煙草を吸います。


(カタカタカタ)


僕はこれまで自分自身についてこんなに多くのことを、こんなに正直にしゃべったことはありません。今回が初めてです。だって、わざわざ他人に向ってしゃべるほどのこともないし、もししゃべったとしてもおそらく誰もそんなものに興味なんて持ってはくれないだろうと思っていたからです。

ではなぜ今、あなたに向ってこうしてしゃべっているのか？

さっきもいったように僕は今、大いなる不完全さを目指しているからです。

その大いなる不完全さを触発したものは何か？

あなたの手紙と四匹のカンガルーです。

カンガルー。

カンガルーはとても魅力的な動物で、何時間眺めていても飽きません。そういう意味ではカンガルーはあなたの手紙によく似ています。カンガルーはいったい何を考えているんでしょう？　連中は意味もなく一日中柵の中を跳びまわって、時々地面に穴を掘っています。それで穴を掘って何をするかというと、何もしないのです。ただ穴を掘るだけです。ははは。

カンガルーは一度に一匹しか子供を産みません。だから雌カンガルーは一匹子供を産むとすぐに妊娠します。そうしないとカンガルーの全体としての数が保てないのです。つまり雌カンガルーは一生の殆んどを妊娠と育児に費やすわけです。妊娠にあらずば育児、育児にあらずば妊娠。だからカンガルーはカンガルーを存続させるために存在しているとも言えます。カンガルーの存在なしにカンガルーは存続しないし、カンガルーの存続という目的がなければカンガルー自体も存在しないのです。

変なものですね。

話が前後してすみません。

僕自身についてもう少ししゃべります。

実のところ、僕は僕自身であることに対して非常な不満を抱いているのです。容貌とか才能とか地位とか、そういうものに対してではありません。ただ単に僕が僕自身であることに対して、です。とても不公平だと感じるんです。

でもだからといって僕のことを不満の多い人間だとは思わないで下さい。僕は職場やら月収やらに対して一度も文句を言ったことはありません。仕事はたしかにつまらないけれど、大抵の仕事はつまらないのです。金なんてたいした問題じゃありません。

はっきり言いましょう。

僕は同時にふたつの場所にいたいのです。これが僕の唯一の希望です。それ以外には何も望みません。

しかし僕が僕自身であるという個体性が、そんな僕の希望を邪魔しているのです。これはとても不愉快な事実だと思いませんか？　理不尽な圧迫だと思いませんか？　僕のこの希望はどちらかといえばささやかなものであると思います。世界の支配者になりたいわけでもないし、天才芸術家になりたいわけでもない。空を飛びたいわけでもない。同時にふたつの場所に存在したいというだけなんです。いいですか、三つでも四つでもなく、ただのふたつです。僕はコンサート・ホールでオーケストラを聴きながら、ローラースケートをしたいのです。僕はデパートの商品管理係でありながら、マクドナルドのクォーター・パウンド・ハンバーガーでもありたいのです。僕は恋人と寝ながらあなたと寝たいのです。僕は個でありながら、原則でありたいのです。

もう一本煙草を吸わせて下さい。

ふう。

正直言って少々疲れました。こういう風にしゃべることに——自分自身について正直にしゃべるということに——僕は全然慣れてないんです。

ひとつだけ確認しておきたいのですが、僕はあなたという一人の女性に対して性的な欲望を抱いているわけではありません。さっきも言ったように、僕は僕自身でしかないという事実に対していささか腹を立てているのです。ひとつの個であるということ、これはおそろしく不愉快です。僕は奇数というものに対して我慢できないのです。だから個人であるあなたと寝てみたいとは思わないのです。

もしあなたがふたつに分割され、僕がふたつに分割され、そしてその四人でベッドを共にすることができたらどんなに素敵でしょう。そう思いませんか？　そうなったら僕らはものすごく正直にいろんな話をできるのにな、と思います。

どうか返事は送らないで下さい。僕に手紙を出したくなったら、会社あてに苦情の形で手紙を下さい。

もし苦情がなければ、何か考え出して下さい。

それでは。

（スイッチ音）

ここまでのテープを、今聞き返してみました。正直に言って、僕はきわめて不満足です。間違えてあ<ruby>し</ruby>かを死なせてしまった水族館の飼育係みたいな気分です。だからこのテープをあなたに送ったものかどうか、僕としてはずいぶん悩みました。

送ることに決めた今でも、まだ悩んでいます。

しかしいずれにせよ、僕は不完全さを志したのです。あるいは完全である必要性を放棄したのです。僕がそういう気持になることは、この先もう二度とないかもしれません。だから今回は進んでその志に従いましょう。その不完全さを、あなたと四匹のカンガルーとともにわかちあいましょう。

それでは。

（スイッチ音）

On seeing the 100% perfect girl one beautiful April morning

四月のある晴れた朝に
100パーセントの女の子に
出会うことについて

四月のある晴れた朝、原宿の裏通りで僕は100パーセントの女の子とすれ違う。

正直言ってそれほど綺麗な女の子ではない。目立つところがあるわけでもない。素敵な服を着ているわけでもない。髪の後ろの方にはしつこい寝癖がついたままだし、歳だってもう若くはない。もう三十に近いはずだ。厳密にいえば女の子とも呼べないだろう。しかしそれにもかかわらず、50メートルも先から僕にはちゃんとわかっていた。彼女は僕にとっての100パーセントの女の子なのだ。彼女の姿を目にした瞬間から僕の胸は地鳴りのように震え、口の中は砂漠みたいにカラカラに乾いてしまう。

あるいはあなたには好みの女の子のタイプというのがあるかもしれない。たとえば足首の細い女の子がいいだとか、やはり目の大きい女の子だなとか、絶対に指の綺麗な女の子だとか、理由はよくわからないけれどゆっくり時間をかけて食事をする女の子になぜかひかれるとか。僕にだってもちろんその手の好みはある。レストランで食事をしながら、隣りのテーブルに座った女の子の鼻の形に見とれたりすることもある。

しかし100パーセントの女の子をタイプファイすることなんて誰にもできない。彼女の鼻がどんな格好をしていたかなんて、僕には絶対に思い出せない。いや、鼻があったのかどうかさえうまく思い出せない。今思い出せるのは、彼女はたいして美人じゃなかったということだけである。なんだか不思議なものだ。

「昨日100パーセントの女の子と道ですれ違ったんだ」と僕は誰かに言う。

「ふうん」と彼は答える。「美人だったのかい？」

「いや、そういうんでもない」

「じゃあ好みのタイプだったんだな」

「それが思い出せないんだ。目がどんな形をしていたかとか、胸が大きいか小さいかとか、まるで何も覚えていないんだよ」

「変なものだな」

「変なものだよ」

「それで」と彼は退屈そうに言った。「何かしたの、声をかけるとか、あとをついていくとか」

「何もしない」と僕は言った。「ただすれ違っただけ」

彼女は東から西へ、僕は西から東に向けて歩いていた。とても気持の良い四月の朝だ。

たとえ三十分でもいいから彼女と話をしてみたいと僕は思う。彼女の身の上を聞いてみたいし、僕の身の上を打ち明けてもみたい。そして何よりも、一九八一年の四月のある晴れた朝に、我々が原宿の裏通りですれ違うに至った運命の経緯のようなものを解き明かしてみたいと思う。きっとそこには平和な時代の古い機械のような温かい秘密が充ちているに違いない。

我々はそんな話をしてからどこかで昼食をとり、ウディー・アレンの映画でも観て、ホテルのバーに寄ってカクテルか何かを飲む。うまくいけば、そのあとで彼女と寝ることになるかもしれない。

可能性が僕の心のドアを叩く。

僕と彼女のあいだの距離はもう15メートルばかりに近づいている。

さて、僕はいったいどんな風に彼女に話しかければいいのだろう？

「こんにちは。ほんの三十分でいいんだけれど僕と話をしてくれませんか？」

これはあまりにも馬鹿げている。まるで保険の勧誘みたいだ。

「すみません、このあたりに二十四時間営業のクリーニング屋はありますか？」

これも同じくらい馬鹿げている。だいいち僕は洗濯物の袋さえ持ってはいないではないか。誰がそんな科白を信用するだろう？

あるいは僕は正直に切り出した方がいいのかもしれない。「こんにちは。あなたは僕にとって100パーセントの女の子なんですよ」

いや駄目だ、彼女はおそらくそんな科白を信じてはくれないだろう。それにもし信じてくれたとしても、彼女は僕と話なんかしたくないと思うかもしれない。あなたにとって私が100パーセントの女の子だとしても、私にとってあなたは100パーセントの男じゃないのよ、申し訳ないけれど、と彼女は言うかもしれない。それは十分ありうることなのだ。そしてそういう事態に陥ったとしたら、きっと僕はどうしようもなく混乱してしまうに違いない。僕はそのショックから二度と立ち直れないかもしれない。僕はもう三十二で、結局のところ年をとるというのはそういうことなのだ。

花屋の店先で、僕は彼女とすれ違う。温かい小さな空気の塊りが僕の肌に触れる。アスファルトの舗道には水が撒かれていて、あたりにはバラの花の匂いがする。僕は彼女に声をかけることもできない。彼女は白いセーターを着て、まだ切手の貼られていない白い角封筒を右手に持っている。彼女は誰かに手紙を書いたのだ。彼女はひどく眠そうな目をしていたから、あるいは一晩かけてそれを書き上げたのかもしれない。そしてその角封筒の中には彼女についての秘密の全てが収まっているのかもしれない。

何歩か歩いてから振り返った時、彼女の姿はもう既に人混みの中に消えていた。

もちろん今では、その時彼女に向かってどんな風に話しかけるべきであったのか、僕にはちゃんとわかっている。しかし何にしてもあまりに長い科白だから、きっと上手くはしゃべれなかったに違いない。このように、僕が思いつくことはいつも実用的ではないのだ。

とにかくその科白は「昔々」で始まり、「悲しい話だと思いませんか」で終わる。

＊

昔々、あるところに少年と少女がいた。少年は十八歳で、少女は十六歳だった。たいしてハンサムな少年でもないし、たいして綺麗な少女でもない。どこにでもいる孤独で平凡な少年と少女だ。でも彼らは、この世の中のどこかには１００パーセント自分にぴったりの少女と少年がいるに違いないと固く信じている。そう、彼らは奇跡を信じていたのだ。そして奇跡はちゃんと起こったのだ。

ある日二人は街角でばったりとめぐり会うことになる。

「驚いたな、僕はずっと君を捜していたんだよ。信じてくれないかもしれないけれど、君は僕にとって１００パーセントの女の子なんだよ」と少年は少女に言う。

少女は少年に言う。「あなたこそ私にとって１００パーセントの男の子なのよ。何から何まで私の想像していたとおり。まるで夢みたいだわ」

二人は公園のベンチに座り、互いの手を取り、いつまでも飽きることなく語りつづける。二人はもう孤独ではない。彼らは１００パーセント相手を求め、１００パーセント相手から求められている。１００パーセント相手を求め、１００パーセント相手から求められるということは、なんと素晴らしいことなのだろう。それはもう宇宙的な奇跡なのだ。

しかし二人の心をわずかな、ほんのわずかな疑念が横切る。こんなに簡単に夢が実現してしまって良いのだろうか、と。

会話がふと途切れた時、少年がこう言う。

「ねえ、もう一度だけ試してみよう。もし僕たち二人が本当に100パーセントの恋人同士だったとしたら、いつか必ずどこかでまためぐり会えるに違いない。そしてこの次にめぐり会った時に、やはりお互いが100パーセントだったなら、そこですぐに結婚しよう。いいかい？」

「いいわ」と少女は言った。

そして二人は別れた。西と東に。

しかし本当のことを言えば、試してみる必要なんて何もなかったのだ。そんなことはするべきではなかったのだ。何故なら彼らは正真正銘の100パーセントの恋人同士だったのだから。それは奇蹟的な出来事だったのだから。でも二人はあまりにも若くて、そんなことは知るべくもなかった。そしておきまりの非情な運命の波が二人を翻弄することになる。

ある年の冬、二人はその年に流行った悪性のインフルエンザにかかり、何週間も生死の境をさまよった末に、昔の記憶をすっかり失くしてしまったのだ。なんということだろう、彼らが目覚めた時、彼らの頭の中は少年時代のD・H・ロレンスの貯金箱のようにまったくの空っぽになっていたのだ。

しかし二人は賢明で我慢強い少年と少女であったから、努力に努力をかさね、再び新しい知識や感情を身につけ、立派に社会に復帰することができた。ああ神様、彼らは本当にきちんとした人たちだったのだ。彼らはちゃんと地下鉄を乗り換えたり、郵便局で速達を出したりできるようにもなった。そして75パーセントの恋愛や、85パーセントの恋愛を経験したりもした。

そのように少年は三十二歳になり、少女は三十歳になった。時は驚くべき速度で過ぎ去っていった。

そして四月のある晴れた朝、少年はモーニング・サービスのコーヒーを飲むために原宿の裏通りを西から東へと向い、少女は速達用の切手を買うために同じ通りを東から西へと向う。二人は通りのまん中ですれ違う。失われた記憶の微かな光が二人の心を一瞬照らし出す。彼らの胸は震える。そして彼らは知る。

彼女は僕にとっての100パーセントの女の子なんだ。

彼は私にとっての100パーセントの男の子だわ。

しかし彼らの記憶の光は余りにも弱く、彼らのことばはもう十四年前ほど澄んではいない。二人はそのままことばもなくすれ違い、そのまま人混みの中へと消えてしまう。永遠に。

悲しい話だと思いませんか。

*

そうなんだ、僕は彼女にそんな風に切り出してみるべきだったのだ。

Sleep

眠り

1

眠れなくなってもう十七日めになる。

私は不眠症の話をしているわけではない。不眠症のことなら少しは知っている。大学生の頃に、一度不眠症のようなものにかかったことがある。「ようなもの」と断るのは、その症状が世間一般に不眠症と呼ばれているものに合致するのかどうか確信が持てないからだ。病院に行けばそれが不眠症であるかないかくらいはわかっただろう。でも私は行かなかった。病院に行ってもたぶん何の役にも立たないだろうと思ったからだ。そう考える根拠がとくにあったわけではない。ただ直観的にそう思ったのだ。行っても無駄だろうと。だから私は医者にも行かなかったし、家族にも友人にもそのことは黙っていた。誰かに相談したら、きっと病院に行けと言われるだろうとわかっていたから。

一ヵ月ほどその「不眠症のようなもの」はつづいた。その一ヵ月間、私は一度としてまともな眠りを迎えることができなかった。夜になってベッドに入ってさあ眠ろうと思う。そのとたんに、まるで条件反射のように覚醒してしまうのだ。どれほど努力しても眠ることができない。眠ろうと意識すればするほど、逆に意識が覚醒する。酒や睡眠薬を試してみても、まったく効果はない。

明け方に近くなってようやくうとうとできるかなという感じにはなる。でもそれは眠りと呼べるほどの眠りではない。私は眠りの縁のようなものを指の先に僅かに感じる。そして私の意識は覚醒している。私は仄かにまどろむ。でも薄い壁に隔てられた隣の部屋で、その意識はありありと覚醒し、じっと私を見守っている。私の肉体はふらふらと薄明の中を流離《ただよ》いながら、私自身の意識の視線と息づかいをすぐそこに感じつづけている。私は眠ろうとする肉体であり、それと同時に覚醒しようとする意識である。

そのような不完全なまどろみが断続的に一日中つづく。頭はいつも霞んでいる。物事の正確な距離や質量や感触を見定めることができない。そしてまどろみが一定の間隔を置いて波のように押し寄せてくる。電車のシートや、教室の机や、あるいは夕食の席で、私は知らず知らずにまどろむ。意識が知らないうちに私の体から離れていく。世界が音もなく揺らぐ。いろんなものを床に落としてしまう。鉛筆やハンドバッグやフォークが、音を立てて床に落ちる。いっそのこと、そのままそこにつっぷしてぐっすりと眠ってしまいたいと思う。でも駄目だ。覚醒がいつも私のそばにいる。私はその冷やかな影を感じつづける。それは自分の影だ。奇妙だ、と私はまどろみの中で思う。私は自分の影の中にいるのだ。私はまどろみつつ歩き、まどろみつつ食事をし、まどろみつつ会話をかわす。でも不思議なことに、まわりの誰も私がそんな極限的な状態に置かれていることに気づかないようだった。その一ヵ月の間に私は実に六キロも痩せた。それなのに、家族も友人も誰一人として気づかなかった。私がずっと眠りながら生きていたことに。

そう、私は文字どおり眠りながら生きていたのだ。私の体は水死体のように感覚を失っていた。そこにあるすべてが鈍く、濁っていた。自分がこの世界に生きて存在しているという状況そのものが、不確かな幻覚のように感じられた。強い風が吹いたら、私の肉体は世界の果てまで吹き飛ばされてしまうだろうと思った。世界の果てにある、見たことも聞いたこともない土地に。そして私の肉体は私の意識と永遠にはなればなれになってしまうのだ。だから私は何かにしっかりとしがみついていたかった。でもあたりを見まわしても、しがみつけるようなものはどこにも見あたらなかった。

そして夜になると、激しい覚醒がやってきた。その覚醒の前では、私は完全に無力だった。私は強い力で覚醒の核にぴたりと固定された。その力はあまりにも強力だったので、私にできるのは朝が来るまでただじっと覚醒しつづけることだけだった。私は夜の闇の中で目覚めつづけていた。ほとんど物を考えることさえできなかった。時計が時を刻む音を聞きながら、夜の闇が少しずつ深まり、そしてまた淡くなっていく様子をただじっと見つめていた。

でもある日、それは終わってしまった。何の予兆もなく、何の外的な要因もなく、まったく唐突にそれは終わってしまったのだ。私は朝食の席で突然気が遠くなるような眠けを感じた。そして何も言わずに席を立った。何かをテーブルから落としたような気がする。誰かが私に問いかけたような気がする。でも何も覚えてない。私はよろけるようにして自分の部屋に行って、着替えもせずにベッドにもぐりこんで、そのまま眠りこんでしまった。そしてそれから二十七時間こんこんと眠った。母が心配して何度も私を揺さぶった。頬を叩きまでした。でも私は起きなかった。二十七時間、ぴくりとも目覚めなかったのだ。そして目が覚めたとき、私は以前の私に戻っていた。もとどおりの私に。たぶん。

どういう理由で不眠症になったのか、そしてそれがどういう理由で突然治ってしまったのか、私にはわからない。それは風に吹かれて遠くからやってくる分厚い黒い雲のようなものだった。その雲の中には、私の知らない不吉なものがたっぷりと詰まっている。それがどこからやってきて、どこに去っていくのか、誰にもわからない。でもとにかくそれはやってきて、私の頭上を覆い、そして去っていったのだ。

しかし、今私が眠れないというのは、それとは全然違う。何から何まで違う。私はただ単に眠れないのだ。一睡もできないのだ。でも眠れないという事実を別にすれば、私は至極まともな状態にある。全然眠くないし、意識はとてもクリアに保たれている。むしろ普段以上にクリアだと言ってもいいくらいだ。体にも何の変調もない。食欲もある。疲労も感じない。現実的な観点から言えば、そこには何の問題もない。

眠れないというだけのことなのだ。

夫も子供も、私が十七日間にわたって一睡もしていないことにまったく気づいてはいない。私も何も言わない。何か言うと、病院に行けと言われるだろうから。そして私にはわかっている。病院になんか行っても無駄なのだと。睡眠薬を飲んで解決するようなことではないのだと。だから眠れないことは誰にも打ち明けてはいない。昔の不眠症の時と同じだ。私にはただ単にわかるのだ。これは私が自分ひとりで処理しなくてはならない種類のことなのだと。

だから彼らは何も知らない。私の生活は表面的にはいつもと変わりなく流れている。とても平穏に、とても規則的に。朝に夫と子供を送り出したあと、いつものように車で買い物に行く。夫は歯科医で、私たちの住むマンションから車で十分ほどのところに診療所を持っている。彼は歯科大時代の友人と共同でその診療所を経営している。そうすれば技工士も受付の女の子も二人共同で雇えるからだ。どちらかの予約がいっぱいなら、もうひとりがその患者を引き受けることも可能だ。夫も友人も腕はいい方だから、ほとんど何のコネクションもなしにその場所で開業してまだ五年しかたっていない割りには、診療所はかなり繁盛している。どちらかといえば忙しすぎるくらいだ。

「僕としてはもっとのんびりやりたかったんだけれどな。でもまあ、文句は言えないよ」と夫は言う。

そうね、と私は言う。文句は言えない。それはたしかだ。診療所を開くために、銀行から最初に予想していた以上の額の借金をしなくてはならなかった。歯科医の診療所というのは多額の設備投資を必要とする。そして競争は過酷である。診療所を開けば翌日からどっと患者が押し寄せて来るというものではない。患者がつかなくて潰れた歯科医院だっていっぱいある。

診療所を開いた時、私たちはまだ若くて貧乏で、生まれてまもない子供を抱えていた。私たちがこのタフな世界の中で生き残れるかどうか、誰にもわからなかった。でも五年かけて、まがりなりにも私たちは生き残ったのだ。文句は言えない。借金だってまだ三分の二近く残っているのだ。

「たぶんあなたがハンサムだから患者が押し寄せてくるんじゃないかしら」と私は言う。いつもの冗談だ。私がそう言うのは彼が全然ハンサムじゃないからだ。どちらかと言えば夫は不思議な顔をしている。今でも時々こう思うことがある。どうして私はこんな不思議な顔の人と結婚しちゃったんだろう、私にはもっとハンサムなボーイ・フレンドだっていたのに、と。

彼の顔の不思議さを、うまく言葉で説明することができない。もちろんハンサムではないが、かといって醜男というのでもない。いわゆる味のある顔というのでもない。正直に言って、ただ〈不思議〉としか表現のしようがないのだ。あるいは「捉えどころがない」という形容が近いかもしれない。でもそれだけではない。もっとも重要なポイントは夫の顔を捉えがたくしている何かの要素なのだと思う。それを把握すれば、その〈不思議さ〉の全体像が理解できるのではないかと思う。でも私にはまだそれが把握できていない。一度何かの必要があって、彼の顔を絵に描いてみようと試みたことがあった。でも私にはそれができなかった。鉛筆を手にして紙に向かうと、夫がどういう顔をしていたかまったく思い出せなかった。私はそれでちょっとびっくりしてしまった。これだけ長く一緒に暮しているのに、夫がどんな顔をしていたかも思い出せないのだ。もちろん見ればわかる。頭にも浮かぶ。でもいざ絵に描こうとすると、自分が何も覚えていないことを思い知らされるのだ。まるで見えない壁にぶちあたったみたいに、私は途方に暮れてしまうことになる。ただ不思議な顔だとしか思い出せないのだ。

そのことは時々私を不安にさせる。

でも彼は世間のおおかたの人に好感を持たれたし、言うまでもないことだがそれは彼のような職業にとってはとても重要なことだった。歯科医にならなくても、彼はたいていの職業で成功しただろうと思う。多くの人々は彼と会って話していると、知らず知らず安心感を抱いてしまうようだった。私は夫に会うまで、そういうタイプの人に一度もめぐりあったことはなかった。私の女友達も、みんな彼のことが気に入っている。もちろん私だって彼のことが好きだ。愛しているとも思う。でも正確に表現するなら、とくに「気に入って」はいないと思う。

まあとにかく彼は子供のように、とても自然ににっこりと笑うことができる。普通の大人の男にはそういう笑い方はできない。そしてこれは当たり前のことかもしれないが、すごく綺麗な歯をしている。「僕がハンサムなのは僕の罪じゃない」と夫は言って微笑む。いつも同じ繰り返しだ。それは私たちの間でしか通用しないつまらない冗談だ。でも私たちはそんな冗談をかわすことによって、いわば事実を確認しあっているのだ。私たちがこうして何とか生き残ったのだという事実を。そしてそれは私たちにとってはけっこう重要な儀式なのだ。

彼は朝の八時十五分にブルーバードに乗ってマンションの駐車場を出る。子供を隣の席に座らせる。子供の小学校は診療所に向かう道筋にあるのだ。「気をつけてね」と私は言う。「大丈夫」と彼は言う。いつも同じ台詞の繰り返しだ。でも私はそう口にしないわけにはいかないのだ。気をつけてね、と。そして夫はこう答えないわけにはいかないのだ。大丈夫、と。彼はハイドンだかモーツァルトだかのテープをカー・ステレオに差し込み、ふんふんとメロディーを口ずさみながらエンジンをスタートさせる。そして二人は手を振って出ていく。二人は奇妙なほどよく似た手の振り方をする。同じような角度に顔を傾け、同じように手のひらをこちらに向け、それを小さく左右に振る。まるで誰かにきちんと振り付けられたみたいに。

私は私専用の車として中古のホンダ・シティを持っている。二年前に、私はそれを女友達からほとんどただ同然で譲ってもらった。バンパーもへこんでいるし、型も古い。ところどころ錆も浮いている。もうかれこれ十五万キロくらい走っている。時々、一ヵ月に一度か二度くらいのものだが、エンジンのかかりが極端に悪くなる。いくらキイを回してもエンジンがかからないのだ。でもわざわざ修理工場に持っていくほどのことではない。十分くらいなだめたりすかしたりしているうちに、何とかエンジンがぶるんという気持ちのいい音を立てて動き出す。まあ仕方ないでしょうが、と私は思う。何にだって誰にだって、月に一度か二度くらいは、調子が悪くなることもあるし、いろいろと上手く行かないこともあるのだ。世の中というのはそういうものだ。夫は私の車のことを「君のロバ」と呼ぶ。でも何と言われようと、それは私自身の車なのだ。

私はそのシティに乗ってスーパーマーケットに買い物に行く。買い物が終わると掃除と洗濯をする。昼食の支度をする。朝のうちになるべくてきぱきと体を動かすように心がける。夕食のこしらえもできればすませておく。そうすれば午後がまるまる自分の時間になるからだ。

夫が十二時過ぎに食事をとりに帰ってくる。彼は外で食事をするのが好きではない。「混んでるし、まずいし、服に煙草の臭いがつく」と言う。往復の時間をかけても、家に戻って食事をする方を好むのだ。いずれにせよ、私は昼食にはそれほど手のこんだ料理を作らない。昨日の残りものがあればそれを電子レンジで温めるし、なければ蕎麦ですませる。だから食事を作ること自体はそれほどたいした手間ではない。それにもちろん私だって、一人で黙って昼食をとるよりは、夫と一緒に食べた方が楽しい。

もっと前、まだ診療所を始めて間もないころには、午後一番の予約が入っていないことが多くて、そういう時、私たちは昼食のあとでよくベッドに行った。それは素敵な交わりだった。あたりはしんとして、穏やかな午後の光が部屋に溢れていた。私たちは今よりずっと若くて、幸せだった。

今でももちろん私たちは幸せなのだろうと思う。家庭にはトラブルの影ひとつない。私は夫に好感を抱いているし、信頼している。そう思う。そして彼の方もそれは同じだと思う。でもこれは仕方ないことなのだけれど、歳月とともに生活の質は少しずつ変化していく。そして今では午後の予約は全部詰まっている。彼は食事が終わると洗面所で歯を磨き、さっさと車に乗って診療所に戻ってしまう。何千本、何万本という病んだ歯が彼を待っているのだ。でも、いつも私たちが確認し合うように、贅沢は言えない。

夫が診療所に戻ったあと、私は水着とタオルを持って車で近所のスポーツ・クラブに行く。そして三十分ほどそこで泳ぐ。かなりハードに泳ぐ。別に泳ぐという行為そのものが好きなわけではない。私が泳ぐのは、ただ単に体に余分な肉をつけたくないからだ。私は昔から自分の体の線がとても好きだった。正直に言って、自分の顔を好きになったことは一度もない。悪くはないと思う。でも好きにはなれない。しかし私は自分の体が好きだ。裸で鏡の前に立つのが好きだ。そしてその柔らかな輪郭や、バランスのとれた生命感を眺めるのが好きだ。そこには何かしら私にとってとても重要なものが含まれているように感じられる。何かはわからないが、でも私はそれを失いたくないと思う。失ってはならないと。

私は三十になる。三十になればわかることだが、三十になったからといって世界が終わるわけではない。年をとるのがそれほど喜ばしいことだとは思わないが、でも年をとって楽になることもいくつかはある。それは考え方の問題なのだ。しかしひとつだけはっきりしていることがある。もし三十になった女が自分の肉体を愛していて、そしてそれを然るべき線に沿って維持したいと本気で望むなら、それなりの努力は払わなくてはならない——ということだ。私は母からそのことを学んだ。私の母は、かつてはすらりとした美しい女性だった。でも残念ながら今ではそうではない。私は母のようにはなりたくないと思う。

泳いだあと、午後の残りをどう使うかはその日によって違う。駅前に出てぶらぶらとウィンドウ・ショッピングをすることもある。あるいは家に帰って、ソファーに座って本を読み、ＦＭ放送を聴き、そのままうとうと眠ってしまうこともある。やがて子供が学校から帰ってくる。私は子供の服を着替えさせ、おやつを与える。子供はおやつを食べ終わると外に出ていく。友達と一緒に遊びにいくのだ。まだ二年生だから、塾にも行かないし稽古ごともさせていない。遊ばせておけばいいんだ、と夫は言う。遊んでりゃ自然に大きくなっていくんだ、と。外に出ていく時、気をつけてね、と私は言う。大丈夫、と子供は答える。夫と同じだ。

夕方が近くなると、夕食の支度を始める。子供は六時までには帰ってくる。そしてテレビで漫画を見ている。診療の延長がなければ、夫は七時前に帰宅する。夫はアルコールを含んだ飲みものを一滴も飲まないし、他人とのつきあいを好まない。仕事が終わればだいたいまっすぐ家に帰ってくる。

食事のあいだ、私たちは三人で話をする。それぞれの一日について語り合う。でもなんといっても、いちばんよく話すのは息子だ。当然のことではあるけれど、まわりで起きる出来事のひとつひとつが彼にとっては新鮮であり、謎に満ちているのだ。息子が話し、夫と私がそれについての感想を述べる。食事が終わると、息子はひとりで好きなことをして遊ぶ。テレビを見たり、本を読んだりする。あるいは夫と何かゲームのようなことをする。宿題のある時は、部屋にこもって宿題をかたづける。そして八時半にはベッドに入って眠ってしまう。私は息子にきちんと布団をかけ、髪を撫で、「おやすみ」と言って電灯を消す。

そのあとは夫婦二人の時間になる。夫はソファーに座って、夕刊を読みながら私と少し話をする。患者の話、新聞記事の話。そしてハイドンだかモーツァルトだかを聴く。私も音楽を聴くのは嫌いではない。でもいつまでたっても私にはハイドンとモーツァルトの違いを識別することができない。私の耳にはどちらもほとんど同じように聞こえる。私がそう言うと、違いなんかわからなくたっていいさと夫は言う。美しいものは美しい、それでいいじゃないか、夫はそう言う。

「あなたがハンサムなようにね」と私は言う。

「そう、僕がハンサムなように」と夫は言う。そしてにっこりと笑う。すごく気持ち良さそうに。

それが私の生活だ。つまり、私の眠れなくなる前の生活だ。おおまかに言えば、毎日だいたい同じことの繰り返しだった。私は簡単な日記のようなものをつけていたが、二、三日つけ忘れるともう、どれがどの日だったか区別がつかなくなってしまった。昨日と一昨日がいれかわっても、実際のところこれといって支障もないかもしれない。何という人生だろうと時々思う。それで虚しさを感じるというのでもない。私はただ単に驚いてしまうだけなのだ。昨日と一昨日の見分けもつかないという事実に。そういう人生の中に自分が含まれ、飲み込まれてしまっているという事実に。自分のつけた足跡が、それを認める暇もなく、あっというまに風に吹き払われているという事実に。そういう時、私は洗面所の鏡で自分の顔を眺める。十五分くらいじっと見ているのだ。頭をからっぽにして、何も考えないで。自分の顔を純粋な物体としてまじまじと見つめる。そうすると、私の顔はだんだん私自身から分離していく。ただ純粋に同時存在するものとして。そして私はこれが現在なんだと認識する。足跡なんか関係ない。私はこうして今現実と同時存在しているのだ、それがいちばん大事なことなんだと。

でも今では私は眠れない。私は眠れなくなってから日記をつけるのもやめてしまった。

2

眠れなくなってしまった最初の夜のことを鮮明に覚えている。私はそのとき嫌な夢を見ていた。とても暗くて、ぬめぬめとした夢だった。内容までは覚えていない。私が記憶しているのはその不吉な感触だけだ。そしてその夢の頂点で、私は眠りから覚めた。それ以上夢の中にひたっていたらもう取り返しがつかなくなるという危うい時点で、何かにひきもどされるようにはっと目が覚めたのだ。目が覚めてしばらく、私ははあはあと大きく息をしていた。手足が痺れてうまく動かなかった。じっとしていると、まるで空洞の中に横たわっているみたいに自分の息づかいだけがいやに大きく聞こえた。

夢だったんだ、と私は思った。そしてじっと仰向けになったまま、息が落ち着くのを待った。心臓が激しく活動し、そこに素早く血液を送り込むために、肺がふいごのように脹らんだり縮んだりしていた。でもその振幅は時間の経過とともに徐々に減少し収束していった。いったい今は何時なんだろう、と私は思った。枕もとの時計を見たかったが、うまく首をひねることができなかった。その時、ふと足元になにかが見えたような気がした。それはぼんやりとした黒い影のようなものだった。私は息をのんだ。心臓も肺も、体の中の何もかもが一瞬凍りついたように停止した。私は目を凝らして、その影の方を見た。

私が目を凝らすと、それを待ちかねていたように影は急激にはっきりとした形を取っていった。輪郭が明確になり、その中に実体が注ぎ込まれ、細部が浮かび上がった。それはぴたりとした黒い服を着た、痩せた老人だった。髪は灰色で、短く、頬はこけていた。その老人が私の足元にじっと立っているのだ。老人は何も言わずに、鋭い目で私を凝視していた。とても大きな目で、そこに浮き上がっている赤い血管の筋まではっきりと見えた。でもその顔には表情というものがなかった。何も語りかけてこないのだ。穴のようにからっぽなのだ。

これは夢じゃない、と思った。私は夢から覚めたのだ。それも漠然と覚めたのではなく、はじかれるように覚めたのだ。だからこれは夢ではない。これは現実なのだ。私は動こうとした。夫を起こすか、あるいは電灯をつけるか。でもどれだけ力をふりしぼっても動けなかった。本当に指一本動かすこともできなかったのだ。動けないということがはっきりすると、私は急に怖くなった。それは根源的な、まるで底無しの記憶の井戸から音もなく上ってくる冷気のような恐怖だった。その冷気は私の存在の根にまで滲みとおった。私は叫ぼうとも思った。でも声を出すことができなかった。舌がいうことをきかないのだ。私にできるのは、その老人をただじっと見ていることだけだった。

老人は手に何かを持っていた。細長くて、丸みを帯びたものだった。白く光ってもいた。私はそれをじっと見た。じっと見ていると、その何かはより明らかな形を取りはじめた。それは水差しだった。私の足元に立った老人は水差しを持っているのだ。昔風の陶製の水差しだった。やがて彼はそれを上にあげて、私の足に水をかけはじめた。でも私はその水の感触を感じることもできなかった。私の足に水がかかっているのも見える。その音も聞こえる。でも足は何も感じないのだ。

老人はいつまでも私の足に水を注ぎつづけていた。不思議なことに、どれだけ水を注いでも、その水差しの水はなくならなかった。足がそのうちに腐って溶けてしまうんじゃないかと私は思いはじめた。こんなに長く水をかけられているんだもの、腐ってしまっても不思議はない。自分の足が腐って溶けてしまうことを考えると、私はもう我慢ができなくなった。

私は目を閉じて、これ以上はあげられないくらいの大きな悲鳴をあげた。

でもその悲鳴は外には出なかった。私の舌は空気を震わせることができなかった。悲鳴は真空の中で音もなく鳴り響いただけだった。その無音の悲鳴は出どころのないまま私の体内を駆けめぐり、心臓は鼓動を止めた。頭の中が一面の空白になった。私の細胞の隅々にまで、悲鳴はしみとおった。私の中で何かが死に、溶けてしまった。爆発の閃光のように、その響きのない悲鳴は私の存在に関わっている多くのものを、根こそぎ理不尽に焼きはらってしまった。

目を開けた時、老人の姿はもうなかった。水差しもなかった。私は自分の足を見た。ベッドには水をかけられた形跡はなかった。ベッド・スプレッドは乾いたままだった。そのかわり私の体は汗でぐっしょりと濡れていた。おそろしいほどの量の汗だった。ひとりの人間にそれほどたくさんの汗がかけるなんて、とても信じられなかった。でもそれは私の汗なのだ。

私は手の指を一本また一本と動かし、次に腕を曲げてみた。それから足を動かしてみた。足首を回し、膝を曲げてみた。それほど円滑にではないにせよ、それぞれにひととおりは動いた。私は用心深く一通り全部体が動くことを確認してから、体をそっと起こした。そして外の街灯の明りにぼんやりと照らされた部屋の隅から隅までを、見回してみた。部屋の中のどこにも老人の姿はなかった。

枕もとの時計は十二時半を指していた。ベッドに入ったのは十一時前だから、一時間半くらいしか眠っていない。隣のベッドで、夫は深く眠っていた。夫はまるで意識を失ったみたいに、寝息もたてずに熟睡していた。彼は一度眠ると、よほどのことがないかぎり目を覚まさないのだ。

私はベッドを出て浴室に行き、汗で濡れた服を脱いで洗濯機の中に放り込み、シャワーを浴びた。それから体を拭いて、タンスから新しいパジャマを出して着た。そして居間のフロア・スタンドをつけ、ソファーに座ってブランディーを飲んだ。私はお酒を飲むことはほとんどない。夫のように体質的にまったく飲めないというのではなく、昔はけっこう飲みもしたのだが、結婚してからはぱったり飲まなくなってしまった。でもその夜は昂った神経を鎮めるために、何かを飲まないわけにはいかなかった。

戸棚の中にレミー・マルタンが一本入っている。それが家にある唯一のアルコールだった。誰かにもらったのだ。ずっと昔のことなので、誰にもらったのかも忘れてしまった。瓶には薄くほこりがつもっている。ブランディー・グラスなんてもちろんないから、普通のグラスに二センチばかりそれを注いで、一口ずつゆっくりと飲んだ。

体はまだ小刻みに震えていたが、恐怖は次第に薄らいでいった。

あれはたぶん金縛りだ、と私は思った。金縛りにあったのは初めてだったが、それを経験したことのある大学時代の友達から話だけは聞いていた。それはものすごくありありとしてクリアなので、とても夢とは思えないのだ、と彼女は言った。「その時も夢とは思えなかったし、今だって思えないのよ」と。たしかに夢には思えない、と私は思う。でもとにかくそれは夢だったのだ。夢ではないような種類の夢だったのだ。

しかし恐怖が薄らいでも、体の震えは去らなかった。私の皮膚の表面は地震のあとの水紋のように、いつまでも小刻みに震えていた。その細かい震えは目に見えるくらいだった。あの悲鳴のせいだ、と私は思った。声にならなかった悲鳴が私の中にこもって、それがまだ体を震わせているのだ。

私は目を閉じてもう一口ブランディーを飲んだ。温かい液体が喉から胃へゆっくりと下がっていくのが感じられた。まるで生きたもののように。

それから子供のことが急に心配になってきた。子供のことを考えると、胸がまたどきどきした。私はソファーを立って、足早に子供の部屋に行った。子供もやはりぐっすりと眠っていた。片方の手が口もとにかかり、もう片方の手が横に突き出されていた。子供は夫と同じように見るからに安心しきって眠っていた。私は子供の乱れた布団を直してやった。私の眠りを乱暴に突き崩したものがいったい何であったのか、私にはわからないが、とにかくそれは私ひとりだけを襲ったようだった。夫も子供も何も感じてはいない。

私は居間に戻って、部屋の中をあてもなく少し歩いた。全然眠くなかった。

もう一杯ブランディーを飲んでみようかとも思った。実のところ私はもっとお酒を飲みたかった。体をもっと温めて、神経をもっと落ち着かせたかった。そしてそのきっとした強い匂いをもう一度口の中に感じたかった。でも少し迷ってからやはり飲まないことにした。明日まで酔いを残したくなかったからだ。ブランディーを戸棚にしまい、グラスを流しに持っていって洗った。そして台所の冷蔵庫から苺を出して食べた。

気がつくと皮膚の震えはもうあらかた収まっていた。

いったいあの黒い服を着た老人は何だったんだろうと私は思った。まったく見覚えのない老人なのだ。その黒い服も奇妙だった。ぴたりとしたスエット・スーツのような、でも見るからに古風な服なのだ。あんな服を見たのは初めてだ。そしてあの目。瞬きひとつしない赤く充血した目。あれは誰なんだろう？　そしてどうしてまた私の足に水なんかかけたんだろう？　どうしてそんなことをしなくてはならないのだ？

まったくわけがわからない。思い当たる節もない。

私の友人が金縛りにあった時、彼女は婚約者の家に泊まりに行っていた。彼女が寝ていると五十くらいのむずかしい顔をした男の人が出てきて、お前はこの家から出ていけと言った。彼女はそのあいだぴくりとも動けなかった。そしてやはり汗でぐっしょり濡れてしまった。あの人は彼の亡くなったお父さんの幽霊に違いない。そのお父さんが私に出ていけと言っているんだ、と彼女はその時思った。でも翌日婚約者にそのお父さんの写真を見せてもらうと、それは昨夜出てきた男とはまったく違う顔をしていた。たぶん私はとても緊張していたのだと思う、と彼女は言った。だから金縛りになんかなったのよ、と。

でも私は緊張なんかしていない。それにここは自分の家だ。私を脅かすようなものはここにはなにもないはずだ。どうして私が今ここで金縛りになんかならなくてはならないのだろう？

私は首を振った。もう考えるのはよそう。考えるだけ無駄だ。あれはただのリアルな夢だったのだ。たぶん知らないうちに疲れが体に溜まっていたのだろう。一昨日のテニスのせいかもしれない。水泳のあとで、クラブで会った友達に誘われるままに少し長くやりすぎたのだ。そのあと手足がしばらくだるかったもの。

私は苺を食べてしまうと、ソファーに横になった。そしてためしにちょっと目を閉じてみた。

まったく眠くない。

やれやれ、と私は思った。本当にぜんぜん眠くないのだ。

眠くなるまで本でも読んでみようと私は思った。私は寝室に行って、本棚から小説を一冊選んだ。明りをつけて捜したのだが、夫は身動きひとつしなかった。私が選んだのは「アンナ・カレーニナ」だった。私はとにかく長いロシアの小説が読みたかった。「アンナ・カレーニナ」はずっと昔に一度読んだことがある。あれはたしか高校時代だった。どんな筋だったか、ほとんど覚えていない。最初の一節と、最後に主人公が鉄道自殺をするというところだけを記憶している。「幸福な家庭の種類はひとつだが、不幸な家庭はみんなそれぞれに違っている」、それが書き出しだ。たぶんそうだったと思う。たしか最初の方にクライマックスのヒロインの自殺を暗示するシーンがあったと思う。それから競馬場の場面があったかしら? それともあれは別の小説だっけ?

私はとにかくソファーに戻って本のページを開いた。こんな風にゆっくりと腰を据えて本を読むのなんていったい何年ぶりだろう、と私は思った。もちろん午後の余った時間に三十分か一時間本を開くことはある。でもそれは正確には読書とは呼べない。本を読んでいても、私はすぐにべつのことを考えてしまう。子供のこととか、買い物のこととか、あるいは冷凍庫の調子があまりよくないこととか、親戚の結婚式に何を着ていけばいいかとか、あるいは一ヵ月前に父親が胃を切ったこととか、そんなことがふっと頭に浮かんできて、それが次々にいろんな派生的な方向に膨らんでいくのだ。そして気がつくと、時間だけが経過して、ページはほとんど前に進んでいないということになった。

私はそのようにして、いつの間にか本を読まない生活に慣れてしまった。あらためて考えてみると、それはとても不思議なことだった。子供のころからずっと、本を読むことは私の生活の中心だったからだ。私は小学生の時から図書館中の本を読み漁ってきたし、お小遣いはほとんど全部本代に消えた。私は食事を削って、そのお金で自分の読みたい本を買って読んだ。中学でも高校でも、私くらい本を読む人間はいなかった。私は五人兄弟のまん中だったし、両親はどちらも仕事を持っていて忙しい人だったので、家族の誰も私のことなんか気にもとめなかった。だからひとりで好きなだけ本を読むことができた。読書感想文のコンクールがあると必ず応募した。賞品の図書券がほしかったのだが、たいていいつも入賞した。大学では英文科に進んだ。そこでも良い成績を取った。キャサリン・マンスフィールドについて書いた卒論は最高点を取った。教授は大学院に残らないかと言った。でもその時私は社会に出たかった。結局のところ私は学究的な人間ではなかったし、そのことは自分でもよくわかっていた。私はただ本を読むのが好きというだけのことなのだ。それにもし大学に残りたいと思ったところで、私を大学院にやるような経済的余裕は私の家にはなかった。家は貧しいというほどではなかったが、私の下にはまだ妹が二人もいたのだ。そんなわけで、大学を出ると私は家を出て自立して生きていかなくてはならなかった。文字どおり自分の二本の手で生き残っていかなくてはならなかったのだ。

最後にきちんと本を一冊読んだのはいつのことだろう？　そしてその時私はいったい何を読んだんだろう？　どれだけ考えても、その本の題名さえ思い出せなかった。人生というのはどうしてこんなにがらりと様相を変えてしまうのだろう、と私は思った。憑かれたように本を読みまくっていたかつての私はいったいどこに行ってしまったのだろう？　あの歳月と、異様とも言える激しい熱情は私にとっていったい何だったんだろう？

でもその夜、私は「アンナ・カレーニナ」に意識を集中することができた。私は何も考えずに夢中でページを繰った。アンナ・カレーニナとヴロンスキーがモスクワの鉄道駅で顔を合わせるところまで一気に読んでから、ページに栞をはさみ、ブランディーの瓶をまたひっぱりだした。そしてそれをグラスに注いで飲んだ。

昔読んだ時にはちっとも気がつかなかったけれど、考えてみればなんて奇妙な小説だろうと、私は思った。小説のヒロインであるアンナ・カレーニナが実に一一六ページまで一度も姿を見せないのだ。この時代の読者にとって、そういうのはとくに不自然なことではなかったのだろうか？　私はそのことについてしばらく考えをめぐらせてみた。オブロンスキーなんていうつまらない人物の生活の描写がえんえんとつづいても、彼らはそれにじっと耐えて、美しいヒロインの登場をじっと待っていたのだろうか？　そうかもしれない。たぶんこの当時の人たちにはたっぷりと暇な時間があったのだろう。すくなくとも小説を読むような階層の人々にとっては。

ふと気がつくと、時計の針はもう三時を指していた。三時？　でも私は全然眠くなかった。

さてどうしよう、と私は思った。

まったく眠くないのだ。このままずっと本を読みつづけていられる。つづきがすごく読みたい。でも私は眠らなくてはならない。

私は以前不眠に悩まされた時期のことをふと思い出した。一日ぼんやりとした雲に包まれるようにして生きていた時のことを。もうあんなことはごめんだ。あの時は私はまだ学生だった。だからあれでもやっていけたのだ。でも今はそうじゃない。私は妻であり、母親である。私には責任というものがある。夫の昼食も作らなくてはならないし、子供の世話もある。

しかしこのままベッドに入ってもたぶん一睡もできないだろうと私は思った。私にはそれがわかった。私は首を振った。仕方ないじゃないか、どうやっても眠れそうにないし、それに本のつづきだって読みたいのだ。私は溜め息をついて、テーブルの上の本に目をやった。

結局、私は朝日がさすまで「アンナ・カレーニナ」に読み耽っていた。アンナとヴロンスキーは舞踏会で互いをみつめあい、そして宿命的な恋に落ちた。アンナは競馬場（やはり競馬場は出てきたのだ）でヴロンスキーの落馬を見て取り乱し、夫に自分の不貞を告白する。私はヴロンスキーとともに馬に乗って障害物を飛び越え、人々の歓声を耳にした。そして私は観客席でヴロンスキーの落馬を目にした。窓が明るくなると本を置いて、台所でコーヒーを沸かして飲んだ。頭の中に残っている小説の場面と、突然やってきた激しい空腹感のせいで、私には何も考えられなかった。私の意識と肉体はどこかでずれたまま、固定してしまったようだった。パンを切り、バターとマスタードを塗り、チーズのサンドイッチを作った。そして流し台の前に立ったままそれを食べた。そこまで激しくおなかが空くのは私としては非常に珍しいことだった。それは息苦しいほどの暴力的な空腹感だった。サンドイッチを食べ終わってもまだおなかが空いていたので、もうひとつサンドイッチを作って食べた。そしてもう一杯コーヒーを飲んだ。

3

金縛りにあったことについても、朝まで一睡もできなかったことについても、夫には何も言わなかった。べつに隠すつもりはなかった。ただあえて教える必要もないだろうと思っただけだ。言ってどうなるというものでもないし、それに考えてみれば一晩眠れないくらいそんなたいした問題ではない。誰にだってたまにはそういうことはある。

私はいつもと同じように夫にコーヒーを出し、子供にホット・ミルクを飲ませた。夫はトーストを食べ、子供はコーン・フレークを食べた。夫は新聞にざっと目を通し、子供は新しく覚えた歌を小さな声で歌っていた。それから二人はブルーバードに乗って出ていった。気をつけてね、と私は言った。大丈夫と夫は言った。二人は私に手を振った。いつもと同じだった。

二人が出ていってしまったあと、私はソファーに座って、さてこれからどうしようかと思った。何をするべきか？　何をしなくてはならないか？　台所に行って冷蔵庫のドアを開けて、中のものを点検した。そして今日一日買い物をしなくても、とくに支障のないことを確認した。パンもある。牛乳もある。卵もある。肉も冷凍してある。野菜もある。明日の昼までのぶんは一応揃っている。

銀行に行く用事があることはあったが、それもどうしても今日のうちにすませなくてはならないというものではなかった。明日にまわすことはできる。

私はソファーに座って「アンナ・カレーニナ」のつづきを読み始めた。読み直してあらためてわかったことだが、私は「アンナ・カレーニナ」の内容をほとんどまったくと言っていいくらい記憶していなかった。登場人物も、場面も、おおかた覚えていなかった。全然別の本を読んでいるような気さえした。不思議なものだ、と私は思った。読んだ時は結構感動したはずなのに、結局のところ何も頭に残っていないのだ。そこにあったはずの感情の震えや高まりの記憶は、いつのまにか全部綺麗にするすると抜け落ちて消えてしまっていたのだ。

それではあの時代に、私が本を読むことで消費した厖大な時間はいったい何だったのだろう？

本を読むのをやめて、しばらくそれについて考えてみた。でも私にはよくわからなかったし、そのうちに、自分が何について考えていたのかもわからなくなってしまった。ふと気がつくと、ただぼんやりと窓の外の樹を眺めていた。私は頭を振って、また本のつづきを読みはじめた。

上巻のまん中を過ぎたあたりにチョコレートの屑がはさまっていた。チョコレートは乾燥して、ぼろぼろになったままページにこびりついていた。きっと私は高校時代、チョコレートを食べながらこの小説を読んでいたのだろう。私は何かを食べながら本を読むのが大好きだった。そういえば、結婚して以来チョコレートもまるで食べなくなってしまった。甘い菓子を食べることを夫が嫌うせいだ。子供にもほとんど与えない。だから家には菓子の類は一切置いていない。

その十年以上前の白く変色したチョコレートのかけらを見ているうちに、無性にチョコレートが食べたくなった。私は昔と同じようにチョコレートを食べながら「アンナ・カレーニナ」を読みたかった。体じゅうの細胞という細胞がチョコレートを求めて息をひそめ、収縮しているようにさえ感じられた。

私はカーディガンを羽織り、エレベーターに乗って下に降りた。そして近所の菓子屋に行っていかにも甘そうなミルク・チョコレートを二つ買った。そして店を出るとすぐに包みを開いて、歩きながらそのチョコレートを食べた。ミルク・チョコレートの香りが口の中に広がった。その直接的な甘味が体の隅々にまで吸い込まれていくのがありあり感じられた。エレベーターの中で私はふたかけらめを口の中に入れた。エレベーターの中にもチョコレートの匂いが漂った。

ソファーに座って、チョコレートを食べながら「アンナ・カレーニナ」のつづきを読んだ。少しも眠くはなかった。疲れも感じなかった。私はいつまでもいつまでも本を読みつづけることができた。チョコレートをまるまるひとつ食べてしまうと、ふたつめの包装紙をやぶって、それを半分だけ食べた。上巻の三分の二あたりまで読んだところで、私は時計を見た。十一時四十分だった。

十一時四十分?

もうすぐ夫が戻ってくる。私は慌てて本を閉じ、台所に行った。そして鍋に水を張って、ガスの火をつけた。それから葱をきざんで蕎麦を茹でる準備をした。湯が沸くまでの間にわかめをもどして、酢のものを作った。冷蔵庫から豆腐を出して、冷やっこを作った。それから洗面所に行って歯を磨いて、チョコレートの匂いを落とした。

湯が沸くのとほとんど同時に夫が戻ってきた。思ったより仕事が早く終わったんだ、と夫は言った。

私たちは二人で蕎麦を食べた。夫は蕎麦を食べながら新しく導入することを考えている医療器具のことを話した。歯の垢をこれまでのものよりずっと綺麗に取ることのできる機械で、時間も短縮できるということだった。値段はまあ例によって結構高いんだけどさ、もとは取れると思うんだ、と夫は言った。最近は歯の垢を取りにだけ来る人も多いからね。君はどう思う、と夫は私に尋ねた。私は歯垢のことなんか考えたくはなかった。食事中にそんな話を聞きたくないし、それについても深く考えたくない。私は大障害物競走についていろんなことを考えていたのだ。歯垢のことなんか考えたくもない。でもそういうわけにもいかない。夫は真剣なのだ。私はその機械の金額を聞いて、それについて考えるふりをした。必要なものなら買えばいいじゃない、と私は言った。お金のことなら何とかなるわよ。遊びに使うお金じゃないんだもの。

そうだよな、と夫は言った。遊びに使う金じゃないものな、と私の台詞を繰り返した。そしてそのあとは黙って蕎麦を食べた。

窓の外の木の枝に大きな鳥がつがいでとまって囀っていた。私は見るともなくそれを見ていた。眠くなかった。これだけ長く起きているのにちっとも眠気を感じないのだ。どうしてだろう?

食器を片づけているあいだ夫はソファーに座って新聞を読んでいた。その横には「アンナ・カレーニナ」が置いてあったが、彼はそれにはとくに注意を払わなかった。私が本を読んでも読まなくても、夫はそんなことには興味がないのだ。

私が食器を洗い終わると、今日はいい話があるんだ、と夫は言った。何だと思う?

わからない、と私は言った。

午後一番の患者がキャンセルしてきたんだ。だから一時半まで僕は暇なんだ。そう言って夫はにっこりした。

私はそれについてちょっと考えてみたが、どうしてそれがいい話なのか見当がつかなかった。どうしてだろう？

それがセックスの誘いであることに私が気づいたのは、彼が立ち上がって私をベッドに誘った時だった。でも私は全然そんな気にはなれなかった。どうしてそんなことをしなくてはいけないのか、まったく理解できなかった。私は早く本に戻りたかった。ソファーにひとりで横になって、チョコレートを食べながら、「アンナ・カレーニナ」のページをめくりたかった。私は食器を洗いながら、ずっとヴロンスキーという人間のことを考えていたのだ。どうしてトルストイという人は登場人物をみんなこんなに上手く自分の手のうちにくるんでしまうのだろうと考えていた。トルストイはとても素晴しい正確な描写をする。でもだからこそ、そこではある種の救いが損なわれているのだ。そしてその救いというのはつまり——

私は目を閉じて指でこめかみを押さえた。そして、実は今日は朝から頭痛が続いてるのよ、と言った。ごめんなさい、すごく悪いんだけど、と。私は時々ひどい頭痛に悩まされることがあったので、夫はそれをすんなりと受け入れた。無理しないで少し横になって休んだほうがいいよ、と彼は言った。それほどはひどくないんだけど、と私は言った。彼は一時すぎまでソファーに座って、音楽を聴きながらのんびり新聞を読んでいた。そしてまた医療器具の話を持ち出した。最新鋭の高価な機械を入れても二、三年で古くなってしまって、どんどん買いかえていかなくちゃならない、医療器具の製造会社だけが儲かるようになってるんだ、という話だった。私はときどき相槌を打ったが、ほとんど何も聞いていなかった。

夫が午後の仕事に出かけてしまうと、私は新聞をたたみ、ソファーのクッションを叩いてもとに戻した。そして窓枠にもたれて、部屋の中を見渡してみた。私にはわけがわからなかった。どうして眠くならないのだろう？　私は昔何度か徹夜したことはある。でもこんなに長く起きていたことは一度もない。普通ならずっと前に眠り込んでしまっているはずだし、もし眠り込まなかったとしても、眠くて眠くて仕方ないはずなのだ。でもまったく眠くなかったし、意識はこのうえなく澄みわたっていた。

台所に行って、コーヒーを温めて飲んだ。そしてこれからどうしようかと考えた。もちろん「アンナ・カレーニナ」のつづきが読みたかった。しかしそれと同時に、いつもと同じようにプールに行って泳ぎたくもあった。さんざん迷った末に、やはり泳ぎにいくことにした。うまく説明できないけれど、思いきり体を動かすことによって、体の中から何かを追い出してしまいたいという欲求のようなものがあった。**追い出す**。でもいったい何を追い出すのだろう？　私はそれについて少し考えてみた。**何を追い出すのだ？**

わからない。

でもその何かは私の体の中で、ある種の可能性のようにぼんやりと漂っていた。私はそれに名前を与えたかったけれど、その言葉は私の頭には浮かんでこなかった。正しい言葉を見つけるのは私の得意分野ではない。たぶんトルストイならぴたりとした言葉を見つけることができるのだろうが。

とにかく私はいつものようにバッグに水着を入れ、シティに乗ってスポーツ・クラブに出かけた。プールには顔見知りの人間は誰もいなかった。若い男がひとりと、中年の女がひとり泳いでいるだけだった。監視員が退屈しながらプールの水面を見張っていた。

私は水着に着替えて、いつものように三十分泳いだ。でも三十分では足りなかった。そのあとも十五分泳いだ。最後に全力を出してクロールで一往復した。息は切れたが、体にはまだ力が溢れているように感じられた。プールから上がると、まわりの人々は私のことをじろじろと眺めた。

三時にはまだ少し間があったので、車で銀行に寄って用事をすませた。スーパーマーケットに寄って買い物をしようかとも思ったが、やめてそのまま家に帰った。そして「アンナ・カレーニナ」のつづきを読んだ。チョコレートの残りを食べた。四時に息子が帰ってくると、彼にジュースを飲ませ、自分で作った果物のゼリーを与えた。それから夕食の支度をした。まず冷凍室から肉を出して解凍し、野菜を切って炒めものの準備をした。味噌汁を作り、御飯を炊いた。とても素早く機械的に仕事を片付けた。

そしてまた「アンナ・カレーニナ」のつづきを読んだ。

眠くなかった。

4

十時になると、私は夫と一緒にベッドに入った。そして一緒に眠るふりをした。夫はすぐに眠った。枕もとの電灯を消すと、ほとんど一瞬にして彼は眠りに落ちてしまった。電灯のスイッチと彼の意識がコードで結ばれているみたいに。

立派なものだ、と私は思った。そんな人ってなかなかいない。眠れないで苦しむ人の方がずっと多いのだ。私の父がそうだった。父はいつも熟睡できないことをこぼしていた。寝つきが悪い上に、ちょっとした物音や気配で目が覚めてしまうのだ。

でも私の夫は違う。一度眠ったら、何があっても朝まで起きない。結婚して間もないころ、私はそれがおかしくて、この人はいったいどうやったら目を覚ますんだろうと、何度か実験してみた。スポイトで顔に水を垂らしてみたり、刷毛で鼻の頭をこすってみたりした。でも何ものも彼の眠りを損うことはできなかった。しつこくつづけると、最後にやっと不快そうな声を出すだけだった。夫は夢さえも見なかった。少なくとも、どんな夢を見たのかまったく思い出せなかった。もちろん金縛りになんか遭ったこともない。泥に埋もれた亀のように、ただぐっすりと眠るだけなのだ。

立派なものだ。
私は十分ほど横になってから、こっそりベッドを出る。そして居間に行ってフロア・スタンドをつけ、グラスにブランディーを注いだ。それからソファーに座って、ブランディーをひとくちひとくち舐めるように飲みながら本を読んだ。気が向くと、戸棚に隠しておいたチョコレートを出して食べた。そのうちに朝がやってきた。朝になると、私は本のページを閉じ、コーヒーを沸かし、サンドイッチを作って食べた。

毎日、同じことの繰り返しだった。

私は手早く家事を済ませ、午前中ずっと本を読んだ。そして昼前になると、本を置いて夫のために昼食を作った。夫が一時前にまた出かけてしまうと、車に乗ってプールに行って泳いだ。私は眠れなくなってからというもの、毎日みっちり一時間泳ぐようになっていた。三十分の運動ではとても足りなかった。泳いでいるあいだ、泳ぐことだけに意識を集中した。他のことはいっさい考えなかった。有効に体を動かすことだけを考え、規則正しく息を吸い、息を吐いた。知り合いと顔を合わせてもほとんど話もしなくなった。簡単に挨拶をかわすだけだった。誘われると、ごめんなさい、ちょっと用事があってすぐに帰らなきゃならなくて、と言った。私には誰かととりとめのないおしゃべりをしているような暇はないのだ。泳げるだけ泳いでしまうと一刻も早く家に帰って本を読みたかった。

私は義務として買い物をし、料理を作り、掃除をし、子供の相手をした。義務として夫とセックスをした。慣れてしまえば、それは決して難しいことではなかった。それはむしろ簡単なことだった。頭と肉体のコネクションを切ればいいだけなのだ。私の体が勝手に動いているあいだ、私の頭は私自身の空間を漂っていた。何も考えずに家事を片付け、子供におやつを与え、夫と世間話をした。

眠れないようになってから、私の思ったのは、現実というのは何とたやすいのだろうということだった。現実をこなしていくなんて、実に簡単なことなのだ。それはただの現実にすぎない。それはただの家事であり、ただの家庭なのだ。単純な機械を動かすのと同じで、一度運用の手順を覚えてしまえば、あとはそれをただ反復していくだけのことだ。こっちのボタンを押して、あっちのレバーを引っ張る。目盛りを調節し、ふたを閉め、タイマーをあわせる。ただの繰り返しだ。

もちろんときどきの変化はあった。夫の母親がやってきて、一緒に夕食を食べた。日曜日に子供と三人で動物園に行った。子供がひどい下痢をした。

でもそれらの出来事はどれも私の存在を揺り動かしはしない。それらは音のない風のように私のまわりを吹き過ぎていくだけだった。私は姑と世間話をし、四人分の食事を作り、熊の檻の前で写真を撮り、子供のおなかを温めて、薬を飲ませた。

誰も私の変化には気がつかなかった。一睡もせずにいることにも、延々と本を読みつづけていることにも、私の頭が現実から何百年も何万キロも離れた場所にあることにも、誰も気づかなかった。私がどれだけ義務的に機械的に、何の愛情も感情もこめずに現実の事物を処理しつづけても、夫も息子も姑も、いつもと同じように私と接していた。あるいは、彼らはいつもより私に対してリラックスしているようにさえ見えた。

そのようにして一週間が過ぎた。

間断のない覚醒が二週目に入った時、私はさすがに不安になってきた。それはどう考えても異常な事態なのだ。人は眠るものだし、眠らない人はいない。私は昔、人を眠らせない拷問のことをどこかで読んだことがあった。たぶんナチスがやった拷問だ。人を狭い部屋に閉じ込めて、眠ることができないように目を開かせて光をあてつづけたり、大きな音で雑音を聞かせつづけたりする。そうしておくと、人は発狂して、やがては死んでしまうということだった。

どれくらいの期間ののちに発狂が始まるのか、私は思い出せなかった。三日か四日か、そんなものだ。

私の場合は、眠れなくなってからもう一週間たっている。幾らなんでも長すぎる。それなのに私の体はちっとも衰弱していない。むしろいつもより元気なくらいだ。

私はある日シャワーを浴びたあとで、裸のまま全身鏡の前に立ってみた。そして自分の体の線がはちきれんばかりの生命力をたたえているのを発見して驚いてしまった。私は首からくるぶしまで全身を隈なくチェックしてみたが、そこには一切れの余分な贅肉も一筋の皺も発見できなかった。私の体はもちろん少女時代の体つきとは違ったものになっていた。でも肌は昔に比べてもずっと艶があり、はりがあった。私はおなかの肉をためしに指でつまんでみた。それは固くひきしまり、見事な弾力を保っていた。

それから私は自分が思ったより綺麗になっていることに気がついた。ずいぶん若返っているようにも思えた。たぶん二十四と言っても通用するのではないか。肌も滑らかで、目が輝いていた。唇は瑞々しく、頬の骨ばった部分の影（私は自分ではそこがいちばん嫌いなのだ）もまったく目立たなくなっていた。私は鏡の前に座って、三十分ばかりじっと自分の顔を眺めていた。いろんな角度から、客観的に検証してみた。思いちがいではない。私は本当に綺麗になっている。

いったい私に何が起こっているのだろう？

医者に行くことも考えてみた。私には子供のころから世話になっている気心の知れた知り合いの医者がいる。でも医者が私の話を聞いてどんな反応を見せるだろうと考えてみると、だんだん気が重くなってきた。私の話はそのまま信用されるだろうか？　一週間もまったく眠っていないなんて言ったら、まず私の頭が疑われてしまうことだろう。あるいはただの不眠症のノイローゼとして片付けられてしまうかもしれない。あるいは私の話をすっかり信用して、私をどこかの大病院に送り込んで検査を受けさせるかもしれない。

それでどうなるだろう？

私はそこに閉じ込められ、あっちこっちとたらい回しにされて、いろんな実験を受けるだろう。脳波やら心電図やら尿検査やら血液検査やら心理テストやら、なにやかや。

私はそんなものに我慢できそうになかった。私はひとりで静かに本を読みたかった。毎日一時間きっちりと泳ぎたかった。そして何より自由というものがほしかった。それが私の望んでいることだ。病院になんか入りたくない。それに病院に入ったからといって、いったい何がわかるだろう？　おそらく山ほど検査をして、山ほど仮説を立てるだけのことだろう。そんなところに閉じ込められたくなかった。

ある日の午後、私は図書館に行って、眠りについての本を読んでみた。眠りについての本はそれほど沢山はなかったし、たいしたことは書いてなかった。結局、彼らの言いたいことはただひとつだった。眠りというのは休憩である──それだけのことだ。車のエンジンを切るのと同じなのだ。ずっと休みなくエンジンを動かしていると、それは早晩壊れてしまう。エンジンの運動は必然的に熱を生じるし、こもった熱は機械そのものを疲弊させることになる。だからエンジンは放熱のために休ませなくてはならないのだ。クールダウンするのだ。エンジンを切る──それがつまり睡眠である。人間の場合、それは肉体の休みであると同時に精神の休みでもある。人は体を横たえて筋肉を休ませるのと同時に、目を閉じて思考を中断させる。余った思考は夢というかたちで自然放電させる。

ある本に面白いことが書いてあった。人間というのは思考においても肉体の行動においても、一定の個人的傾向から逃れることはできないと、その著者は書いていた。人というものは知らず知らずのうちに自分の行動・思考の傾向を作り上げてしまうものだし、一度作り上げられたそのような傾向はよほどのことがないかぎり消えない。つまり人はそのような傾向の檻に閉じ込められて生きているわけだ。そして眠りこそがそのような傾向のかたよりを──靴のかかとの片減りのようなものだと著者は書いていた──中和するのである。つまり眠りがそのかたよりを調整し、治癒するのだ。人は眠りの中でかたよって使用された筋肉を自然にほぐし、かたよって使用された思考回路を鎮静し、また放電する。そのようにして人はクールダウンされるのだ。それは人というシステムに宿命的にプログラムされた行為なのだ、誰もそのプログラムから外れることはできない。もしそこから外れたら、存在そのものが存在基盤を失ってしまうことになる、と著者は書いていた。

傾向？　と私は思った。

傾向という言葉から私が思いつけるのは家事のことだった。私が無感動に機械的につづけている様々な家事作業。料理や買い物や洗濯や育児、それらはまさに傾向以外の何ものでもなかった。私は目をつぶっていたってそれくらいのことはやっていける。何故ならそれはただの傾向にすぎないからだ。ボタンを押して、レバーを引っ張るだけ。そうしていれば現実はどんどん先に流れていく。同じような体の動かし方——ただの傾向だ。そのようにして、私は靴の踵が片減りするように傾向的に消費されていき、それを調整しクールダウンするために日々の眠りが必要とされるのだ。

そういうことだろうか？

私はもう一度注意深くその文章を読みかえしてみた。そして肯いた。そう、たぶんそういうことだろう。じゃあ、私の人生とはいったい何なのだ？　私は傾向的に消費され、それを治癒するために眠る。ただのその繰り返しに過ぎないのか？　そして同じところをぐるぐるとまわりながら年齢をかさねていくだけのことなのか？

私は図書館の机に向かって首を振った。

眠りなんか必要ない、と私は思った。もし仮に発狂するとしても、眠れないことで私がその生命的「存在基盤」を失うとしても、それでもいい、と私は思った。構わない。私はとにかく傾向的に消費なんかされたくない。そしてその傾向的消費を治癒するために眠りが定期的に訪れるのだとしたら、そんなものはいらない。私には必要ない。もし肉体が傾向的に消費されざるを得ないとしても、私の精神は私自身のものだ。私はそれをきっちりと自分自身のために取っておく。誰にも渡しはしない。治癒なんかしてほしくない。私は眠らない。

そう決心して私は図書館を出た。

5

そのようにして、私は眠れないことを恐れなくなった。何も恐れることはない。要するに前向きに考えればいいのだ。私は人生を拡大しているのだ、と私は思った。夜の十時から朝の六時までの時間は私自身のためのものだった。その一日の三分の一に相当する時間はこれまで眠りという作業に――「クールダウンするための治癒行為」と彼らは呼ぶ――費やされていたのだ。でもそれは今や私自身のものとなった。誰のものでもない。私のものだ。私はその時間を私の好きに使うことができるのだ。誰にも邪魔されず、誰に何も要求もされず。そう、それはまさに拡大された人生なのだ。私は人生を三分の一だけ拡大しているのだ。

それは生物学的に見て正常なことではないと専門家は言うかもしれない。あるいはそのとおりかもしれない。そして私はそのような正常ならざることをつづけていることの借りを、先になって返さなくてはならないのかもしれない。人生はその拡大された分を――つまり私はそれを先取りしたのだ――あとで取り戻そうとするかもしれない。根拠のない仮説だが、それを否定する根拠もないし、一応の筋は通っているように私には感じられる。要するに最後に時間の貸し借りのつじつまが合うというわけだ。

でも正直なところ、そんなことは私にとってはもうどうでも良かった。もし何かの加減で自分が早く死ななくてはならないのだとしても、それでちっとも構わない。仮説には仮説なりの道を好きに歩ませておけばいいのだ。少なくとも今、私は自分の人生を拡大している。これは素晴しいことだった。手応えというものがそこにはある。自分がここで生きているという実感がある。私は消費されていない。少なくとも、消費されていない部分の私がここに存在している。だからこそ私は自分が生きていることを実感できるのだ。生きているという実感のない人生なんてどれだけ長くつづこうが、そんなものにたいして意味はないと思う。今でははっきりそう思える。

夫が眠り込んだのを確かめると、私は居間のソファーに座って、ひとりでブランディーを飲み、本を開いた。私は最初の一週間かけて「アンナ・カレーニナ」を続けて三回読んだ。読みなおせば読みなおすほど、新しい発見があった。その長大な小説には様々な謎と様々な解答が満ちていた。解答の中にはまた新しい謎が含まれていた。細工された箱のように、世界の中に小さな世界があり、その小さな世界の中にもっと小さな世界があった。そしてそれらの世界が複合的にひとつの宇宙を形成していた。その宇宙はずっとそこにあって、読者に発見されるのを待っていたのだ。かつての私にはそれのほんのひとかけらしか理解することができなかった。でも今の私には大きな広い世界を眺望することができた。トルストイという作家がそこで何を語りたかったのか、何を読者に読み取ってほしかったのか、そのメッセージがどのように有機的に小説として結晶したか、そしてその小説の何が結果的に作者自身をも凌駕したか。高い丘の上に立って風景を見渡すときのように、私にはそれが見てとれた。それを見通すことができた。

どれだけ意識を集中しても私は疲れなかった。「アンナ・カレーニナ」を読めるだけ読んでしまうと、私はドストエフスキーを読んだ。いくらでも本を読むことができた。どれだけ意識を集中しても疲れを覚えなかった。どのような難解な箇所も私はやすやすと理解することができた。そして深く感動もした。

これが本来の私のあるべき姿なのだ、と思った。眠りを捨てることによって、私は自らを拡大したのだ。大事なのは集中力なのだ、と私は思った。集中力のない人生なんて、目だけ開けて何も見ていないのと同じだ。

やがてブランディーがなくなってしまった。ほとんど一本ブランディーを飲んでしまったのだ。私はデパートに行って同じレミー・マルタンを買った。ついでに赤ワインも一本買った。それから上等なクリスタルのブランディー・グラスも買った。チョコレートとクッキーも買った。

時々、本を読んでいて、気持ちがひどく昂ることがあった。そんな時、私は本を読むのをやめて部屋の中で体を動かした。柔軟体操をやったり、あるいはただ単に部屋の中を歩きまわった。気が向くと夜中の散歩に出かけることもあった。服を着替え、駐車場からシティを出して、近所をあてもなく走った。終夜営業のチェーン・レストランに入ってコーヒーを飲むこともあったが、人と顔を合わせるのが面倒だったので、だいたいはずっと車の中にいた。危なくなさそうなところで車をとめてぼんやりと考えごとをすることもあった。港まで行ってしばらく船を眺めたりもした。

一度だけ警官がやって来て、職務質問されたことがあった。夜の二時半で、私は埠頭の近くの街灯の下に車を停めて、船の灯を眺めながらラジオの音楽を聴いていた。警官はこつこつと窓をノックした。私は窓ガラスを下ろした。若い警官だった。ハンサムで、言葉づかいも丁寧だった。眠れないのだと私は説明した。免許証を見せてくれと言われたので、見せた。警官はしばらくそれを見ていた。先月ここで殺人事件がありましてね、と警官は言った。アベックが三人の若者に襲われて、男が殺され、女は強姦された。その事件のことは私も聞いた覚えがあった。私は肯いた。だから奥さん、もし用事がないんならあまり夜中にこの辺をうろつかない方がいいですよ、こんな時間ですからね、と彼は言った。ありがとう、もう行きます、と私は言った。彼は免許証を返してくれた。私は車を出した。

でも誰かに声をかけられたのはその一度だけだった。私は誰に邪魔されることもなく、夜の街を一時間か二時間彷徨《さまよ》った。それからマンションの駐車場に車を入れた。暗闇の中でしんと眠り込んでいる夫の白いブルーバードの隣に。そしてかちかちという音を立てながら冷えていくエンジンの音に耳を澄ました。音が消えてしまうと、私は車を降りて、エレベーターで部屋に上った。

部屋に戻ると、まず寝室に行って、夫がちゃんと眠っていることを確かめた。夫は何があろうと深く眠っていた。それから私は子供の部屋に行った。子供も同じように熟睡していた。彼らは何も知らないのだ。世界は何の変化もなくこれまでどおりに動いていると、二人は信じきっているのだ。でもそうではない。世界は彼らの知らないところでどんどん変化している。あともどりできないくらいに。

私はある夜、眠っている夫の顔をじっと眺めたことがあった。寝室でばたんと音がしたので、慌てて行ってみると目覚まし時計が床に落ちていた。たぶん夫が寝惚けて腕を動かすかなにかして、その時に払い落とされたのだろう。それでも夫は何ごともなかったように熟睡していた。やれやれ、いったい何があったらこの人は目を覚ますのだろう？　私は時計を拾いあげ、枕もとに置いた。そして腕組みして、夫の顔をじっと見てみた。夫の寝顔をしげしげと眺めるなんてずいぶん久し振りのことだった。何年ぶりかしら？

結婚してしばらくはよく寝顔を眺めたものだった。眺めているだけで、ほっとした平和な気分になれた。この人がこうして平和に眠っているかぎり、私は無事に守られている、そう感じることができた。だから夫が眠ってしまってから、飽きもせずその寝顔を見ていたものだった。

でもいつからか、そんなことをするのをやめてしまった。いつからだっけ？　私は思い出してみた。あれはたぶん子供の名前をつけることで、私と夫の母親がいさかいのようなものをした時からだったと思う。夫の母親は宗教みたいなのに凝っていて、そこで名前を「いただいて」きたのだ。どんな名前だったかは忘れたが、でもとにかく私はそんなものを「いただく」気はなかった。それで私と姑はかなり激しく言い合いをした。でも夫はそれに対して何も言えなかった。ただ隣で私たちをなだめているだけだった。

私はその時に、夫から守られているという実感をなくしてしまったのだと思う。そう、夫は私を守ってはくれなかった。それで私はとても腹を立てた。もちろんそれは昔の話だし、私と姑は仲直りをした。息子の名前は私が自分でつけた。私と夫もすぐに仲直りした。

でもその頃からおそらく、私は夫の寝顔を眺めるのをやめてしまったのだと思う。

私はそこに立ったまま、彼の寝顔を眺めていた。夫は例によって確固たる眠りの中にいた。布団のわきから奇妙な角度で裸足の足が突き出されていた。まるで誰か他人の足みたいな角度で。大きなごわごわとした足だ。大きな口が半開きになり、下唇がだらんと下に垂れて、時折思い出したように鼻のわきがぴくっと動いた。目の下のほくろがいやに大きく、下品に見えた。目の閉じ方もどことなく品性がなかった。瞼がたるんでいて、それは色褪せた肉の覆いのように見えた。まるで阿呆みたいに眠っている、と私は思った。欲も得もないという眠り方だった。なんてみっともない顔をしてこの人は眠るんだろう。昔はこんなんじゃなかったはずだ、と私は思う。結婚したころは、この人はもっとはりのある顔をしていた。同じ熟睡するにしても、ここまでだらしない寝顔はしていなかったはずだった。

夫が昔どんな寝顔をしていたか思い出してみようとした。でもどうしても思い出せなかった。ただ、こんなひどい顔じゃなかったとしか思い出せない。あるいはそれは私の思い込みかもしれない。彼は今と同じ顔をして眠っていたのかもしれない。ただ私が感情移入みたいなことをしていただけかもしれない。私の母ならたぶんそう言うだろう。それが母のお得意の理屈なのだ。あんたね、結婚して惚れたはれたなんてせいぜい二、三年なんだから、というのが彼女のいつもの台詞なのだ。寝顔が可愛いなんて、惚れてたからそう見えただけよ、と。母ならそう言うだろう。

でも私にはそうじゃないということがわかっていた。間違いなく夫は醜くなったのだ。顔にしまりがなくなってきた。それが年をとるということなのだ。夫は年をとって、そして疲れている。すり減っている。これから先、間違いなくもっとみっともなくなっていくだろう。そして私はそれに耐えていかなくてはならないのだ。

私は溜め息をついた。とても大きな溜め息だったが、もちろん夫は身動きひとつしなかった。溜め息くらいでは目を覚まさない。

私は寝室を出て、居間に戻った。そしてまたブランディーを飲み、本を読んだ。でも何かが気になった。私は本を置いて、子供の部屋に行った。そしてドアを開け、廊下の電灯の光で息子の顔をじっと見ていた。息子も夫と同じように深い眠りの中にいた。いつもと変わりない。私はしばらく息子の寝顔を見ていた。子供はとてもつるりとした顔をしていた。当たり前のことだが、夫とは随分違う。まだ子供なのだ。肌に艶があるし、下品なところもなかった。

でも何かが私の神経にさわった。息子に対してそんな感じを抱くのは初めてだった。いったい息子の何が私の神経にさわるのだろう。私はそこに立ったまま、また腕組みをした。もちろん私は息子を愛している。とても愛している。でも、その何かが確実に今、私の神経を苛立たせている。

私は首を振った。

しばらく目を閉じ、それから目を開いてまた息子の寝顔を見た。そして何が私を苛立たせるのかを知った。息子は父親と寝顔がそっくりなのだ。そしてその顔はまた姑の顔とそっくりなのだ。血統的なかたくなさ、自己充足性──私は夫の家族のそういうある種の傲慢さが嫌いだった。確かに夫は私に良くしてくれている。優しいし、とても気をつかってくれる。浮気ひとつしないし、よく働く。真面目で、誰に対しても親切だ。私の友達はみんな、あんな良い人はいないわよ、と口を揃えて言う。文句のつけようがない、と私も思う。でもその文句のつけようのなさがときどき私を苛立たせる。その「文句のつけようのなさ」の中には、何かしら想像力の介在を許さないような、妙にこわばったところがあった。それが私の癇にさわるのだ。

そして今、息子がそれと同じ表情を顔に浮かべて眠っている。

私はまた首を振った。結局は他人なんだ、と私は思った。この子は大きくなったって、私の気持ちなんか絶対に理解しないだろうなと私は思った。夫が今私の気持ちをほとんど理解できていないように。

私が息子を愛していることには間違いない。でも将来、この息子のことを自分はそんなに真剣に愛せないようになるんじゃないかという予感がした。母親らしくない考えだ。世間の母親はそんなこと考えもしないだろう。でも私にはわかる。私はある時ふとこの子供を軽蔑することになるかもしれない。私はそう思った。子供の寝顔を見ているうちにそんな気がしてきたのだ。

そう思うと私は悲しかった。私は子供の部屋のドアを閉め、廊下の電灯を消した。居間のソファーに戻り、本を開いた。私は何ページか読んでから、本を閉じた。そして時計を見た。三時少し前だった。

眠れなくなってから、今日で何日だろうと考えた。最初に眠れなくなったのは、先々週の火曜日だった。ということは、今日でちょうど十七日になる。これで十七日間、私は一睡もしていない。十七回の昼と、十七回の夜。とても長い時間だ。今ではもう、眠りというものがどういうものであったか、よく思い出せない。

私は目を閉じて、眠りの感覚を呼び起こそうとしてみた。でもそこには覚醒した暗闇が存在するだけだった。覚醒した暗闇――それは私に死を想起させた。

私は死ぬのだろうか？

もし私がこのまま死ぬとしたら、私の人生というのはいったい何だったんだろう？

でも私の人生がいったい何だったかなんて、もちろんわからない。

じゃあ、死というのはいったい何なんだろう、と私は思った。

私はそれまで、眠りというものを死の一種の原型として捉えていた。つまり眠りの延長線上にあるものとして、死を想定していたのだ。死とは要するに、普通の眠りよりはずっと深く意識のない眠り――永遠の休息、ブラックアウトなのだ。私はそう思っていた。

でもあるいはそうじゃないかもしれない、と私はふと思った。死とは、眠りなんかとはまったく違った種類の状況なのではないのだろうか――それはあるいは私が今見ているような果てしなく深い覚醒した暗闇であるかもしれないのだ。死とはそういう暗黒の中で永遠に覚醒しつづけていることであるかもしれないのだ。

でもそれじゃあまりにもひどすぎる、と私は思う。もし死という状況が休息でないとしたら、我々のこの疲弊に満ちた不完全な生にいったいどんな救いがあるというのか？　でも結局のところ、死がどういうものかなんて誰にもわかりはしないのだ。誰が死を実際に目にしたのか？　誰もしていない。死を目にしたものは、死んでしまっている。生きているものは、死がどんなものか、誰も知らない。ただ推測するだけだ。それがどのような推測であるにせよ、それはただの推測にすぎないのだ。死が休息であるべきだなんて、そんなものは理屈にもなっていない。死んでみなければ真実はわからない。それはどんなものでも、あり得るのだ。

そう思うととつぜん激しい恐怖に襲われた。背筋が凍りついて、固くこわばってしまうような感じがした。私はまだじっと目を閉じていた。目を開けることができなくなってしまっていた。私は目の前にたちはだかる分厚い暗闇をじっと見ていた。暗闇は宇宙そのもののように深く、救いがなかった。私はひとりぼっちだった。私の意識は集中し、拡大していた。その気になれば、その宇宙のずっと奥の方まで見通せそうな気がした。でも私はそれを見ないようにした。まだ早すぎる、と私は思った。もし死というのがこういうものだったら、私はいったいどうすればいいんだろう。死ぬということが、永遠に覚醒して、こうしてじっと暗闇を見つめていることだとしたら？

私はやっと目を開けて、グラスに残っていたブランディーを一息で飲み干した。

6

寝間着を脱いでブルージーンをはき、Tシャツの上からヨットパーカを着る。そして髪を後ろでぎゅっとひとつにまとめてヨットパーカの中にたくしこみ、夫の野球帽をかぶる。鏡を見ると、男の子のように見える。これでいい。それから私は運動靴をはいて地下駐車場に降りる。

私はシティに乗り込むとキイを回し、エンジンをしばらく動かしてみる。そしてその音に耳を澄ませる。いつもと同じエンジン音だ。ハンドルに両手を置いて、何度か深呼吸をする。それからギアをローに入れて、マンションの外に出る。車の走りがいつもよりずっと軽いように感じられる。まるで氷の上を滑っているみたいだ、と私は思う。ギアを注意深くチェンジし、町を抜け、横浜に向かう幹線道路に出る。

もう三時を回っているというのに、道路を走っている車の数は決して少なくはない。巨大な長距離輸送トラックが道路の路面を震わせて、西から東へと流れていた。彼らは眠らない。輸送の効率を上げるために、昼間に眠り、夜に働くのだ。

私なら昼夜働けるのに、と私は思う。私には眠る必要がないのだから。

それはたしかに生物学的に見れば不自然なことかもしれない。でもいったい誰が自然について知っているのだろう？　何が生物学的に自然かなんて、結局のところ経験的な推論にすぎないのだ。そして私はそんな推論を越えた地点にいるのだ。たとえば、私を人類の飛躍的進化の先験的サンプルと考えてみたらどうだろう？　眠らない女。意識の拡大。

私は微笑んでしまう。

進化の先験的サンプル。

私はラジオの音楽を聴きながら、港まで車を走らせる。クラシック音楽が聴きたかったが、真夜中にクラシック音楽を流している放送局は見つからなかった。どこの局に合わせても流れてくるのはつまらない日本語のロック・ミュージックばかりだ。歯の浮くようなべたべたとしたラブ・ソング。その音楽は私を、ひどく遠い場所に来てしまったような気持ちにさせる。私はモーツァルトからもハイドンからも遠く隔てられている。

公園の白線で区切られた広いパーキングに車を停めてエンジンを切る。まわりの開けた、街灯の下のいちばん明るいところを私は選ぶ。パーキングには一台しか車は停まっていない。若い人たちが好んで乗りそうな車だ。白いツー・ドアのクーペ。年式は古い。たぶん恋人たちだろう。ホテルに泊まるお金がなくて、車の中で抱き合っているのかもしれない。私は面倒を避けるために帽子を深くかぶって、女だとわからないようにする。ドアがロックされていることをもう一度確かめる。

ぼんやりとまわりの風景を眺めていると、大学一年生の時にボーイ・フレンドと二人でドライブに行って、その中でペッティングした時のことを私はふと思い出す。彼はどうしても途中で我慢できなくなって、入れさせてくれと言った。でも私は駄目だと言った。車の中でセックスなんてしたくない。私はハンドルの上に両手を置いて、音楽を聴きながらその時のことを思い出してみる。私は相手の男の子の顔をうまく思い出すことができない。何もかもがとんでもないくらい大昔に起こったことであるような気がする。みんな歴史上の出来事なんだ。

私には眠れなくなる以前の記憶が、どんどん加速度的に遠のいていくように感じられる。それはとても不思議な感じだ。毎日夜がくると眠っていたころの自分が本当の自分ではなくて、その当時の記憶は本当の自分の記憶ではないように感じられる。人はこのように変化するのだ、と私は思う。でもその変化は誰にもわからない。誰も気がつかない。私にしかわからない。説明をしても、彼らにはわからないだろう。信じようともしないだろう。そしてもし信じたとしても、私が何を感じているかなんて、肝心なところは絶対にわからないのだ。彼らは私のことを、自分たちの推論の世界を脅かすものとしてしか捉えないだろう。


でも私は実際に変化しているのだ。

どれくらいそこでじっとしていたのか、私にはわからない。私はハンドルに両手をのせたままじっと目を閉じていた。そして眠りのない暗闇を眺めていた。

その時、人の気配でふと我に返った。すぐそばに人がいる。私は目をあけてまわりを見る。誰かが車の外にいる。そしてドアを開けようとしている。でももちろんドアはロックされていた。黒い影が車の両側に見える。右のドアと左のドアに。顔は見えない。服装もわからない。それは暗い影になって、そこに立っていた。

その二つの影にはさまれて、私のシティはひどく小さく感じられる。まるで小さなケーキの箱のようだ。車が左右に揺さぶられるのが感じられる。右側のガラス窓が拳でどんどんと叩かれる。でもそれが警官でないことは私にはわかっている。警官はそんな叩きかたをしない。車を揺すったりもしない。私は息を飲んだ。どうすればいいんだろうと私は思う。私の頭はひどく混乱している。わきの下に汗がにじんでくるのがわかる。車を出さなくちゃ、と思う。キイだ、キイを回すのだ。私は手をのばしてキイをつかみ右に回す。セルモーターの回る音が聞こえる。

　でもエンジンは点火しない。

　私の指はぶるぶると震えている。目を閉じてもう一度キイをゆっくりと回してみる。でも駄目だ。巨大な壁をひっかくようなカリカリという音が聞こえるだけだ。同じところを回っている。同じところを回っている。そして男たちは——その影は私の車を揺さぶりつづけている。その揺れはどんどん大きくなってきている。たぶん彼らはこの車をひっくりかえすつもりなのだ。

　何かが間違っている、と私は思う。落ち着いて考えれば上手くいくのだ。考えるんだ。落ち着いて・ゆっくりと・考えるんだ。何かが間違っている。


何かが間違っている。


　でも何が間違っているのか、私にはわからない。私の頭の中には、濃密な闇が詰まっている。それはもう私をどこにも連れていかない。手がぶるぶると震えつづけている。キイを抜いて、もう一度差し込んでみようとする。指が震えて、キイを鍵穴に差し込むことができない。もう一度差し込もうとしたとき、鍵が床に落ちる。身を屈めてそれを拾おうとする。でも拾えない。車が大きく揺さぶられているからだ。屈もうとした時に、ハンドルに思いきり額を打ち付けてしまう。

　私はあきらめてシートにもたれ、両手で顔を覆う。そして泣く。私には泣くことしかできない。あとからあとから涙がこぼれてくる。私はひとりで、この小さな箱に閉じ込められたままどこにも行けない。今は夜のいちばん深い時刻で、そして男たちは車を揺さぶりつづけている。彼らは私の車を倒そうとしているのだ。

The fall of the Roman empire,
the 1881 Indian uprising,
Hitler's invasion of Poland,
and the realm of raging winds

ローマ帝国の崩壊・
一八八一年のインディアン蜂起・
ヒットラーのポーランド侵入・
そして強風世界

1　ローマ帝国の崩壊

風が吹きはじめたことに気づいたのは日曜日の午後のことだった。正確にいうと午後二時七分である。そのとき僕はいつものように――つまりいつも日曜日の午後にそうするように――台所のテーブルの前に座って害のない音楽を聴きながら一週間ぶんの日記をつけていた。僕は毎日の出来事を簡単にメモしておいて、日曜日にそれをきちんとした文章にまとめることにしているのだ。

火曜日までの三日ぶんの日記をつけおえたところで、僕は窓の外を吹き抜けていく激しい風のうなりに気づいた。僕は日記をつけるのを中断し、ペンにキャップをし、ベランダに出て洗濯ものをとりこんだ。洗濯ものはまるでちぎれかけた彗星の尻尾みたいにばたばたと乾いた音を立てて宙に躍っていた。

風は僕の知らないあいだに少しずつ勢いを増していたようだった。というのは朝――正確に言うと午前十時四十八分――洗濯ものをベランダに干したときには、風なんてぴくりとも吹いてはいなかったからだ。そのことについて僕は溶鉱炉のふたにも似た頑丈で確実な記憶を有している。そのとき僕は「こんな風のない日には洗濯ものをピンチでとめる必要もないな」とふと思ったからだ。

風なんて本当にひとかけらも吹いてはいなかったのだ。

僕は洗濯ものを手際よくたたんで積みあげてから、アパートの窓をぜんぶきちんと閉めてまわった。窓をぜんぶ閉めてしまうと、風の音はもう殆んど聞こえなくなった。窓の外では無音のうちに樹木が――ヒマラヤ杉と栗の木だ――まるで痒みに耐えかねる犬のようにその身をくねらせ、雲のかけらが目つきの悪い密使のように大急ぎで空をかけぬけ、向いのアパートのベランダでは何枚かのシャツが置き去りにされた孤児のようにビニールのロープにぐるぐると巻きついてしがみついていた。

まるで嵐だな、と僕は思った。

でも新聞を開いて天気図をにらんでみても、どこにも台風のしるしなんてない。降水確率はみごとにゼロパーセントときている。天気図で見るかぎり、それは全盛時のローマ帝国のように平和な日曜日であるはずだった。

僕は三十パーセントくらいの軽いため息をついて新聞をたたみ、洗濯ものをタンスに整理してしまい、害のない音楽のつづきを聴きながらコーヒーを入れ、そしてコーヒーを飲みながら日記のつづきを書いた。

木曜日に僕はガール・フレンドと寝た。彼女は眼かくしをつけてセックスをするのが大好きだった。それで彼女はいつも飛行機のオーバーナイト・バッグに入っている布の眼かくしを持って歩いていた。

僕はとくにそういう趣味があるわけではないけれど、でも眼かくしをつけた彼女はすごく可愛かったから、それについては何の異議も持たなかった。どうせ人間なんて、みんなちょっとずつどこかが変わっているのだ。

僕は日記の木曜日のページにだいたいそんなことを書いた。八十パーセントの事実と二十パーセントの省察というのが、日記記述についてのポリシーだ。

金曜日に僕は銀座の書店で古い友人に会った。彼はひどく妙な柄のネクタイをしめていた。ストライプ地に無数の電話番号が――

というところで電話のベルが鳴った。

2　一八八一年のインディアン蜂起

電話のベルが鳴ったとき、時計は二時三十六分を指していた。たぶん彼女だろうと――つまり眼かくしの好きな僕のガール・フレンドだろうと――僕は思った。というのは彼女は日曜日にうちに遊びにくることになっていたし、うちに来るときにはいつも前もって電話をかけてくるのが習慣だったからだ。彼女は夕食の材料を買ってくるはずだった。その日我々はカキ鍋を食べようと話を決めていたのだ。

とにかくその電話のベルが鳴ったのは午後二時三十六分だった。目覚まし時計が電話のとなりに置いてあって、僕は電話のベルが鳴るたびに時計を見ることにしているから、それについても僕の記憶は完璧である。

しかし僕が受話器をとったとき、そこから聞こえてくるのは激しい風音だけだった。

「ゴオオオオオウ」という風音だけが、一八八一年のインディアンの一斉蜂起みたいに受話器の中に荒れ狂っていた。彼らは開拓小屋を焼き、通信線を切り、キャンディス・バーゲンを犯していた。

「もしもし」と僕は言ってみたが、僕の声は圧倒的な歴史の怒濤の中に空しく吸いこまれていった。

「もしもし」

と僕は大声でどなってみたが、結果は同じだった。

じっと耳を澄ましているとほんの僅かの風の切れめから女の声らしきものがちらりと聞こえたような

気がしたが、それもあるいは僕の錯覚かもしれなかった。とにかく風の勢いが激しすぎるのだ。そしてたぶんバッファローの数が減りすぎたのだ。

僕はしばらく何も言わずに受話器にじっと耳をあてていた。耳が受話器にはりついてとれなくなってしまうんじゃないかという気がするくらいしっかりとだ。でも十五秒か二十秒そんな状態がつづいたあとで、まるで発作のたかまりの究極で、生命の糸が引きちぎられるかのように、ぷつんとその電話は切れた。そしてあとには漂白されすぎた下着のような暖かみのないがらんとした沈黙だけが、残った。

3　ヒットラーのポーランド侵入

やれやれ、と僕はまた溜め息をついた。そして日記のつづきにとりかかった。急いでつけ終えてしまった方がよさそうだった。

土曜日にはヒットラーの機甲師団がポーランドに侵入していた。急降下爆撃機がワルシャワの街に——いや、違う。そうじゃない。ヒットラーのポーランド侵入は一九三九年九月一日のできごとだ。昨日のことではない。昨日僕は夕食のあとで映画館に入ってメリル・ストリープの「ソフィーの選択」を観たのだ。ヒットラーがポーランドに侵入したのはその映画の中の出来事だ。

メリル・ストリープはその映画の中でダスティン・ホフマンと離婚するのだが、通勤列車の中でロバート・デ・ニーロ扮する中年の土木技師と知りあって再婚することになる。なかなか面白い映画だった。

僕のとなりの席には高校生のカップルがいて、お互いのおなかをずっと触りあっていた。高校生のおなかって、なかなか悪くない。僕だって昔は高校生のおなかを持っていたのだ。

4　そして強風世界

The fall of the Roman empire, the 1881 Indian uprising, Hitler's invasion of Poland, and the realm of raging winds

先週のぶんの日記をぜんぶつけてしまうと、僕はレコード棚の前に座って、強風の吹き荒れる日曜日の午後に聴くにふさわしいと思える音楽を選んでみた。結局ショスタコヴィッチのチェロ・コンチェルトとスライ・アンド・ザ・ファミリー・ストーンのレコードが強風にふさわしい選択であるように思えたので、僕はその二枚のレコードをつづけて聴いた。

窓の外をときどきいろんな物体が飛び去っていった。白いシーツが草の根を煮たてている呪術師のような格好で東から西に向って飛んでいった。ぺらぺらとした細長いブリキの看板は肛門性愛の愛好者のようにそのひ弱な脊椎をのけぞらせていた。

僕がショスタコヴィッチのチェロ・コンチェルトを聴きながらそんな窓の外の風景を眺めていると、また電話のベルが鳴った。電話のとなりの目覚まし時計は三時四十八分を指していた。

僕はまたあのボーイング747のジェット・エンジンのような風音を予想して受話器をとったのだが、今度は風音はまったく聞こえなかった。

「もしもし」と女が言った。

「もしもし」と僕も言った。

「これからカキ鍋の材料を持ってそちらに行きたいんだけどかまわないかしら?」と僕のガール・フレンドが言った。彼女はカキ鍋の材料と眼かくしを持ってうちに向っているのだ。

「かまわないよ。でも――」

「土鍋持ってる?」

「持ってるよ」と僕は言った。「でも、どうしたの? 風の音が聞こえないね」

「ええ、もう風はやんだもの。中野では三時二十五分にやんだから、もうそろそろそちらでもやむんじゃないかしら?」

「そうかもしれないね」と僕は言って電話を切り、台所の天袋から土鍋を出して流しで洗った。


風は彼女が予告したように四時五分前にぱたりとやんだ。僕は窓を開けて外の風景を眺めた。窓の下では黒い大きな犬が、地面の匂いを熱心にくんくんとかぎまわっていた。犬は十五分か二十分くらい飽きもせずにその作業をつづけていた。犬がどうしてそんなことをしなくてはならないのか、僕にはよくわからなかった。

しかしそのことをべつにすれば、世界の容貌とそのシステムは風の吹きはじめる前と何ひとつとして変わってはいなかった。ヒマラヤ杉と栗の木は何ごともなかったようにつんととりすまして空き地に立ち、洗濯ものはだらんとビニール・ロープに垂れさがり、カラスは電柱のてっぺんに立ってクレジット・カードのようにつるつるとした翼をぱたぱたと上下に振っていた。

そうこうしているうちにガール・フレンドがやってきてカキ鍋を作りはじめた。彼女は台所に立ってカキを洗い、ざくざくと白菜を切り、豆腐を並べ、だしを作った。


僕は彼女に二時三十六分にうちに電話をかけなかったかとたずねてみた。

「かけたわよ」と彼女はざるの中で米を洗いながら答えた。

「何も聞こえなかったよ」と僕は言った。

「ええ、そうね、風が強かったもの」と彼女はなんでもなさそうに言った。

僕は冷蔵庫からビールを出して、テーブルのはしに腰かけてそれを飲んだ。

「でも、どうして突然あんな激しい風が吹いて、それがまたぱたりとやんじゃったんだろう?」と僕は彼女にたずねてみた。

「さあ、わからないわ」と彼女は僕に背中を向けて、爪の先で海老の殻をむきながら言った。「風については私たちの知らないことはいっぱいあるのよ。古代史や癌や海底や宇宙やセックスについて私たちの知らないことがいっぱいあるようにね」

「ふうん」と僕は言った。そんなのちっとも答になっていない。でもその問題について彼女と話しあってもそれ以上の発展は望めそうもなかったので、僕はあきらめてカキ鍋の成立過程をじっと眺めていた。

「ねえ、ちょっとおなか触っていいかな?」と僕は彼女にたずねてみた。

「あとでね」と彼女は言った。

カキ鍋ができあがるまで、僕は来週まとめて日記をつけるときのために、今日いちにちの出来事を簡単なメモにまとめておいた。

1　ローマ帝国の崩壊
2　一八八一年のインディアン蜂起
3　ヒットラーのポーランド侵入

というメモだ。

こうしておけば来週になっても今日何が起こったのかちゃんと正確に思い出すことができる。こういう周到なシステムをとっていればこそ、僕はこの二十二年間いちにちも欠かすことなく日記をつけつづけていられるわけなのだ。あらゆる意味のある行為はその独自のシステムを有している。風が吹いたって吹かなくたって、僕はそんな具合に生きているのだ。

Lederhosen

レーダーホーゼン

「うちのお母さんはお父さんを捨てたの」と妻の女友だちがある日、僕に言う。「半ズボンがその原因だった」

僕は質問しないわけにはいかない。「半ズボン？」

「妙な話に聞こえることはわかっているんだけど」と彼女は言う。「でもね、そもそもが妙な話なわけ」

彼女は女性としては大柄なほうだ。身長や体格はほとんど僕と同じくらい。仕事はエレクトーンの教師だが、自由になる時間の大半を、水泳やスキーやテニスにあてている。だから身体には無駄な贅肉はいっさいなく、いつもまんべんなく日焼けしている。スポーツ・マニアと呼んで差し支えないだろう。仕事のない日には、朝のランニングをすませてから、近くのプールに行ってひとしきりラップ・スイミングをする。午後の二時になるとテニスをして、そのあとはエアロビクスという段取りである。僕だってスポーツをするのは好きだけれど、とてもそこまではできない。

彼女は攻撃的な性格でもないし、偏狭なところがあるわけでもない。というか、どちらかというとおっとりとしていて、押しつけがましいところもない。ただ彼女の身体は――そこに付随する精神もきっと似たようなものなのだろうが――休むことなくせわしなく動きまわっている。それはまるでほうき星のように、静止することがない。

彼女が結婚をしないのは、そういうことと何か関係しているのかもしれない。もちろんこれまでつきあった相手は何人かいた。大柄ではあったけれど、なかなか美人だったから。求婚され、もう少しで華燭の典というところまで行ったことも何度かあった。しかしいざ結婚式が近づいてくると、必ず何か予期せぬ問題が持ち上がって、結婚は急遽中止ということになった。

「運が悪いのよ」と僕の妻は言う。

「そうらしいね」と僕もいちおう同情する。

でも僕は、必ずしも妻の意見に同意しているわけではない。たしかに運不運というのは、僕らの人生の多くの局面を左右するし、それは時として我々のまわりに黒々とした影を落とすことになる。でも僕は思うのだけれど、もしプールを30往復し、20キロを走ることができるほどの意志の力を持ち合わせているなら、たいていの障害はなんとかして乗り越えていけるものではあるまいか？　彼女は本当は結婚なんかしたくなかったのだ、というのが僕の推測である。結婚は、ほうき星としての彼女の引力圏には——少なくとも全面的にはということだが——含まれていなかったのだ。

というようなわけで、彼女はエレクトーン教室で教え、余った時間を惜しみなく運動に注ぎ込み、それほど幸運とは言えない恋に落ちたり、落ちなかったりしていた。

日曜日の雨の午後だ。彼女は予定より二時間早くうちにやってくる。妻は買い物に出ている。

「ごめんなさいね」と彼女は詫びる。「テニスをする予定だったんだけど、それがこの雨で流れて、おかげで二時間ほど余っちゃったの。家に一人でいてもつまらないし、だからちょっと早い目に来させてもらったんだけど——ねえ、あなたのお仕事の邪魔をしちゃったかしら？」

いや、ぜんぜん、と僕は言う。あまり仕事をする気分になれなかったので、猫を膝に抱いて、のんびりビデオを見ていたところだった。僕は彼女を中に入れ、台所でコーヒーを作る。そして二人でコーヒーを飲みながら、「ジョーズ」の最後の20分を見る。もちろん僕らは二人とも、その映画を前に見ていた。たぶん二度か三度見ていたと思う。だからどちらも画面に釘付けになっていたというわけではない。とにかく目の前にたまたまその映画が映っていたから、なんとなく見ていたわけだ。

映画が終わって、エンド・クレジットが出る。しかし妻が戻ってくる気配はない。だから僕らは適当に話をする。サメのこと、ビーチのこと、水泳のこと……それでもまだ妻は戻ってこない。だから更に話を続ける。なんというか、僕はこの女性に対して好感のようなものを持っていると思う。しかし一時間ばかり彼女と会話を続けて、その結果明らかになったのは、僕らのあいだには共通の話題と言えるようなものはとくにないという事実だった。結局のところ、彼女はうちの奥さんの友だちであって、僕の友だちではないのだ。

ほかにやるべきことも思いつかなかったので、僕は別のビデオを機械に入れようかと考える。でもそのとき彼女が出し抜けに、両親の離婚の話を持ち出したわけだ。どうして急にそんな話になってしまったのか、僕にはぜんぜん理解できない。というのは、泳ぐことと、彼女の父母が離婚したこととのあいだには——少なくとも僕の思考体系の中においてはということだが——関連性らしきものは見いだせないからだ。でもそこにはきっと何らかの理由があったのだろう。

「正確に言えば、それは半ズボンじゃないの」と彼女は言う。「レーダーホーゼンなわけ」

「あの、それはドイツ人がはいている、アルプス風の革ズボンのこと？　ストラップで肩にとめるようになっているやつ」

「そう、それのこと。うちのお父さんはお土産にレーダーホーゼンがほしいって言った。つまりね、うちのお父さんはそういう年代の人としては、背がけっこう高いのよ。だからレーダーホーゼンは似合ったかもしれない。だからこそそんなものを欲しがったんだと思う。でもさ、レーダーホーゼンをはいた日本人なんて想像できる？　もちろんそういうのって、人の好きずきだとは思うけど」

僕には依然として話の筋がよく見えない。だから僕は質問をしなくてはならない。いったいどのような事情で、そしていったい誰に、お父さんがレーダーホーゼンをお土産に頼むことになったのか？

「ああ、ごめんなさい。私って、いつも話の順番がごちゃごちゃになっちゃうの。だから話の筋がよくわからなくなったら、途中で遠慮なく質問してね」

そうする、と僕は言う。

「お母さんの妹がドイツに住んでいて、一度来ないかって前から誘われていたの。もちろんお母さんはドイツ語なんてしゃべれないし、生まれてから外国に行ったこともなかった。でもずっと英語の先生をしていたものだから、海外に行くことに興味はあったの。もうずいぶん長いあいだその叔母に会っていなかったしね。だからお母さんはお父さんを誘った。一緒に二人で十日ばかりドイツを旅行しないかって。でもお父さんはどうしても仕事を休むことができなかった。それでお母さんは一人でドイツに行くことになったわけ」

「そのときに君のお父さんは、レーダーホーゼンをお土産に買ってきてほしいとお母さんに頼んだ。そういうことだね？」

「そのとおり」と彼女は言う。「どんなものをお土産に買ってきてほしいかとお母さんにきかれて、レーダーホーゼンがいいとお父さんは言った」

「そこまではわかった」

彼女の両親はどちらかといえば仲が良い方だった。夜通し言い争いをしたりすることはなかったし、父親が荒々しく家を飛び出して、そのまま数日間帰ってこないというようなこともなかった。父親がよそで浮気をして、それで家庭が不和におちいったことが、以前には幾度かあったらしいが、今ではそういうこともなくなっていた。

「悪い人じゃないのよ。仕事はちゃんとするし。でもね、すぐに女の人に手を出しちゃうタイプだったわけ」、彼女はあっさりとそう言う。まるで他人事みたいに。一瞬僕は、お父さんは既に亡くなっているのかと思ったくらいだ。でもそうではなかった。今でも元気でぴんぴんしてる、と彼女は言う。

「でもその頃にはお父さんも、もうすっかり落ち着いていて、面倒なことは起こさないようになっていた。それで、二人はけっこううまくやっているみたいに、私の目には見えたんだけど」

しかし話はそう簡単ではない。十日後には戻ってくる予定だったのに、母親は結局一ヵ月半もドイツに滞在することになった。それについて家にほとんど一言の連絡もなかった。そしてようやく日本に帰国しても、彼女は東京の家には戻らず、大阪にいるもう一人の妹のところに行ってしまった。

いったい何が起こったのか、彼女にも父親にも、さっぱりわけがわからなかった。それ以前、夫婦のあいだに不和が生じたときにも、母親はいつもただじっと苦境に耐えていた。その我慢強い様子を目にしながら、この人にはひょっとして想像力ってものがないのかしら、と彼女はよく考えたものだった。母親にとっては家庭というものがまず第一であり、何があろうとも娘を守らなくてはならなかった。だから母親が家に帰ってもこないし、電話ひとつかけてこないというようなことは、二人にとってはまさに青天の霹靂だった。二人は大阪の叔母の家に何度も電話をかけてみた。しかし母親は電話口にも出てこなかった。

しかしある日、突然母親は自分から電話をかけてきて、夫に向かって「離婚に必要な書類を送りますから、サインして送り返してください」と言った。どういうことか説明くらいしてくれないか、と夫は言った、いったい何があったんだ？ 「どんなかたちでも、どんなやり方でも、もうあなたに対して愛情が持てなくなったんです」。そこには話し合いの余地みたいなものはないのかな、と父親は尋ねた。「ありません。申しわけないとは思うけれど、もうすっかり終わったんです」

電話での話し合いは二ヵ月か三ヵ月ずるずると続いた。しかし母親は一歩も譲らなかった。そして父親もついに折れて、離婚に合意した。父親の方としても、脛に傷があったわけだから、そう強気に出ることもできなかった。それに父親は、ねばり強い性格の人としては知られていない。

「それは私にとっても、すごく大きなショックだった」と彼女は僕に言う。「離婚そのものがショックだったんじゃないの。両親がいつか離婚するかもしれないということは、まったく予想しないわけではなかった。だから心理的には、そういう事態に対する覚悟はある程度できていたの。もし二人がごく普通に、わけのわからない経緯抜きで、ただあっさり離婚していたとしたら、私はそれほど混乱しなかったと思う。問題はお母さんがお父さんを捨てたということじゃないのよ。彼女は私のこともひとまとめにして捨てたの。私にとってはそれがずいぶんきつかったのね」

僕は頷く。

「そういうことが起こるまでは、私はいつもお母さんの側についてきた。そしてお母さんもいつも私の味方をしてくれた。それなのにお母さんは、ほとんど何の説明もなしに、私をお父さんと一緒に、まるで生ゴミか何かみたいにあっさり捨ててしまった。私はそれですごく参ってしまって、それからずいぶん長いあいだ母親のことが許せなかったの。私はお母さんにずいぶん何度も手紙を書いて、何があったのか事情を説明してほしいと頼んだ。でも彼女は私のそんな訴えかけに、一度も答えてくれなかった。私に会いたいとすら書いてこなかった」

彼女が母親に再会したのは、三年後のことである。親戚の葬儀の席だった。その頃には娘は自立して一人で暮らしていた。両親が離婚したとき、大学二年生だった彼女はそのまま家を出た。それから大学を卒業し、エレクトーンの教師の職に就いた。一方母親は、受験予備校で英語を教えていた。

私が、あなたに何も説明することができなかったのは、いったい何をどのように説明すればいいのか、さっぱり見当がつかなかったからなの、と母親は打ち明けた。「いったい何が持ち上がっているのか、それすら私にはよくわからなかったの」と母親は言った。「でもそもそものきっかけは、あの半ズボンだったと思う」

「半ズボン?」と彼女は——僕がそうしたのと同じように——びっくりして聞き返した。もう母親とは一生口をきかない、と彼女は心を決めていた。しかし好奇心が彼女を捉えることになった。喪服を着た母と娘は近所の喫茶店に入って、アイスティーを注文した。彼女は何はともあれ、この短い物語(というべきか)をひととおり聞かないわけにはいかなかったのだ。


レーダーホーゼンを売る店は、ハンブルクから一時間ばかり行った、小さな町にあった。母親の妹がその店を調べてくれた。

「ドイツ人の知り合いにいろいろと尋ねてみたんだけど、このあたりでレーダーホーゼンを買うのなら、そこがいちばん良いということだったわ。縫製技術は確かだし、値段も妥当だって」と妹は言った。

そこで母親は列車に乗って、夫のお土産のレーダーホーゼンを買うべくその町まで行った。列車のコンパートメントで、中年のドイツ人夫婦と同席した。彼らはつたない英語を使って、母親に話しかけてきた。「私は今から、お土産用のレーダーホーゼンを買いにいくんです」と母親は彼らに説明した。「どこの店に行くつもりですかね?」と二人は尋ねた。彼女はその店の名前を教えた。ドイツ人夫婦は声を揃えて言った。「それはよろしい。ヤー、その店なら大丈夫です」。それを聞いて母親は満足した。

心地よい初夏の午後だった。町はこぢんまりとした、昔風のたたずまいを保っていた。町の中央を流れの速い川が横切っており、その堤は瑞々しい緑に彩られていた。丸石敷きの街路があちこちに延び、いたるところに猫の姿が見えた。母親はカフェで休んで、コーヒーを飲み、チーズ菓子を食べた。コーヒーの最後の一口をすすりながら、店の猫と遊んでいると、カフェの主人がやってきて、どのようなご用向きでこの町に見えたのでしょうと尋ねた。レーダーホーゼンを買いにきたのだと彼女が答えると、主人は紙を一枚とって、その店までの地図を描いてくれた。

「どうもご親切に」と母親は言った。

一人で旅行するというのはなんて楽しいのだろう、彼女は丸石敷きの小道を歩きながらそう思った。考えてみれば、五十五歳の今に至るまで、一人旅をしたことなんて一度もなかったのだ。ドイツを旅行している間、彼女はただの一度も寂しいとも怖いとも思わなかったし、退屈もしなかった。目を捉えるすべての光景が新鮮であり、新奇なものだった。旅先で出会った人々はみんな親切だった。ひとつひとつの体験が、彼女の中にそれまで手つかずで埋もれていた生き生きとした感情を呼び起こした。それまで彼女がいちばん近しく、大事に感じていたものは——夫と家庭と娘は——地球の反対側にあった。それらはもう頭にも浮かばない。

レーダーホーゼンを売る店はすぐに見つかった。古くて小さな、いかにも職人風の店だった。ツーリスト向けの派手な看板は出ていないが、店の中にレーダーホーゼンがずらりと並んでいるのが見えた。彼女はドアを開けて、中に入った。

店の中では二人の老人が仕事をしていた。彼らはひそひそと囁くように話しながら、寸法を測り、ノートブックにそれを書き留めていた。カーテンの仕切りの向こうは、広い作業場になっている。

「Darf ich Ihnen helfen, Madame?（何かをお求めでしょうか、マダム）」、二人の老人のうちの大柄な方が母親に尋ねた。

「私はレーダーホーゼンを買いにきました」と母親は英語で言った。

「それはちっと問題を作ります」と老人は苦労して言葉を選びながら言った。「私たちは実在しないお客様のために品物は作らんのです」

「私の夫は実在しています」と母親はきっぱりと言った。

「ヤー、ヤー、あなたの夫は実在する。もちろん、もちろん」、老人はあわてて言った。「私の英語が悪くて失礼だった。しかし私どもが言いたいのは、ここに存在しない人のためにレーダーホーゼンをお売りはできんということです」

「どうしてですか?」と母親は面食らって質問した。

「それが私どもの店の方針なのです。Ist unser Prinzip. お客様が私どものレーダーホーゼンをおはきになり、それをこの目で見ます。どんな具合か見ます。それから私どもはとてもじょうずに寸法を直します。そこで初めてお売りできます。私どもは当地で百年以上にわたって商売をしております。この方針で、私どもは店の評判を築いてきたのです」

「でも私は半日かけて、わざわざハンブルクからここまでやってきたんですよ。あなたのお店でレーダーホーゼンを買うために」

「申し訳なく思います」と老人は本当に申し訳なさそうに言った。「しかし例外は作れません。この世界はとびっきり不確かな場所でありまして、信用を築き上げるのには時間がかかりますが、それを壊すのはわずかな間です」

母親は戸口に立ったまま ため息をついた。そしてどうすればこの窮状を打開できるものか、懸命に頭を働かせた。大柄な老人は、小柄な老人に向かってドイツ語で事情を説明した。小柄な老人は悲しい顔をして「ヤー、ヤー」と頷いていた。体格にはずいぶん差があったが、二人の顔立ちはまるで双子のようによく似ていた。

「それでは、こういうのはどうでしょう？」と母親は提案した。「私の夫と同じくらいの体型の人を見つけて、ここに連れてきます。その人に実際にレーダーホーゼンをはいてもらって、あなたがたがその寸法を直します。そして私にそのレーダーホーゼンを売る」

「しかしマダム、それは方針に背きます。レーダーホーゼンをはく人は、あなたの夫ではない。その事実を私どもは知っております。それは無理な相談です」

「事情を知らないふりをしてればいいんです。あなたはただレーダーホーゼンをその人に売ります。その人は私にレーダーホーゼンを売ります。そうすれば、おたくの信用に傷はつきません。そうでしょう？お願い。ほんの少しだけ目をつぶってください。私はもう二度とドイツには来られないかもしれません。そうしたら、一生レーダーホーゼンを買うこともできなくなってしまいます」

「ふうん」、老人はむずかしい顔をした。そしてしばらく頭をひねっていたが、もう一人の老人の方を向いて、早口のドイツ語でなにやらまくしたてた。二人はひとしきりあれこれ言い合っていた。それからやっと大柄な老人が母親の方に向き直った。そして言った、「わかりました、マダム。これは今度だけの例外です——例外中の例外ですぞ。そのことはご理解くださいませ。私どもは何ひとつ知らんということにします。日本からわざわざレーダーホーゼンを買いにみえる方が、数多くいらっしゃるわけではありません。そして私どももドイツ人も、救いなく頭が固いわけではありません。あなたのご主人になるべくそっくりの背格好の人を捜してきてください。兄も、それでかまわないと申しております」

「ありがとう」と彼女は言った。それからお兄さんに向かってドイツ語で言った。「Das ist so nett von Ihnen.（ご親切を感謝します）」

彼女は――つまりこの話を僕に語っている娘は――テーブルの上で両手を重ねてため息をつく。僕はすっかり冷たくなってしまったコーヒーの残りを飲む。雨は降りやまない。妻はまだ買い物から戻ってこない。どこからどうして、こんな話になってしまったのだろう?

「それから、どうなったの?」、僕は結末を知りたくて、先を促す。「君のお母さんは、お父さんと同じくらいの背格好の人をうまく見つけることができたの?」

「うん」と彼女は表情のない顔で答える。「お母さんは外のベンチに座って、お父さんと同じような体型をした男の人を探したわけ。そこにまさにぴったりの人が通りかかった。お母さんは説明もなしに、ほとんど無理矢理に――というのは相手は英語がぜんぜんしゃべれなかったからなんだけど――その人をレーダーホーゼンの店までひっぱっていった」

「ずいぶん大胆な人みたいだ」と僕は感心して言った。

「よくわからないのよ。家にいたときには、すごくおっとりしていて、引っ込み思案な人みたいに見えたんだけど」と彼女はまたため息をつく。「店の人に前後の事情を説明され、その男の人は、わかりました、そういうことならと言って、快くお父さんのかわりをつとめてくれた。彼はレーダーホーゼンをはいて、老人たちはそのあちこちを短くしたり、詰めたりした。そしてそのあいだ三人は和気あいあいとドイツ語で冗談を言い合っていた。作業は30分ほどで終わった。そしてその作業が終わるころには、お母さんはもう離婚しようと心を決めていたの」

「ちょっと待って」と僕は言う。「もうひとつよくわからないんだけど、その30分のあいだに何か特別なことが起こったわけ?」

「いいえ、べつに何も起こらなかった。三人のドイツ人がただにこやかにおしゃべりをしていただけ」

「じゃあいったい、何がお母さんに離婚の決心をさせたんだろう?」

「お母さんにもそれはわからなかった。そのときにはね。いったい何がどうなっているのか自分でもつかめなくて、すっかり頭が混乱してしまった。彼女にわかるのは、そのレーダーホーゼンをはいた男の姿を眺めているうちに、耐えがたいほどの嫌悪感が自分の中にわき起こってきた、ということだけだった。父親に対する嫌悪感がね。そしてそれをどこかに押しやることは、彼女にはできなかった。そのレーダーホーゼンをはいた男は、肌の色を除けば、父親にほとんどそっくりだったの。脚のかたちから、お腹の出具合から、髪の薄くなり方まで。彼は新しいレーダーホーゼンを試着しながら、とても楽しそうだった。意気揚々として、得意げだった。まるで小さな子供みたいに。そこに立って、その男の様子を見ているうちに、これまで彼女の中でぼんやりとしていたいくつかのものごとが、すごくありありとかたちをとり始めた。そこで彼女にはやっとわかったの。自分が今では夫を憎んでいるんだってことが」

妻が買い物からやっと戻ってきて、二人は女同士のおしゃべりを始める。でも僕はまだそのレーダーホーゼンの話のことを考えている。三人で早い目の夕食を食べ、お酒を少し呑む。それでもその話は僕の頭を離れない。

「それで、君はもうお母さんに腹は立てていないの?」、妻が席を外したときに、彼女にそう尋ねてみる。

「そうね。元通り仲良くなれたっていうわけじゃないのよ。でも少なくとも腹は立てていないと思う」

「それはレーダーホーゼンの話を聞かされたから?」

「たぶん。その話を聞いたあとでは、私の中にあった母親に対する激しい怒りみたいなものは、消えてしまっていた。どうしてそうなってしまったのか、一口では言えない。でもそれは、私たちが女どうしだってことと関係しているのかもしれないわね」

「でもさ、もしそこにレーダーホーゼンが出てこなかったら——つまり女の人が一人旅をして、そこでこれまでになかった自分を発見して――というような話だけだったとしたら、君はお母さんのことを許せたと思う？」

「もちろん許せなかったでしょうね」と彼女は躊躇なく答える。「重要なのはレーダーホーゼンなのよ。わかる？」

その身代わりのレーダーホーゼンを、お父さんは受け取りさえしなかったのだ、と僕は思う。

Barn burning

納屋を焼く

　彼女とは知りあいの結婚パーティーで顔を合わせ、仲良くなった。三年前のことだ。僕と彼女はひとまわり近く歳が離れていた。彼女は二十歳で、僕は三十一だった。でもそれはべつにたいした問題ではなかった。そのころの僕には頭を悩まさなければならないことが他にいっぱいあったし、正直なところ歳のことなんていちいち考えている暇もなかった。彼女はそもそもの最初から歳のことなんて考えもしなかった。僕は結婚していたが、それも問題にならなかった。彼女は年齢とか家庭とか収入とかいったものは足のサイズや声の高低や爪の形なんかと同じで純粋に先天的なものだと思いこんでいるようだった。要するに考えてどうにかなるという種類のものではないのだ。そう言われてみれば、それはまあそうだ。

　彼女はなんとかという有名な先生についてパントマイムの勉強をしながら、生活のために広告モデルの仕事をしていた。とはいっても彼女は面倒臭がって、エージェントからまわってくる仕事の話をしょっちゅう断っていたので、その収入は本当にささやかなものだった。収入の足りない部分は主に彼女の何人かのボーイフレンドたちの好意で補われているようだった。もちろんはっきりしたことはわからない。彼女のことばのはしばしから、たぶんそんな風なんじゃないかと想像してみただけだ。

　とはいっても僕は、彼女がお金のために男と寝るとか、そういうことを仄めかしているわけではない。あるいは時にはそれに近いこともあったかもしれない。でももしあったとしても、それは本質的な問題ではなかった。本質はたぶんもっと、ずっと単純なところにあったのだ。そしてそのあけっぴろげで理屈のない単純さがある種の人々をひきつけたのだ。彼らはその単純さを目の前にしているうちに、自分たちが抱えている込み入った感情を、そこにふとあてはめてみたくなってくるのだ。うまく説明できないけれど、要するにそういうことだと思う。彼女は言うなればそんな単純さに支えられて生きていた。

もちろんそんな作用がいつまでもいつまでも続くというものではない。そんなものが永遠に続くとしたら、宇宙の仕組みそのものがひっくりかえってしまう。それが起り得るのは、ある特定の場所、ある特定の時期だけだ。それは「蜜柑むき」と同じことなのだ。

「蜜柑むき」の話をしよう。

最初に知りあった時、彼女は僕にパントマイムの勉強をしているの、と言った。

へえ、と僕は言った。たいしてびっくりもしなかった。最近の若い女の子はみんな何かをやっている。それに彼女は何かに真剣に打ちこんで才能を磨いていくといったタイプには見えなかった。

それから彼女は「蜜柑むき」をやった。「蜜柑むき」というのは文字どおり蜜柑をむくわけである。彼女の左側に蜜柑が山もりいっぱい入ったガラスの鉢があり、右側に皮を入れる鉢がある——という設定である——本当は何もない。彼女はその想像上の蜜柑をひとつ手にとって、ゆっくりと皮をむき、ひと粒ずつ口にふくんでかすをはきだし、ひとつぶんを食べ終えるとかすをまとめて皮でくるんで右手の鉢に入れる。その動作を延々と繰り返す。言葉で説明すると、これはべつにたいしたことではない。しかし実際に目の前で十分も二十分もそれを眺めていると——僕と彼女はバーのカウンターで世間話をしていて、彼女は話しながら殆んど無意識にその「蜜柑むき」をつづけていた——だんだん僕のまわりから現実感が吸いとられていくような気がしてくるのだ。これはすごく変な気持だ。昔アイヒマンがイスラエルの法廷で裁判にかけられた時、密室にとじこめて少しずつ空気を抜いていく刑がふさわしいと言われたことがある。どんな死に方をするのか、くわしいことはよくわからないけれど、僕はふとそのことを思い出した。

「君にはどうも才能があるようだな」と僕は言った。

「あら、こんなの簡単よ。才能でもなんでもないのよ。要するにね、そこに蜜柑があると思いこむんじゃなくて、そこに蜜柑がないことを忘れればいいのよ。それだけ」

「まるで禅だね」

僕はそれで彼女が気にいった。


僕と彼女はそれほどしょっちゅう会っていたわけではない。だいたい月に一回、多くて二回くらいのものだった。僕が彼女に電話をかけてどこかに遊びに行かないかと誘った。我々は食事をしたり、バーに行って酒を飲んだりした。そして熱心に話をした。僕は彼女の話を聞き、彼女は僕の話を聞いた。我々二人のあいだには共通する話題なんてほとんど何もなかったけれど、べつにそれはどうでもよかった。僕らはまあ友だちのようなものだった。もちろん飲み食いの勘定は僕が全部払った。彼女の方から僕のところに電話をかけてくることもあったが、それはだいたい金がなくて腹を減らせているときだった。そういう時、彼女はいつも本当に信じられないくらいいっぱい食べた。

彼女と二人でいると、僕はのんびりと寛ぐことができた。やりたくもない仕事のことや、結論の出しようもないつまらないごたごたや、わけのわからない人間が抱くわけのわからない思想のことなんかをさっぱりと忘れ去ることができた。彼女にはなにかしらそういう能力があった。彼女の話す言葉にはとくに意味らしい意味はなかった。僕は相槌を打ちながらその内容をほとんど聞いていないこともあった。でも、それに耳を傾けていると、遠くを流れる雲を眺めている時のように、ぼんやりと心地良かった。

僕も彼女にいろんな話をした。個人的な話から一般論まで、とても正直に考えていたり、感じていたりすることを口にした。彼女もあるいは僕と同じように聞き流してうんうんと相槌を打っていたのかもしれない。でももしそうだとしても、ちっとも構わなかった。僕が求めていたのは、ある種の心持ちだった。少なくとも理解や同情ではなかった。

二年前の春に、彼女の父親が心臓病で死んで、少しまとまった額の現金が入ってきた。少なくとも彼女の話によればそういうことだった。その金でしばらく北アフリカに行くという話になった。どうして北アフリカなのか理由はよくわからなかったけれど、ちょうど僕は東京のアルジェリア大使館に勤めている女の子を知っていたので、彼女に紹介した。それで彼女はアルジェリアに行った。なりゆき上、僕が空港まで見送りに行った。彼女は着がえを詰めこんだみすぼらしいボストン・バッグをひとつさげているきりだった。はたから見ると北アフリカに行くというよりは、北アフリカに帰っていくという感じで荷物チェックをうけていた。

「本当に日本に帰ってくるんだろうね？」と僕は冗談で訊ねてみた。

「もちろん帰ってくるわよ」と彼女は言った。

三ヵ月後に彼女は日本に帰ってきた。出かけた時よりも三キロやせて、まっ黒に日焼けしていた。そして新しい恋人をつれていた。二人はアルジェのレストランで知りあったそうだった。アルジェリアにいる日本人の数は少ないから、二人はすぐに親しくなり、やがて恋人になった。僕の知る限りでは、彼女にとってはその男が最初の、きちんとした形の恋人だった。

彼は二十代後半で、背が高く、すきのない身なりをして、丁寧な言葉づかいをした。幾分表情には乏しいが、まあハンサムな部類に属するし、感じも悪くなかった。手が大きく、指は長い。

どうしてその男のことをそんなにくわしく知っているかというと、僕が空港まで二人を出迎えに行ったからだ。突然ベイルートから電報が届いて、そこにはただ日付とフライト・ナンバーだけが書いてあった。空港に来てほしいということらしかった。飛行機が着くと——飛行機は悪天候のために実に四時間も遅れて、そのあいだ僕はコーヒー・ルームで週刊誌を三冊読んだ――二人が腕を組んでゲートから出てきた。二人は感じの良い若夫婦みたいに見えた。彼女が僕に男を紹介した。我々は殆んど反射的に握手をした。外国で長く暮していた人がよくやるようなしっかりとした握手だった。それから我々はレストランに入った。彼女はどうしても天丼が食べたいと言って天丼を食べ、僕と彼は生ビールを飲んだ。

貿易の仕事をしているんです、と彼は言った。しかし仕事の内容についてはそれ以上何も言わなかった。あまり自分の仕事の話をしたくないのか、それともそんな話は僕を退屈させるだけだと思って遠慮してしゃべらないのか、そのへんのところがよくわからなかった。でもこちらも正直言ってとくに貿易の話が聞きたいわけではないので、あえて質問はしなかった。話すことがないので、ベイルートの治安状態やチュニスの上水道の話をした。彼は北アフリカから中東にかけての情勢にはかなり詳しいようだった。

天丼を食べ終えてしまうと、彼女は大きなあくびをして、眠いと言った。その場でぐっすりと眠りこんでしまいそうな感じだった。言い忘れたけれど、所かまわず眠くなるのが彼女の癖だ。彼がタクシーで家まで送ると言った。僕は電車の方が早いから電車で帰ると言った。なんのためにわざわざ空港まで来たのか、わけがわからなかった。

「お会いできて嬉しかったです」と彼は申しわけなさそうに言った。

「こちらこそ」と僕も言った。

それから何回か彼と顔を合わせることになった。僕がどこかで偶然彼女に会ったりすると、そのわきには必ず彼がいた。僕が彼女とデートすると、待ち合わせの場所まで彼が車で送ってきたりすることもあった。彼はしみひとつない銀色のドイツ製のスポーツ・カーに乗っていた。僕は車のことは殆んど何も知らないので詳しい説明はできないけれど、なんだかフェデリコ・フェリーニの白黒映画に出てきそうな感じの車だった。普通のサラリーマンの持てるような車ではない。

「きっとすごくお金持ちなんだね」と僕は一度彼女に訊ねてみた。

「そうね」と彼女はあまり興味なさそうに言った。「きっとそうなんでしょうね」

「貿易の仕事ってそんなにもうかるのかな？」

「貿易の仕事？」

「彼がそう言ってたよ。貿易の仕事をしてるんだってさ」

「じゃあ、そうなんでしょ。でも……よくわかんないのよ。だってべつに働いているようにも見えないんだもの。よく人に会ったり電話をかけたりはしてるみたいだけど」

まるでフィッツジェラルドの『グレート・ギャッツビイ』だなと僕は思った。何をしているかはわからない、でも金は持っている謎の青年。

＊

十月の日曜日の午後に、彼女から電話がかかってきた。妻は朝から親戚の家にでかけていて、僕一人だった。よく晴れた気持の良い日曜日で、庭のくすの木を眺めながらりんごを食べていた。僕はその日だけでもう七個もりんごを食べていた。ときどきそういうことがある。病的にりんごが食べたくなるのだ。あるいはそういうのは何かの予兆なのかもしれない。

「今、おたくのわりと近くにいるんだけれど、これから二人で遊びにうかがっていいかしら？」と彼女は言った。

「二人？」と僕はききかえした。

「私と彼よ」と彼女は言った。

「いいよ、もちろん」と僕は言った。

「じゃあ、あと三十分で行くわ」と彼女は言った。そして電話は切れた。

僕はソファーの上でしばらくぼんやりしてから浴室に行ってシャワーを浴び、髭を剃った。そして体を乾かしながら耳の掃除をした。部屋をかたづけようかどうしようか迷ったが、結局あきらめた。全部をきちんとかたづけるには時間が不足していたし、全部をきちんとかたづけられないのなら何もしない方がまだましなような気がした。部屋には本やら雑誌やら手紙やらレコードやら鉛筆やらセーターなんかがいっぱいにちらばっていたけれど、とりたてて不潔な感じはしなかった。仕事をひとつ終えたばかりで何をする気にもなれない。僕はソファーに腰を下ろして、くすの木を見ながらもう一個りんごを食べた。

彼らは二時過ぎにやってきた。家の前でスポーツ・カーの停まる音が聞こえた。玄関に出てみると見覚えのある銀色のスポーツ・カーが道路に停まっていた。彼女が窓から顔を出して手を振っていた。僕は車を裏庭の駐車スペースに案内した。

「来たわよ」とにこにこしながら彼女が言った。彼女は乳首の形がくっきりと見えるくらい薄いシャツを着て、オリーブ・グリーンのミニ・スカートをはいていた。

彼はネイビー・ブルーのブレザー・コートを着ていた。以前会った時と少し印象が違うような気がしたが、それは少なくとも二日間はのばした不精髭のせいだった。不精髭とはいっても、彼の場合にはだらしない雰囲気はまるでなく、少しだけ翳が濃くなったといった感じだった。彼は車を下りるとサングラスを外し、それを胸のポケットに突っ込んだ。

「どうもお休みのところを突然お邪魔しちゃって申しわけありません」と彼は言った。

「べつに構わないよ。毎日が休みみたいなものだし、それに一人で退屈していたところだから」と僕は言った。

「ごはん持ってきたわよ」と彼女が言って後部座席から白い大きな紙袋をとり出した。

「ごはん？」

「たいしたものじゃないんです。ただ日曜日に急にうかがうわけだし、何か食べるものをお持ちした方がいいんじゃないかと思ったものですから」と彼が言った。

「それはありがたいな。なにしろ朝からりんごしか食べてないんだ」


我々は家の中に入って、テーブルの上に食料品を広げた。なかなか立派な品揃えだった。ロースト・ビーフ・サンドウィッチとサラダとスモーク・サーモンとブルーベリー・アイスクリーム、量もたっぷりあった。彼女が料理を皿に移しかえているあいだ、僕は冷蔵庫から白ワインを出して栓を抜いた。ちょっとしたパーティーみたいになった。

「さあ食べちゃいましょうよ。すごくおなか減ったわ」と例によって腹を減らせた彼女が言った。

我々はサンドウィッチをかじり、サラダを食べ、スモーク・サーモンをつまんだ。ワインが空になってしまうと、あとは冷蔵庫から缶ビールを出して飲んだ。うちの冷蔵庫には缶ビールだけはいつもぎっしりつまっている。友だちが小さな会社をやっていて、あまった贈答用のビール券を安くわけてくれるからだ。

彼はどれだけ飲んでも顔色ひとつ変えなかった。僕もビールならかなり飲める。彼女もつきあって何本か飲んだ。結局一時間足らずのあいだにビールの空き缶が机の上にずらりと並んだ。ちょっとしたものだ。彼女はレコード棚から何枚か選んでオートチェンジのプレイヤーにセットした。マイルス・デイヴィスの「エアジン」が聞こえてきた。

「オートチェンジのガラードなんて昨今珍しいものがありますね」と彼が言った。

僕は自分がオートチェンジャーのファンであることを説明した。そして質の良いガラードを探すのはけっこう大変だったことも。彼は相槌を打ちながら僕の話を礼儀正しく聞いていた。

しばらくオーディオの話をしたあとで、彼はちょっと口をつぐんだ。それから「グラスがあるんだけど、よかったら吸いませんか?」と言った。

僕はちょっと迷った。というのは、僕は一ヵ月前に禁煙したばかりでとても微妙な時期だったし、ここでマリファナを吸うことがそれにどう作用するのかよくわからなかったからだった。でも結局吸うことにした。彼は紙袋の底からアルミ・フォイルにくるんだ黒い葉をとりだし、巻紙の上にのせてくるりと巻き、のりの部分を舌でなめた。ライターで火をつけ、そして何度か吸いこんで火がきちんとついていることをたしかめてから僕にまわした。とても質の良いマリファナだった。我々はしばらくのあいだ何も言わずにそれを一口ずつ吸っては順番にまわした。マイルス・デイヴィスが終って、ヨハン・シュトラウスのワルツ集になった。不思議な選曲だったが、まあ悪くない。

一本吸い終った時、彼女が眠いと言った。寝不足のうえにビールを三本飲んで大麻煙草を吸ったせいだった。彼女は本当にすぐに眠くなるのだ。僕は彼女を二階につれていって、ベッドに寝かせた。彼女はTシャツを貸してほしいと言った。僕がTシャツをわたすと、彼女はするすると服を脱いで下着だけになり、上からTシャツをすっぽりとかぶって横になった。そして僕が寒くないのかと尋ねたときには既にすうすうと寝息をたてていた。僕は頭を振って下におりた。

応接間では彼女の恋人が二本めの大麻煙草を巻いていた。タフな男だ。僕もどちらかといえば彼女のわきにもぐりこんで、そのままぐっすりと眠りこんでしまいたかった。でもそうもいかない。我々は二本めのマリファナを吸った。まだヨハン・シュトラウスのワルツがつづいていた。僕はどういうわけか小学校の学芸会でやった芝居のことを思い出した。僕はそこで手袋屋のおじさんの役をやった。子狐が買いにくる手袋屋のおじさんの役だ。でも子狐の持ってきたお金では手袋は買えない。

「それじゃ手袋は買えないねえ」と僕は言う。ちょっとした悪役なのだ。

「でもお母さんがすごく寒がってるんです。あかぎれもできてるんです。おねがいです」と子狐は言う。

「いや、駄目だね。お金をためて出なおしておいで。そうすれば

「時々納屋を焼くんです」

と彼が言った。

「失礼？」と僕は言った。ちょっとぼんやりしていたもので、聞きまちがえたような気がしたのだ。

「時々納屋を焼くんです」と彼は繰り返した。

僕は彼の方を見た。彼は指の爪先でライターの模様をなぞっていた。それから大麻の煙を思いきり肺の奥に吸いこんで十秒ばかりキープして、そしてゆっくりと吐きだした。まるでエクトプラズムみたいに、煙が彼の口から空中へと漂った。彼は僕にマリファナをまわした。

「なかなかものが良いでしょう」と彼は言った。

僕は肯いた。

「インドから持ってきたんです。とくに質の良いものだけを選んだんです。これを吸っていると不思議にいろんなことを思い出すんです。それも光とか匂いとか、そんなことです。記憶の質が……」彼はそこでゆっくり間を置いて、正しいことばを探すみたいに何度か指を軽く鳴らした。「まるで変っちゃうんです。そう思いませんか？」

そう思う、と僕は言った。僕もちょうど学芸会の舞台のざわめきとか背景のボール紙に塗られた絵の具の匂いとかを思い出しているところだった。

「納屋の話を聞きたいな」と僕は言った。

彼は僕の顔を見た。彼の顔には相変わらず表情らしいものがなかった。

「話していいんですか？」と彼は言った。

「もちろん」と僕は言った。

「簡単な話なんです。ガソリンをまいて、火のついたマッチを放るんです。ぼっといって、それでおしまいです。焼けおちるのに十五分もかかりゃしませんね」

「それで」と言ってから、僕は口をつぐんだ。僕も次のことばがうまくみつからなかったのだ。「どうして納屋なんて焼くんだろう？」

「変ですか？」

「わからないな。君は納屋を焼くし、僕は納屋を焼かない。そのあいだにはいわば歴然とした違いがあるし、僕としてはどちらが変かというよりは、まずその違いがどういうものなのかをはっきりさせておきたいんだ。それに納屋の話は君が先に持ち出したんだよ」

「そうですね」と彼は言った。「たしかにそのとおりだ。ところでラビ・シャンカールのレコードはお持ちですか？」

ない、と僕は言った。

彼はしばらくぼんやりしていた。彼の意識はゴム粘土みたいにくねくねとしているように見えた。あるいはくねくねとしていたのは僕の意識の方だったのかもしれない。

「二ヵ月にひとつくらいは納屋を焼きます」と彼は言った。そしてまた指を鳴らした。「それくらいのペースがいちばん良いような気がするんです。もちろん僕にとっては、ということですが」

僕は曖昧に肯いた。ペース？

「ところで君は自分の納屋を焼くわけ？」と僕は訊ねてみた。

彼は理解しかねるといった目つきで僕の顔を見た。「どうして僕が自分の納屋を焼かなくちゃいけないんですか？　どうして僕がそんなにいくつも納屋を持っているなんて思うんですか？」

「ということは」と僕は言った。「他人の納屋を焼くわけだよね？」

「そうです」と彼は言った。「もちろんそうです。他人の納屋です。だから要するに、これは犯罪行為です。あなたと僕が今こうして大麻煙草を吸っているのと同じように、はっきりとした犯罪行為です」

僕は椅子の手すりにひじをついたまま黙っていた。

「つまり他人の所有する納屋に勝手に火をつけるわけです。もちろん大きな火事にならないようなものを選びます。だって僕は火事をおこしたいわけじゃありませんからね。僕としてはただ納屋を焼きたいだけなんです」

僕は肯いて、短くなった大麻煙草をもみ消した。「でも、つかまると問題になるよ。なにしろ放火だから、下手すると実刑をくらうかもしれないな」

「つかまりゃしませんよ」と彼はこともなげに言った。「ガソリンをかけて、マッチをすって、すぐに逃げるんです。それで遠くから双眼鏡でのんびり眺めるんです。つかまりゃしません。だいいちちっぽけな納屋がひとつ焼けたくらいじゃ警察もそんなに動きませんからね」

たしかにそうかもしれないと僕は思った。それに外車に乗った身なりの良い若い男がまさか納屋を焼いてまわってるなんて誰も思わないだろう。

「それで彼女はそのことを知ってるの？」と僕は指で二階の方を指しながら訊いた。

「何も知りません。実を言えば、このことはあなた以外の人間には話したことはありません。誰彼かまわずしゃべれるような類いのことじゃありませんからね」

「どうして僕に？」

彼は左手の指をまっすぐにのばして、それで自分の頰をこすった。伸びた髯がかさかさという乾いた音を立てた。ぴんと張った薄い紙の上を虫が歩いているような音だった。「あなたは小説を書いている人だし、人間の行動のパターンのようなものに興味があるんじゃないかと思ったんです。それに僕はつまり、小説家というものは何かの物事に対して判断を下す以前に、その物事をあるがままのかたちで楽しめる人じゃないかと思っていたんです。もし楽しめるというのがまずければ、あるがままに受け入れられるというべきかな。だからあなたには話したんです。話したかったんですよ、僕としても」

　僕は肯いた。でも自分がそれをどういう風にあるがままに受け入れればいいのか、正直なところ僕にはよくわからなかった。

「こういう言い方は変かもしれないけれど」、彼は顔の前で両手を広げ、それをゆっくりとあわせた。「世の中にはいっぱい納屋があって、それらがみんな僕に焼かれるのを待っているような気がするんです。海辺にぽつんと建った納屋やら、たんぼのまん中に建った納屋やら……とにかく、いろんな納屋です。十五分もあれば綺麗に燃えつきちゃうんです。まるでそもそもの最初からそんなもの存在もしなかったみたいにね。誰も悲しみゃしません。ただ――消えちゃうんです。ぷつんってね」

「でもそれが不必要なものかどうか、君が判断するんだね」

「僕は判断なんかしません。それは焼かれるのを待っているんです。僕はそれを受け入れるだけです。わかりますか。そこにあるものを受け入れるだけなんです。雨と同じですよ。雨が降る。川があふれる。何かが押し流される。雨が何かを判断していますか？　いいですか、僕は何もアンモラルなことを志向しているわけではありません。僕は僕なりにモラリティーというものを信じています。それは人間存在にとって非常に重要な力です。モラリティーなしに人間は存在できません。僕はモラリティーというのはいうなれば同時存在のことじゃないかと思うんです」

「同時存在？」

「つまり僕がここにいて、僕があそこにいる。僕は東京にいて、僕は同時にチュニスにいる。責めるのが僕であり、ゆるすのが僕である。たとえばそういうことです。そういうかねあいがあるんです。そういうかねあいなしに、僕らは生きていくことはできないと思うんです。それはいわば止めがねのようなものです。それがないことには僕らはほどけて文字どおりばらばらになってしまいます。それがあればこそ、僕らの同時存在が可能になるんです」

「つまり君が納屋を焼くのは、モラリティーにかなった行為であるということかな？」

「正確にはそうじゃありませんね。それはモラリティーを維持するための行為なんです。でもモラリティーのことは忘れた方がいいと思います。それはここでは本質的なことじゃありません。僕が言いたいのは、世界にはそういう納屋がいっぱいあるということです。僕には僕の納屋があり、あなたにはあなたの納屋がある。本当です。僕は世界のほとんどあらゆる場所に行きました。あらゆる経験をしました。何度も死にかけました。自慢しているわけじゃありません。でももうやめましょう。僕はふだん無口なぶん、グラスをやるとしゃべりすぎるんです」

僕らはまるで何かの火照りをさますかのように、そのままの姿勢でしばらく黙っていた。何をどう言えばいいのか僕にはよくわからなかった。まるで車窓に次々に現れては消えていく奇妙な風景を座席に座って眺めているみたいな気分だった。体が弛緩して、細部の動きがよく把握できなかった。でも僕は僕の体の存在そのものを観念としてくっきりと感じることができた。それはたしかに同時存在的と言えなくはなかった。考えている僕がいて、その考えている僕を見守っている僕がいた。時間はひどく精密にポリリズムを刻んでいた。

「ビールは飲む？」と少しあとで僕は訊いた。

「どうもありがとう。いただきます」

僕は台所から缶ビールを四本、カマンベール・チーズといっしょに持ってきた。我々はビールを二本ずつ飲んで、チーズを食べた。

「この前に納屋を焼いたのはいつ？」と僕は訊ねてみた。

「そうですねえ」、彼は空になったビール缶を軽く握ったまま少し考えこんだ。「夏、八月の終りですね」

「この次はいつ焼くことになっているの？」

「わかりませんね。べつにスケジュールをくんでカレンダーにしるしをつけて待ってるわけじゃありませんからね。気がむいたら焼きにいくんです」

「でも焼きたいと思った時にちょうど都合よく適当な納屋があるってものでもないでしょう？」

「もちろんそうです」と彼は静かに言った。「ですから、あらかじめ焼くのに適したものを選んでおくわけです」

「ストックしておくわけだね」

「そういうことです」

「もうひとつだけ質問していいかな？」

「どうぞ」

「次に焼く納屋はもう決まっているのかな？」

彼は目と目のあいだにしわを寄せた。それからすうっという音を立てて、鼻から息を吸いこんだ。「そうですね。決まっています」

僕は何も言わずにビールの残りをちびちびと飲んだ。

「とても良い納屋です。久し振りに焼きがいのある納屋です。実は今日も、その下調べに来たんです」

「ということは、それはこの近くにあるんだね」

「すぐ近くです」と彼は言った。

それで納屋の話は終った。

五時になると彼は恋人を起こし、僕の家を突然訪問したわびを言った。ずいぶんな量のビールを飲んだはずなのに、完全に素面だった。彼は裏庭からスポーツ・カーを出した。

「納屋のことは気をつけておくよ」と別れぎわに僕は言った。

「そうですね」と彼は言った。「とにかく、すぐ近くです」

「納屋ってなあに？」と彼女が言った。

「男どうしの話さ」と彼が言った。

「やれやれ」と彼女が言った。

そして二人は消えた。

僕は応接室に戻り、ソファーに寝転んだ。テーブルの上にはありとあらゆるものが散乱していた。僕は床に落ちていたダッフル・コートをとって頭からかぶり、ぐっすりと眠った。

目が覚めると部屋はまっ暗だった。七時だ。

青っぽい闇と大麻煙草のつんとする匂いが、部屋を覆っていた。妙に不均一な暗さだった。僕はソファーに寝転んだまま、学芸会の芝居のつづきを思い出そうとしてみたが、もううまく思い出せなかった。子狐は手袋を手に入れることができたんだっけ？

僕はソファーから起きあがり、窓を開けて部屋の空気を入れかえ、それから台所でコーヒーを沸かして飲んだ。

＊

僕は次の日、本屋に行って、僕の住んでいる町の地図を買ってきた。細かい通りまで出ている二万分の一の白地図だ。僕はその地図を持ってうちのまわりを歩きまわり、納屋のある地点に鉛筆で×印をつけた。三日かけて四キロ四方をくまなく歩いた。僕の家は郊外にあり、まわりには農家がまだ数多く残っている。したがって納屋の数もけっこう多い。全部で十六の納屋があった。

彼の焼こうとしている納屋はたぶんそのうちのどれかのはずだった。「すぐ近く」と言った時の彼の口ぶりからして、それ以上うちから遠くには離れてはいないだろうと僕は確信していた。

それから僕は十六の納屋の状態のひとつひとつを丁寧にチェックした。まず人家に近すぎたり、ビニール・ハウスのわきにあったりする納屋は除外した。それから農具やら農薬なんかが入っていて、かなり活発に利用されているものも除外した。彼は決して農具や農薬なんかは焼きたがらないだろうと思ったからだ。

結局五つの納屋が残った。五つの焼くべき納屋だ。あるいは五つの燃えて差支えない納屋だ。十五分くらいで燃え落ちて、そして燃え落ちたことについて、たぶん誰も残念に思わないだろうという類いの納屋だ。彼がそのうちのどれを焼こうとしているのかは僕には決めかねた。あとはもう好みの問題だからだ。でも僕としては彼がその五つの納屋のうちのどれを選んだのかがひどく知りたかった。

僕は地図を広げ、五つの納屋を残してあとの×印を消した。それから直角定規と曲線定規とディバイダーを用意し、うちを出てその五つの納屋を巡り、また家に戻ってくる最短コースを設定した。道が川や丘陵に沿ってくねくねと曲っていたせいで、その作業はかなり手間どった。結局コースの距離は七・二キロ、何度も測ってみたから誤差はほとんどないはずだ。

翌朝の六時、僕はトレーニング・ウェアにジョギング・シューズをはいて、そのコースを走ってみた。僕は毎朝どうせ六キロは走っていたから、一キロ距離を増やすのはそれほどの苦痛ではない。風景も悪くないし、途中に踏切がふたつあるものの、それにひっかかることはまれだった。

まず家を出て近くの大学のグラウンドをぐるりとまわり、それから川に沿って人気のない未舗装道路を三キロ走る。途中に最初の納屋がある。それから林を抜ける。軽い上り坂だ。また納屋がある。少し先に競馬用の馬小屋があるから馬たちが火を見て少しは騒ぐかもしれない。でもそれだけだ。実害はない。

三つめの納屋と四つめの納屋は年老いた醜い双子みたいによく似ている。距離も二百メートルと離れてはいない。どちらも古くて、汚ない。もし焼くとしたら、両方一緒に焼いちゃってもいいんじゃないかという気さえする。

最後の納屋は踏切のわきに建っていた。約六キロの地点だ。まったく完全に打ち捨てられた納屋だ。線路に面してペプシ・コーラのブリキの看板が打ちつけられている。建物は——そんなものを建物と呼ぶべきかどうか僕には自信がないけれど——ほとんど崩れかけていた。それはたしかに、彼が言うように、誰かに焼かれるのをじっと待っているように見えた。

僕は最後の納屋の前で少し立ちどまって何度か深呼吸してから踏切を越え、家に戻った。走るのに要した時間は三十一分三十秒だった。そして僕はシャワーを浴びて朝食を食べた。そしてソファーに横になってレコードを一枚聴いてから、仕事にかかった。

一ヵ月間、そんな風に僕は毎朝同じコースを走りつづけた。しかし、納屋は焼けなかった。

時々僕は彼が僕に納屋を焼かせようとしているんじゃないかと思うことがあった。つまり納屋を焼くというイメージを僕の頭の中に送りこんでおいてから、自転車のタイヤに空気を入れるみたいにそれをどんどんふくらませていくわけだ。たしかに僕は時々、彼が焼くのをじっと待っているくらいなら、いっそのこと自分でマッチをすって焼いてしまった方が話が早いんじゃないかと思うこともあった。だってそれはただの古ぼけた納屋なのだから。

しかしそれはやはり僕の考えすぎというものだろう。実際問題として、僕は納屋を焼いたりはしない。どれだけ僕の頭の中で納屋を焼くというイメージが膨らんでいっても、僕は実際に納屋を焼いたりするタイプではないのだ。納屋を焼くのは僕ではなく、彼なのだ。たぶん彼は焼くべき納屋を変更したのだろう。あるいは忙しすぎて納屋を焼く時間をみつけることができないのかもしれない。彼女からの連絡もまるでなかった。

十二月がやってきて、秋が終り、朝の空気が肌を刺すようになった。納屋はそのままだった。白い霜が納屋の屋根におりた。冬の鳥たちが凍てついた林の中でばたばたという大きな羽音をひびかせた。世界は変ることなく動きつづけていた。

＊

その次に僕が彼に会ったのは、昨年の十二月のなかばだった。クリスマスの少し前だった。どこに行ってもクリスマス・ソングがかかっていた。僕はいろんな人へいろんなクリスマス・プレゼントを買うために街に出た。乃木坂のあたりを歩いている時に、僕は彼の車をみつけた。まちがいなく彼の銀色のスポーツ・カーだった。品川ナンバーで、左のヘッド・ライトのわきに小さな傷がついている。車は喫茶店の駐車場に停まっていた。もっともその車は以前見たときほどぴかぴかと鮮やかに輝いてはいなかった。その銀色はこころなしかくすんで見えた。でもそれは僕の錯覚かもしれなかった。僕は自分の記憶を都合よく作りかえてしまう傾向があるのだ。僕はためらわずに店の中に入った。

店の中は暗く、強いコーヒーの匂いがした。人の話し声もあまりきこえず、バロック音楽が静かに流れていた。彼の姿はすぐにみつかった。窓際に一人で座って、カフェ・オ・レを飲んでいた。店の中は眼鏡がまっ白になるくらい暑かったにもかかわらず、彼は黒いカシミアのコートを着たままだった。マフラーもとっていなかった。

僕は少し迷ったが、やはり声をかけることにした。ただ表で彼の車を見かけたことは言わなかった。僕はあくまで偶然この店に入って、偶然彼の姿をみつけたのだ。

「座ってもかまわないかな?」と僕は訊ねた。

「もちろんです。どうぞ」と彼は言った。

それから我々は軽い世間話をした。話はあまりはずまなかった。もともとあまり共通の話題がないうえに、彼は何か別のことを考えているように見えたからだ。しかし、かといって僕と同席することを迷惑に思っているという風でもなかった。彼はチュニジアの港の話をした。それからそこでとれる海老のことも話した。べつに義理で話しているというのではなく、真剣に海老の話をした。しかし話は細い水の流れが砂地に吸い込まれるように途中でふっと終ったまま、先がつづかなかった。

彼は手をあげてウェイターを呼び、二杯めのカフェ・オ・レを注文した。

「ところで、納屋のことはどうなったの?」と僕は思い切って訊ねてみた。

彼は唇のはしで微かにほほえんだ。「ああ、あのことをまだ覚えていたんですね」と彼は言った。そしてポケットからハンカチをとりだし、口もとを拭ってまたもとに戻した。「もちろん焼きましたよ。きれいに焼きました。約束したとおりね」

「僕の家《うち》のすぐ近くで?」

「そうです。ほんとうのすぐ近くです」

「いつ?」

「この前、おたくにうかがってから十日ばかりあとです」

僕は地図に納屋の位置を描きこんで一日に一回その前をランニングしてまわった話をした。

「だから見落とすはずはないんだけれどね」と僕は言った。

「ずいぶん綿密なんですね」と彼は楽しそうに言った。「綿密で理論的です。でもきっと見落としたんですよ。そういうことってあるんです。あまりにも近すぎて、それで見落としちゃうんです」

「よくわからないな」

彼はネクタイをしめなおし、それから腕時計を見た。「近すぎるんですよ」と彼は言った。「でも、もう行かなくちゃいけないんです。それについては、この次ゆっくり話すことにしませんか？　申しわけないけれど、人を待たせているものですから」

それ以上彼をひきとめる理由はなかった。彼は立ちあがって、煙草とライターをポケットに入れた。

「ところであれから彼女にお会いになりました？」と彼が訊ねた。

「いや、会ってないな。あなたは？」

「僕も会ってないんです。連絡がとれないんです。アパートの部屋にもいないし、電話も通じないし、パントマイムのクラスにもずっと出てないんです」

「どこかにふらっとでかけちゃったんじゃないかな。これまでにも何度かそういうことはあったからね」

彼はポケットに両手をつっこんで立ったまま、テーブルの上をじっと眺めた。「一文なしで、一ヵ月半もですか？　生きていくということに関しては、彼女にはそれほどの才覚はありませんよ」

彼はコートのポケットの中で何度か指を鳴らした。

「僕はよく知っているんだけれど、彼女はまったくの一文なしです。友だちらしい友だちもいません。住所録はぎっしりいっぱいだけど、そんなものはただの名前です。あの子には頼れる友だちなんていないんです。いや、でもあなたのことは信頼してましたよ。これはべつに社交辞令なんかじゃありません。あなたは彼女にとっては特別な存在だったと思います。僕だってちょっと嫉妬したくらいです。本当ですよ。

僕はこれまで嫉妬したことなんてほとんどない人間なんですけどね」彼は軽い溜め息をついた。そしてもう一度時計に目をやった。「僕はもう行きます。どこかでまた会いましょう」

僕は肯いた。でもうまくことばは出てこなかった。いつもそうなのだ。この男を前にするとことばがうまく出てこないのだ。

僕はそれから何度も彼女に電話をかけてみたのだけれど、電話は料金未払いのために回線を切られていた。僕はなんとなく心配になって、彼女のアパートまで行ってみた。彼女の部屋は閉まったままだった。郵便受けにはダイレクト・メイルが束になって突っ込まれていた。管理人はどこにもいなかったので、彼女がまだそこに住んでいるかどうかさえ確認できなかった。僕は手帳のページを破って「連絡してほしい」というメモを作り、名前を書いて、郵便受けの中に放り込んでおいた。でも連絡はなかった。

その次に僕がそのアパートを訪れた時には、ドアには別の住人の札がかかっていた。ノックしてみたが、誰も出てこなかった。相変わらず管理人の姿はみつからなかった。

それで僕はあきらめた。一年近く前の話だ。

彼女は消えてしまったのだ。

＊

僕はまだ毎朝、五つの納屋の前を走っている。うちのまわりの納屋はいまだにひとつも焼け落ちてはいない。どこかで納屋が焼けたという話もきかない。また十二月が来て、冬の鳥が頭上をよぎっていく。そして僕は年をとりつづけていく。

夜の暗闇の中で、僕は時折、焼け落ちていく納屋のことを考える。

The little green monster

緑色の獣

夫がいつものように仕事に出ていってしまうと、あとに残された私にはもうやることがなかった。私はひとりで窓辺の椅子に座って、カーテンの隙間からじっと庭を眺めていた。とくにそうする理由があったわけではない。他に何もすることがないので、ただ無目的に庭を見ていたのだ。そうしているうちに何をすればいいのかふと思いつくかもしれないと思って。庭の中にあるいろんなものの中でも、私はとくに一本の椎の木を眺めていた。私は昔からその椎の木が好きだった。私はその木を子供のころにそこに植え、育って大きくなっていくのを見ていた。私はその椎の木のことをまるで友達のように思っていた。私は椎の木と何度も話をした。

そのときも、私はたぶん心の中で木と話をしていたのだろうと思う。何を話していたのかは思い出せないけれど。どれくらい長くそこに座っていたのかも私にはわからない。庭を見ていると、時間はいつもするすると淀みなく流れていってしまう。でもあたりはすっかり暗くなっていたから、もうずいぶん長いあいだ私はそこにいたのだろうと思う。ふと気がつくとどこかずっと遠くの方からぼそぼそという、奇妙にくぐもった音が聞こえてきた。最初のうちそれはまるで私自身の体の中から聞こえてくるように思えた。何かの幻聴のように。体が紡ぎだす暗黒の予兆のように。私は呼吸を止めてじっと響きに耳を澄ませた。その音は少しずつしかし確実に私の方に近づいてきていた。いったい何の音なのか、見当もつかなかった。でも音は鳥肌が立つくらい気味の悪い響きを持っていた。

やがて椎の木の根元のあたりの地面が、まるで重い水が地表に噴きあがるような格好でもそもそと盛り上がった。私は息を呑んだ。地面が割れ、盛り上がった土が崩れ、中から尖った爪のようなものが姿を見せた。私はこぶしを握りしめ、目をこらしてそれを睨んでいた。何かが始まろうとしているのだ、と私は思った。爪は勢い良く土を掻き、穴はどんどん大きくなっていった。そして穴の中からもそもそと緑色の獣が這い出てきた。

獣はきらきらと光る緑色の鱗《うろこ》に覆われていた。獣は土の中から出てくるとぶるぶるっと身を震わせ、鱗についた土を落とした。鼻は奇妙に長く、先にいけばいくほど緑色が濃くなっていた。先端は鞭《むち》のように細く尖っていた。でも目だけが普通の人間の目をしていて、それが私をぞっとさせた。目にはきちんとした感情のようなものが宿っていたからだ。私の目やあなたの目と同じように。

獣はそのままゆっくり玄関に近づいて来て、細い鼻の先でドアをノックした。コンコンコンコン、と乾いた音が家の中に響きわたった。私は獣に気づかれないように忍び足で奥の部屋に移動した。悲鳴をあげることすらできなかった。近所には家は一軒もないし、仕事に出た夫は真夜中まで戻ってこない。裏口から逃げ出すこともできない。私の家にはドアがひとつしかないし、そのドアを気持ちの悪い緑色の獣がノックしているのだ。私はじっと息をひそめていないふりをしていた。獣があきらめてどこかに行ってしまうことを期待して。でも獣はあきらめなかった。獣は鼻の先をもっと細くしてそれを鍵穴に突っ込み、中をごそごそとまさぐっていたが、やがて簡単に鍵を開けてしまった。かちんと音がして鍵がはずれ、それからドアが小さく開いた。その隙間から鼻がそろそろとさしこまれた。鼻は長いあいだ、まるで蛇が頭をつっこんで様子を見るみたいにドアの隙間から家の中をうかがっていた。どうせこうなるならナイフを持ってドアのそばにいて、あの鼻先をすっぱりと切り落としてやればよかったのにと私は思った。私は台所によく切れるナイフをいっぱい揃えているのだ。でも獣は私の考えを見すかす様に、にやにや笑いを浮かべた。あなた、そんなことしても駄目ででですよ、と緑色の獣は言った。獣のしゃべりかたはなんだか少しずつ奇妙だった。言葉を覚えまちがえたみたいに。これはとかげのしつぽみたいなもののでね、どんなに切られてもあとからあとからどんどん生えてくるです。そして切られるたんびにつよよく長くなるんです。やるるるだけ無駄つてもんです。そして獣はその不気味な目を独楽《こま》のように長いあいだくるくると回していた。

こいつは人の心が読めるのかしら、もしそうだとしたらやっかいな事になったわ、と私は思った。私は誰かに勝手に自分の心を読まれたりするのは我慢できない。とくに相手が訳のわからない気味の悪い獣であるような場合には。私は体中にじっとりと冷たい汗をかいていた。こいつはいったい私をどうするつもりなんだろう。私を食べてしまうつもりなのかしら。それとも私を土の中に運んでいってしまうつもりなのかしら。でもいずれにせよ、と私は思った、こいつが正視にたえられないくらい醜くないのはまだ幸いだった。緑の鱗から突き出ているひょろっとしたピンクの手足には長い爪がはえていて、それはただ単に見ているぶんには可愛らしくさえあった。それによく見ると、その獣はどうやら私に対して悪意や敵意は抱いてないようだった。

当たり前ででですよ、とそいつは首を傾けるようにして言った。獣が首を傾けると、緑色の鱗がかたかたかたかたと音を立てた。まるでコーヒーカップがいっぱい載ったテーブルを軽く揺すったみたいに。私があなたをを食べたりするわけないいじやありませんかね、嫌だなあ、あななた何を言うんですかね、私にはなんの敵意も悪意もありませんよ、そんなものあるわけないじやありりませんかね、と獣は言った。そう、間違いない、私の考えている事がやっぱりこいつには全部わかるのだ。

ねえ奥さん、奥さん、私はここにプロポーズに来たですよ。わかるですか？　ずつと深い深いところからわざわざここまで這い上がつてきたですよ。大変だつたですよ。ずいぶん土もかきましたよ。爪だつてこのとおりはがれちまいまいましたよ。もし私に悪意があつたりしたら悪意があつたりしたらそんな面倒なことできつこないじやありませんかね。私はあなたが好きで好きでたまらないからこそここに来たですよね。私は深い深いところであなたのことを想つておつたんですよ。それで我慢がきかなくなつて、ここに這い上がつてきたたたですよ。みんなとめたですよ。でも私は我慢ができんかつたですよ。結構勇気もいりりましたよ。お前つみたしな獣が私にプロポーズするなんて厚かましつて思われるんじやないかつてねえ。

だって本当にその通りじゃないのと私は心の中で思った。私に求愛するなんて、まったくなんて厚かましい獣かしらと私は思った。

すると獣の顔はさっと哀しみの色を浮かべた。そしてその哀しみをなぞるかのように獣の鱗の色が紫に変わった。おまけに体だってひとまわり縮んで小さくなってしまったみたいだった。私は腕組みをしてその小さくなった獣の姿をじっと眺めた。あるいはこの獣は感情の変化のままにどんどん変身するのかもしれない。そしてそのおぞましくみっともない外見の割に、その心はできたてのマシュマロのように柔らかく傷つき易いのかもしれない。もしそうだとすれば、私にも勝ち目はある。もう一度試してやろうと私は思った。だってお前はみっともない獣じゃないか、と私はもう一度大きな声で思ってみた。私の心がわんわんと反響するくらいの大きな声で。だってお前はみっともない獣じゃないか。すると獣の鱗の色は見る見る紫色に変わっていった。その目は私の悪意を吸い込んだようにどんどん膨らんでいって、まるでイチジクみたいに顔の表面から飛び出し、そこから赤い汁のような涙がぼろぼろと音を立ててこぼれた。

私はもう獣を怖いとは思わなくなっていた。私は試しに思いつく限り残酷な場面を頭に思い浮かべてみた。大きな重い椅子に針金で獣を縛りつけて尖ったピンセットで緑の鱗をひとつずつむしりとってみたり、よく切れるナイフの先端を火で赤くなるまで熱して、それを使ってふっくらと柔らかそうな桃色の足のふくらはぎに何本も深い筋を入れてみたり、焼けたはんだごてをそのイチジクのように盛り上がった目に思い切り突きたててみたりした。私がそんなことを頭の中でひとつひとつ想像するたびに、獣は実際にそんな目にあわされているみたいに辛そうに悶え、のったりとした悲鳴をあげ、のたうち、苦しんだ。色のついた涙をこぼしたり、どろりとした体液のようなものをぽとぽとと床に落としたり、耳から薔薇の香りのする灰色のガスを出したりした。そしてその膨らんだ目で私のことを怨みがましそうにじっと見た。ねえ奥さん、お願いだから、後生だから、そんな酷いことを思わないでくださいな、と獣は言った。たとえ思うだけけけでも思わないでください、とその獣は哀しそうに言った。私には何も悪気はないいですよ。私は何も悪いことなんてしませんよ。私はただあなたのことを想つつておつただけですよ。でも私はそんな言い分には耳を貸さなかった。冗談じゃないわ、お前は突然私の庭から這いだしてきて、何の断りもなく勝手に私の家のドアの鍵を開けて中に入ってきたんじゃないか、と私は思った。私がやってきてくれと招いたわけじゃない。私には何だって好きなことを好きなだけ思いつく権利がある。だから私はもっともっとひどいことを考えてやった。私はあらゆる機械や器具を使って獣の体を苛《さいな》み、切り刻んだ。命ある存在を苦しめ、のたうちまわらせる方法で、私が思いつかないことは何ひとつとしてなかった。ねえ獣、お前は女というもののことをよく知らないんだ。そういう種類のことなら私にはいくらだっていくらだって思いつけるのだ。でもそのうちに獣の輪郭がぼんやりと滲《にじ》んできて、その立派な緑色の鼻までがみみずのようにするすると縮んでいってしまった。獣は床の上でのたうちながら、口を動かして最後に私に向かって何かを言おうとした。何かすごく大事な、言い忘れていた古いメッセージを私に伝えようとするみたいに、重々しく。しかしその口は苦しげにその動きを止め、やがてぼんやりと霞んで消えてしまった。獣の姿は夕暮れの影のように薄くなり、悲しそうな膨れた目だけが名残惜しそうに空中に残った。そんなことしたって無駄よ、と私は思った。何を見たって役には立たないわ。お前には何も言えない、お前には何もできない。お前の存在はもうすっかりぜんぶ終わってしまったのよ。するとそのうちに目も虚空の中に消えてなくなり、夜の闇が音もなく部屋に満ちてきた。

Family affair

ファミリー・アフェア

そういうのは世の中にはよくある例なのかもしれないけれど、僕は妹の婚約者がそもそもの最初からあまり好きになれなかった。そして日がたつにつれ、そんな男と結婚する決心をするに至った妹そのものに対しても少なからず疑問を抱くようにさえなっていた。正直なところ、僕はがっかりしていたのだと思う。

あるいはそんな風に思うのは僕が偏狭な性格であるせいかもしれない。

少くとも妹は僕のことをそう考えているようだった。我々はおもてだってその話題を口にはしなかったけれど、僕がその婚約者をあまり気に入っていないことは妹の方でもはっきりと察知していたし、そのことで彼女は苛立っているように見えた。

「あなたは物の見方が狭すぎるのよ」と妹は僕に言った。そのとき我々はスパゲティーについて話していたのだ。彼女はつまり僕のスパゲティーに対する物の見方が狭すぎると指摘したわけだ。

しかしもちろん、妹は何もスパゲティーだけを問題にしていたわけではない。スパゲティーの少し先の方には彼女の婚約者がいて、彼女はどちらかといえばそちらの方を問題にしていたのだ。いわばそれは代理戦争のようなものだった。

そもそもの発端は日曜日の昼間に妹が二人でスパゲティーでも食べに出ようと僕に持ちかけたところから始まっていた。僕もちょうどスパゲティーが食べたかったので「いいね」と言った。そして我々は駅前に新しくできた小綺麗なスパゲティー・ハウスに入った。僕はナスとニンニクのスパゲティーを注文し、妹はバジリコのスパゲティーを注文した。料理が来るまで僕はビールを飲んだ。そこまでは何の問題もなかった。五月で、日曜日で、おまけに良い天気だった。

問題は運ばれてきたスパゲティーの味が災厄と表してもいいくらいひどかったことだった。麺は表面がいやに粉っぽくて中に芯が残っており、バターは犬だって食べ残しそうな代物だった。僕はなんとか半分だけ食べてからあきらめ、ウェイトレスにあとは下げてくれと言った。

妹はそんな様子をちらちらと見ていたが、そのときは何も言わずに自分の皿の中のスパゲティーを最後の一本まで時間をかけてゆっくりと食べた。僕はそのあいだ窓の外の景色を見ながら二本目のビールを飲んでいた。

「ねえ、何もそんなに見せつけがましく残すことないでしょ」と自分の皿が下げられたあとで妹は言った。

「まずい」と僕は簡単に言った。

「半分残すほどまずくないわ。少しは我慢すればいいのに」

「食べたいときは食べるし、食べたくないときは食べない。これは僕の胃であってお前の胃じゃない」

「お前なんて言わないでよ、お願いだから。お前なんていうとまるで年とった夫婦みたいに見えるじゃない」

「僕の胃であって君の胃じゃない」と僕は訂正した。二十歳をすぎてから、彼女は自分のことをお前ではなく君と呼ぶように僕を訓練していたのだ。その違いがどこにあるのか僕にはよくわからない。

「ここの店は開店したばかりで、調理場の人がきっとまだ馴れてないのよ。少しは寛容な気持ちになったっていいでしょ？」と妹は運ばれてきたこれもまた見るからにまずそうな薄いコーヒーを飲みながら言った。

「そうかもしれないけど、まずい料理を残すっていうのもひとつの見識だと思う」と僕は説明した。

「いつからそんなに偉くなったの?」と妹は言った。

「嫌にからむね」と僕は言った。「生理か何かなの?」

「うるさいわね。変なこと言わないでよ。あなたにそんなこと言われるいわれはないんだから」

「べつに気にしなくていいよ。君の最初の生理がいつだったかだってちゃんと知ってるんだから。ずいぶん遅くてお袋と一緒に医者にみてもらいに行ったじゃないか」

「黙らないとバッグをぶっつけるわよ」と彼女は言った。

彼女が本気で腹を立てていることがわかったので僕は黙った。

「だいたいね、あなたの物の見方は偏狭にすぎるのよ」と彼女はコーヒーにクリームを追加して入れながら——きっとまずいのにちがいない——言った。「あなたはものごとの欠点ばかりみつけて批判して、良いところを見ようとしないのよ。何かが自分の規準にあわないとなるといっさい手も触れようとしないのよ。そんなのってそばで見てるとすごく神経にさわるのよ」

「でもそれは僕の人生であって、君の人生じゃない」と僕は言った。

「そうして他人を傷つけ、迷惑をかけるのね。マスターベーションのことにしたってそうよ」

「マスターベーション?」と僕はびっくりして言った。「何のことだ、それ?」

「あなたは高校時代によくマスターベーションしてシーツを汚してたでしょ。ちゃんと知ってるんだから。あれ洗濯するの大変なのよ。マスターベーションくらいシーツを汚さないようにやれば? そういうのが迷惑だって言うのよ」

「気をつけるよ」と僕は言った。「そのことについてはね。でもくりかえすようだけれど、僕には僕の人生があるし、好きなものもあれば嫌いなものもある。仕方ないじゃないか」

「でも人を傷つけるわ」と妹は言った。

「どうして努力しようとしないの？　どうしてものごとの良い面を見ようとしないの？　どうして少くとも我慢しようとしないの？　どうして成長しないの？」

「成長してる」と僕は少し気持ちを傷つけられて言った。

「我慢もしてるし、ものごとの良い面だって見ている。君と同じところを見てないだけの話だ」

「それが傲慢だって言うのよ。だから二十七にもなってまともな恋人もできないのよ」

「ガール・フレンドはいるよ」

「寝るだけのね」と妹は言った。「そうでしょ？　一年ごとに寝る相手をとりかえてて、それで楽しいの？　理解とか愛情とか思いやりとかそういうものがなければ、そんなの何の意味もないじゃない。マスターベーションと同じよ」

「一年ごとになんかとりかえていない」と僕は力なく言った。

「同じようなものよ」と妹は言った。「少しはまともな考え方をして、まともな生活をすれば？　少しは大人になれば？」

それが我々の会話の終わりだった。それから先、僕が何を話しかけても、彼女はほとんど返事をしなかった。

どうして彼女が僕に対してそんな考え方をするようになったのか、よくわからなかった。ほんの一年ばかり前まで彼女は僕の僕なりに確固としたいい加減な生き方を一緒になって楽しんでいたし、僕に――僕の感じ方さえ間違っていなければ――ある意味では憧れてもいたのだ。彼女が僕を少しずつ批難するようになったのは、その婚約者とつきあいだしてからだった。

そんなのって公正じゃない、と僕は思った。僕と彼女はもう二十三年もつきあってきたのだ。我々はいろんなことを正直に語りあえる仲の良い兄妹だったし、喧嘩だって殆んどしたことがなかった。彼女は僕のマスターベーションのことを知っているし、僕は彼女の初潮のことを知っている。彼女は僕がはじめてコンドームを買ったときのことを知っている（僕は十七歳だった）、僕は彼女がはじめてレースの下着を買ったときのことを知っている（彼女は十九歳だった）。

僕は彼女の友だちとデートしたことがあるし（もちろん寝なかった）、彼女は僕の友だちとデートしたことがある（もちろん寝ていないと思う）。とにかく我々はそんな風に育ってきたのだ。そんな友好的な関係がたった一年のあいだにがらりと変質してしまうのだ。そう考えると僕はだんだん腹立たしい気分になってきた。

駅前のデパートで靴を見るという妹をあとに残して、僕は一人でアパートの部屋に戻った。そしてガール・フレンドに電話をかけてみた。彼女はいなかった。これはまああたり前の話だ。日曜日の午後の二時に急に電話をかけて女の子をデートに誘ったってうまくいくはずがない。僕は受話器を置き、手帳のページを繰ってべつの女の子の家のダイヤルをまわしてみた。どこかのディスコで知りあった女子大生だ。彼女は家にいた。「飲みにいかないか」と僕は誘った。

「まだ午後の二時よ」と彼女は面倒臭そうに言った。

「時間なんて問題じゃない。飲んでるうちに日も暮れるさ」と僕は言った。「実は夕陽を見るのにうってつけの良いバーがあるんだ。午後の三時には行ってないと良い席がとれない」

「気障な人ね」と彼女は言った。

それでも彼女は出てきてくれた。きっと親切な性格なのだろう。僕は車を運転して海岸沿いに横浜の少し先まで行き、約束どおり海辺のバーに入った。僕はそこでI・W・ハーパーのオン・ザ・ロックを四杯飲み、彼女はバナナ・ダイキリ——バナナ・ダイキリ！——を二杯飲んだ。そして夕陽を眺めた。

「そんなにお酒飲んで車を運転できるの？」とその子が心配そうに訊いた。

「心配ない」と僕は言った。「僕はアルコールに関してはアンダー・パーなんだ」

「アンダー・パー？」

「四杯飲んだくらいでちょうど普通になるんだよ。だから何の心配もない。大丈夫」

「やれやれ」と彼女は言った。

それから我々は横浜に戻って食事をし、車の中でキスをした。僕は彼女をホテルに行こうと誘ったが、彼女は駄目だと言った。

「だってタンポンが入ってるのよ」

「取ればいい」

「冗談じゃないわ。まだ二日めよ」

やれやれ、と僕は思った。まったくなんという一日だ。こんなことならはじめからガール・フレンドとデートしていればよかったのだ。久しぶりに妹とゆっくり一日を過ごそうと思ったから、僕はこの日曜日に何の約束も入れずにおいたのだ。それがこのザマだ。

「ごめんね。でも嘘じゃないのよ」とその女の子は言った。

「かまわないよ。気にしなくていい。君のせいじゃない。僕のせいだ」

「私の生理があなたのせいなの？」とよくわからないという顔つきでその女の子は言った。

「違うよ。めぐりあわせってことさ」と僕は言った。あたり前じゃないか。どうして僕のせいでどこかのよく知らない女の子が生理にならなくちゃいけないんだ？

僕は彼女を世田谷の家まで車で送った。途中でクラッチがかたかたという小さくはあるが耳ざわりな音を立てた。このぶんじゃそろそろ修理工場に持っていかなくちゃなと僕は溜め息をついた。ひとつ何かがうまくいかないと、何もかもが連鎖的に悪い方向に流れていくという典型的な一日だった。

「また近いうちに誘っていいかな?」と僕は訊いた。

「デートに? それともホテルに?」

「両方」と僕は明るく言った。「そういうのは、ほら、表裏一体なんだ。歯ブラシと歯みがきみたいに」

「そうね、考えとくわ」と彼女は言った。

「そう、考えると頭が老化しなくていい」と僕は言った。

「あなたのお家はどうなの? 遊びに行けない?」

「駄目だな。妹と住んでるからね。とりきめがしてあるんだ。僕は女を入れない。妹は男を入れない」

「本当に妹さんなの?」

「本当さ。この次、住民票の写しを持ってくるよ」と僕は言った。

彼女は笑った。

その女の子が自宅の門の中に消えてしまうのを見届けてから僕は車のエンジンを入れ、クラッチの音に耳をすませながらアパートに戻った。

アパートの部屋はまっ暗だった。僕は鍵を開けて電灯をつけ、妹の名前を呼んだ。しかし彼女はどこにもいなかった。まったく夜の十時にどこに行っちまったんだ、と僕は思った。それからしばらく夕刊を探したが、夕刊はみつからなかった。日曜日なのだ。

僕は冷蔵庫からビールを出してグラスと一緒に居間に運び、ステレオ・セットのスイッチを入れて、ターン・テーブルにハービー・ハンコックの新しいレコードを載せた。そしてビールを飲みながらスピーカーから音が出てくるのを待った。しかしいつまで待っても音は出てこなかった。そのときになってやっと僕はステレオ・セットが三日前から故障していたことを思い出した。電源は入るのだが、音が出ないのだ。

同様にTVを観ることもできなかった。僕の持っているのはモニター用のTV受信機で、ステレオ・セットをとおさないことには音が出てこない仕組みになっているのだ。

仕方がないので僕は無音のTVの画面をにらみながら、ビールを飲むことにした。TVでは古い戦争映画をやっていた。ロンメルの戦車隊が出てくるアフリカ戦線ものだ。戦車砲が無音の砲弾を撃ち、自動小銃が沈黙の弾音をばらまき、人々は無言で死んでいった。

やれやれ、と僕はその日十六回めの――たぶんそれくらいになっているはずだ――溜め息をついた。

*

妹と二人で暮すようになったのは五年前の春のことだった。そのとき僕は二十二で妹は十八だった。つまり僕が大学を出て就職し、彼女が高校を出て大学に入った年だ。両親は僕と一緒に住むならという条件で妹が東京の大学に出ることを許したのだ。それでかまわないと妹は言った。いいよ、と僕も言った。両親は我々のために個室がふたつある広いアパートを借りてくれた。家賃の半分は僕が負担することにした。

前にも言ったように僕と妹は仲が良かったし、二人で暮すことに殆んど苦痛を感じなかった。僕は電機メーカーの広告部に勤めていたせいで、比較的朝は遅く出勤し、夜は遅く帰ってきた。妹は朝早く大学にでかけ、だいたい夕方には帰ってきた。だから僕が目を覚ましたときには彼女はもういないし、帰ってきたときにはもう眠っているということが多かった。おまけに殆んどの土曜日と日曜日を僕は女の子とのデートに費したので、彼女とまともに口をきくのは週に一回か二回という有様だった。しかし結局はそれが良かったのだろうと思う。我々はそのおかげで喧嘩ひとつする暇もなかったしお互いのプライバシーには口をはさまなかった。

彼女にもたぶんいろいろなことがあったのだろうとは思うけれど、僕はそれには一切口を出さなかった。十八を越えた女の子が誰と寝ようが、そんなのは僕の知ったことではないのだ。

でも一度だけ夜中の一時から三時まで彼女の手を握ってやっていたことがある。僕が仕事から帰ってくると台所のテーブルで彼女が泣いていたのだ。台所のテーブルで泣いているというのはたぶん僕に何かをしてほしいということなのだろうと推察した。だって放っておいてほしければ、自分の部屋のベッドで泣いていればいいのだ。僕はたしかに偏狭で身勝手な人間かもしれないけれど、それくらいのことはわかる。だから僕はとなりに座って妹の手をじっと握っていてやった。妹の手を握るなんて小学生のときにトンボとりに行ったとき以来だ。妹の手は僕が覚えているより――まああたり前のことだけど――ずっと大きくてしっかりとしていた。

結局彼女はそのままの姿勢で何も言わずに二時間泣いていた。よくそれだけ涙が体内にストックしてあるものだと感心した。僕なんか二分も泣けば体がからからに乾いてしまう。

しかし三時になると僕もさすがに疲れてきたのでそろそろ切りあげることにした。このあたりで兄として、何かを言わなければならない。そういうのは苦手だけれど、まあ仕方ない。

「僕はお前の生活に一切干渉したくない」と僕は言った。「お前の人生なんだから好きに生きればいい」

妹は肯いた。

「でも一言だけ忠告したいんだけど、バッグの中にコンドームを入れるのだけはよした方がいいよ。売春婦とまちがえられるから」

それを聞くと彼女はテーブルの上の電話帳を手にとって、僕に思いきり投げつけた。

「どうして人のバッグなんかのぞくのよ！」と彼女はどなった。彼女は腹を立てるとすぐに何かを投げつけるのだ。だから僕はそれ以上刺激しないために、彼女のバッグの中なんて一度ものぞいたことはないということは言わずにおいた。

しかしいずれにせよそれで彼女は泣くのをやめたし、僕は自分のベッドにもぐりこむことができた。

妹が大学を出て旅行代理店に勤めるようになってからも、我々のそんな生活パターンはまったく変わらなかった。彼女の会社は九時から五時までのきちんとした労働だったし、僕の方の生活はますますルーズになっていった。昼前に出社し、デスクで新聞を読み、昼食を食べ、午後の二時頃から本格的に仕事を始め、広告代理店と夕方から打ちあわせをし、酒を飲んで真夜中すぎに帰宅するという毎日だった。

旅行代理店に勤めた最初の年の夏休みに、彼女は女友だちと二人でアメリカの西海岸にでかけ（もちろん割引料金）、そのツアーグループで一緒になったひとつ年上のコンピューター・エンジニアと親しくなった。そして日本に帰ってきてからもよく彼とデートをするようになった。まあよくある話だが、僕はそういうのが根っから苦手だった。だいたいパッケージ・ツアーというのが大嫌いだし、そんなところで誰かと知りあいになるなんて考えただけでうんざりする。

しかしそのコンピューター・エンジニアとつきあいはじめてから、妹は以前よりずっと明るくなったようだった。きちんと家事をするようにもなったし、服にも神経を使うようになった。それまで彼女はワークシャツと色の落ちたブルージーンとスニーカーという格好でどこにでもでかけてしまうようなタイプだったのだ。服装に凝りはじめたおかげで下駄箱は彼女の靴でいっぱいになり、家の中はクリーニング屋の針金のハンガーであふれた。彼女はよく洗濯をし、よくアイロンをかけ（それまでは風呂場にアマゾンの蟻塚みたいな格好に汚れたものが積みあげてあったものだった）、よく料理を作り、よく掃除をするようになった。僕にもいささかの覚えがあるけれど、そういうのは危険な徴候だった。女の子がそういう徴候を見せはじめたら、男は一目散に逃げるかあるいは結婚するしかない。

それから妹は僕にそのコンピューター・エンジニアの写真を見せてくれた。妹が僕に男の写真を見せるなんてはじめてのことだ。これもまた危険な徴候だった。

写真は二枚あって、一枚はサン・フランシスコのフィッシャーマンズ・ウォーフで撮ったものだった。

カジキマグロの前に妹とそのコンピューター・エンジニアが並んでにっこりと笑っていた。

「立派なカジキだ」と僕は言った。

「冗談言わないでよ」と妹は言った。「私本気なのよ」

「なんて言えばいいんだ？」

「何も言わなくていいわよ。その人なの」

僕はもう一度その写真を手にとって、男の顔を見た。世の中に一目で嫌になるというタイプの顔があるとすれば、それがその顔だった。おまけにそのコンピューター技師は僕が高校時代にいちばん嫌っていたクラブの先輩に雰囲気がそっくりだった。顔立ちは悪くないが、頭がからっぽで、押しつけがましい男だった。おまけに象みたいに記憶力が良くて、つまらないことをいつまでもいつまでも覚えている。頭が悪いぶんを記憶力で補っているのだ。

「何回くらいやったんだ？」と僕は訊いた。

「馬鹿言わないで」とそれでも赤くなりながら妹は言った。「自分の尺度で世の中を測るのはやめてよ。世間の人がみんなあなたみたいな人間ってわけじゃないんだから」

二枚めの写真は日本に帰ってきてからのものだった。今度のはコンピューター技師が一人で写っていた。彼は皮のつなぎを着て大型のバイクにもたれていた。シートの上にはヘルメットが載っていた。そしてサン・フランシスコのときとまったく同じ顔をしていた。他に手持ちの表情がないのだろう。

「バイクが好きなのよ」と妹は言った。

「見りゃわかる」と僕は言った。「バイクが好きじゃない人間は好きこのんで皮のつなぎなんて着ない」

僕は――これももちろん偏狭な性格のなせる業ということになるだろうが――だいたいにおいてバイク・マニアが好きになれない。格好が大げさすぎるし、能書きが多すぎる。しかしそれについては僕は何も言わないことにした。

　僕は黙って写真を妹に返した。

「さて」と僕は言った。

「さてって何よ?」と妹は言った。

「さて、どうなるんだろう、ということだよ」

「わかんないわ。でも結婚するかもしれないわね」

「結婚を申しこまれたっていうこと?」

「まあね」と彼女は言った。「まだ返事はしてないけど」

「ふうん」と僕は言った。

「本当のことを言えば、私だってまだ勤めはじめたばかりだし、もう少し一人でのんびりと遊びたいのよ。あなたほどラディカルじゃないにせよね」

「まあ健全な考え方と言うべきだろうな」と僕は認めた。

「でも彼は良い人だし、結婚してもいいと思うし」と妹は言った。「考えどころね」

　僕はテーブルの上の写真をもう一度手にとって眺めた。そして「やれやれ」と思った。

　それがクリスマスの前のことだった。

　年が明けてしばらくした頃、母親が朝の九時に電話をかけてよこした。僕はブルース・スプリングスティーンの「ボーン・イン・ザ・U・S・A」を聴きながら歯を磨いているところだった。

母親は僕に妹がつきあっている男のことを知っているかと訊いた。

　知らない、と僕は言った。

母親の話によると妹から二週間後の週末にその男と二人で家に帰りたいという手紙が来たということだ

った。

「結婚したいんじゃないかな」と僕は言った。

「だからどんな人かって聞いてるんでしょう」と母親は言った。「顔をあわせる前にいろいろと知っておきたいのよ」

「さあね、会ったことがないからね。でもひとつ年上でコンピューターのエンジニアだよ。IBMだかなんだか、そんなところに勤めてる。アルファベットが三つだよ。NECだとかNTTだとかさ。写真で見るかぎり顔はどうってことない顔だよ。僕の趣味じゃないけど、僕が結婚するわけじゃないからね」

「どこの大学を出て、どんなお宅なの?」

「知るわけないじゃないか、そんなこと」と僕はどなった。

「一度会って、いろいろと訊いてみてくれない?」と母親は言った。

「嫌だね。僕は忙しいんだよ。二週間後に自分で訊きゃいいじゃないか」

でも結局、僕はそのコンピューター技師に会うことになった。次の日曜日に妹が彼の家に正式にあいさつに行くのについてきてほしいと言ったのだ。それで仕方なく僕は白いシャツにネクタイをしめ、いちばん地味な背広を着て、目黒にある彼の実家に行った。古い住宅街のまん中にあるなかなか立派な家だった。ガレージの前にはいつか写真で見たホンダの500ccがとめてあった。

「なかなか立派なカジキマグロだ」と僕は言った。

「ねえ、お願いだから、そのあなたの下らない冗談はなしよ。今日いちにちでいいから」と妹が言った。

「わかった」と僕は言った。

彼の両親はなかなかきちんとした――いささかきちんとしすぎているきらいはあるにせよ――立派な人々だった。父親は石油会社の重役だった。僕の父親は静岡でガソリン・スタンドのチェーンを持っていたので、そういう面ではかけはなれた縁組というわけではなかった。母親が上品な盆に紅茶のカップを載せて持ってきてくれた。

僕はきちんとしたあいさつをし、名刺をわたした。彼の方も僕に名刺をくれた。本来なら私どもの両親が参るところなのですが、本日は所用で手がはなせず、私が代理で参りました。また日を改めまして、正式に御あいさつに伺わせて頂きたく存じます、と僕は言った。

いろいろ息子から話は聞いておりますし、今お目にかかったところ息子にはもったいないくらいの綺麗なお嬢さんであるし、お家もしっかりとしておられるようだし、このお話には当方としても異存はありません、と父親は言った。きっといろいろと調べあげたんだろう、と僕は想像した。でも十六まで初潮がなくて、慢性的便秘に悩んでいることまでは知るまい。

一応の正式な話が大過なく終わると、父親は僕にブランディーを注いでくれた。なかなか美味いブランディーだった。我々はそれを飲みながらそれぞれの仕事の話をした。妹がスリッパの先で僕の足を蹴って、あまり飲みすぎるなと注意した。

そのあいだ息子であるコンピューター技師は何も言わずに緊張した面持ちで父親のそばにじっと座っていた。彼が少くともこの家の屋根の下では父親の権力の支配下にあることは一目でわかった。まったくねえ、と僕は思った。彼はそれまで僕が見たこともないような奇妙な柄のセーターを着て、その下に色のあわないシャツを着ていた。いったいなんだってもう少しまともな気のきいた男をみつけてこなかったんだ?

話が一段落し、四時になったので、我々は腰を上げた。コンピューター技師が僕たち二人を駅まで送ってくれた。

「どこかで一緒にお茶でも飲みませんか?」と彼が僕と妹を誘った。僕はお茶なんて飲みたくなかったし、そんな変な柄のセーターを着た男と同席なんてしたくなかったけれど、断ると具合が悪そうだったので三人で近くの喫茶店に入ることに同意した。

彼と妹はコーヒーを注文し、僕はビールを注文したが、ビールはなかった。それで仕方なくコーヒーを飲んだ。

「どうも今日はありがとうございました。とても助かりました」と彼は僕に礼を言った。

「いや、べつに当然のことだから」と僕はおとなしく言った。もう冗談を言う気力も残っていなかったのだ。

「いつも彼女からお兄さんのお話はうかがっています」と彼は言った。

お兄さん？

僕はコーヒー・スプーンの柄で耳たぶをかいて、それを皿に戻した。妹はまた僕の足を蹴とばしたが、コンピューター技師の方はその動作の意味にまるで気づいていないようだった。たぶん二進法の冗談というのはまだ開発されていないのだろう。

「とても仲が良さそうで僕にはうらやましいですよ」と彼は言った。

「嬉しいことがあるとお互いの足を蹴りあうんだ」と僕は言った。

コンピューター技師はよくわからない顔をした。

「冗談のつもりなのよ」と妹がうんざりしたように言った。「そういうのが好きな人なの」

「冗談だよ」と僕も言った。「家事を分担してるんだ。彼女が洗濯して、僕が冗談を言う」

コンピューター技師は——渡辺昇というのが正確な名前だ——それを聞いて少し安心したように笑った。

「明るくていいじゃないですか。僕もそういう家庭が持ちたいな。明るいのがいちばんです」

「ほらね」と僕は妹に言った。「明るいのがいちばんだ。君が神経質すぎるんだ」

「面白い冗談ならね」と妹は言った。

「できれば秋には結婚したいと思うんです」と渡辺昇は言った。

「結婚式はやはり秋がいいな」と僕は言った。「まだリスも熊も呼べるし」

コンピューター技師の方は笑って、妹の方は笑わなかった。彼女は本気で怒りはじめているようだった。

それで僕は用事があるからと言って先に席を立った。

アパートに戻ると僕は母親に電話をかけて、おおまかな状況を説明した。

「そんなに悪くない男だよ」と僕は耳をかきながら言った。

「そんなに悪くないってどういうことよ?」と母親が言った。

「まともってことだよ。少くとも僕よりまともみたいだ」

「あんただってべつにまともじゃない」と母親は言った。

「嬉しいね。ありがとう」と僕は天井を見ながら言った。

「それで大学はどこだったの?」

「大学?」

「どこの大学を出たの、その人?」

「そんなこと本人に訊けよ」と僕は言って電話を切った。そして冷蔵庫からビールを出してうんざりとした気分で一人で飲んだ。

＊

スパゲティーのことで妹と喧嘩をした翌日、僕は午前八時半に目を覚ました。前日と同じように雲ひとつない上天気だった。まるで昨日のつづきみたいだな、と僕は思った。夜のあいだ一時《ハーフタイム》中断していた人生のつづきがまた始まったのだ。

僕は汗で湿ったパジャマと下着を洗濯もののかごに放りこみ、シャワーを浴びて髭を剃った。そして髭を剃りながら、もう一歩のところでものにすることのできなかった昨夜の女の子のことを考えた。まあいいや、と僕は思った。あれは不可抗力なんだし、僕としてはベストを尽したのだ。まだチャンスは十分にある。たぶん次の日曜日にはうまくいくだろう。

台所で僕はトーストを二枚焼いて、コーヒーをあたためた。それからFM放送を聴こうとしたがステレオ・セットが故障していることを思い出してあきらめ、新聞の読書欄を読みながらパンをかじった。読書欄には僕が読みたくなるような種類の本は一冊も紹介されていなかった。そこにあるのは「年老いたユダヤ人の空想と現実の交錯する性生活」についての小説とか、分裂症治療についての歴史的考察とか、足尾鉱毒事件の全貌とか、そういうものばかりだった。そんな本を読むくらいならまだ女子ソフトボール部の主将とでも寝ていた方がずっと楽しい。新聞社はきっと我々にいやがらせをするためにこういう本を選んでいるのだろう。

かりかりに焼いたパンを一枚食べて新聞をテーブルの上に戻したところで、ジャムの瓶の下にメモ用紙がはさんであるのに気づいた。それには妹のいつもの小さな字で、今度の日曜日の夕食に渡辺昇を呼んでいるので、僕もちゃんと家にいて食事を一緒にするように、と書いてあった。

僕は朝食を済ませ、シャツの上に落ちたパン屑を払って、食器を流しの中に入れてから、妹の勤めている旅行代理店に電話をかけた。妹が出て「今忙しくて手がはなせないので十分後にこちらからかけなおす」と言った。

電話は二十分後にかかってきた。その二十分のあいだに僕は四十三回腕立て伏せをし、手と足の合計二十個の爪を切り、シャツとネクタイと上着とズボンを選んだ。そして歯を磨き、髪にくしを入れ、二回あくびをした。

「メモ読んでくれた?」と妹は言った。

「読んだよ」と僕は言った。「でも悪いけど今度の日曜は前まえからの約束があって駄目なんだ。もう少し早くわかってればあけておいたんだけどさ。まったく残念だ」

「しらじらしいこと言わないでよ。どうせ名前もロクに覚えてない女の子とどこかに行って何かをするような約束なんでしょ?」と冷やかな声で妹は言った。

「それを土曜日にまわすことはできないの?」

「土曜日は一日スタジオに入ってなきゃいけないんだ。電気毛布のCFを作らなきゃならない。このところ結構忙しくてね」

「じゃあそのデートをキャンセルしてよ」

「キャンセル料をとられる」と僕は言った。「今わりに微妙な段階なんだよ」

「私の方はそれほど微妙じゃないのね?」

「そういうわけでもないけどさ」と僕は椅子にかけたシャツにネクタイをあわせながら言った。「ただお互いの生活には立ち入らないってのがルールじゃないか? 君は君の婚約者とメシを食う——僕は僕のガール・フレンドとデートする。それでいいだろう」

「よくないわよ。あなたずっと彼に会ってないでしょ? これまでに一度しか会ってないし、それも四ヵ月前のことよ。そんなのってないわよ。何度か会う機会はあったのに、あなたずっと逃げまわってたじゃない。すごく失礼だと思わない? あなたの妹の婚約者なのよ。一度くらい一緒に食事したっていいでしょ」

妹の言うことにも一理あったので、何も言わずに黙っていた。たしかに僕はごく自然に渡辺昇と同席する機会を避ける方向に向っていたのだ。どう考えても渡辺昇と僕のあいだにそれほど多くの共通する話題があるとは思えなかったし、同時通訳つきの冗談を言うのも結構疲れるものなのだ。

「お願い、一日でいいからつきあってよ。そうしてくれれば夏が終わるまであなたの性生活の邪魔はしないから」と妹は言った。

「僕の性生活なんてすごくささやかなものだよ」と僕は言った。「夏を越せないかもしれないくらいさ」

「とにかく今度の日曜日は家にいてくれるわね？」

「仕方ないな」と僕はあきらめて言った。

「彼がたぶんステレオ・セットの修理をしてくれると思うわ。あの人、そういうのがとても得意だから」

「手先が器用なんだ」

「変なこと考えないでよ」と妹は言って電話を切った。

僕はネクタイをしめて会社に行った。

その週はずっと晴れていた。毎日が毎日のつづきみたいだった。水曜日の夜に僕はガール・フレンドに電話をかけて、仕事が忙しくて今度の週末も会えそうにないと言った。僕はもう三週間もそのガール・フレンドに会っていなかったから、当然、彼女は不機嫌だった。それから僕は受話器を戻さずに日曜日にデートした女子大生の家のダイヤルをまわしたが、彼女はいなかった。木曜日にも金曜日にも彼女はいなかった。

日曜の朝、僕は八時に妹にたたき起こされた。

「シーツを洗うんだから、いつまでも寝てないでよ」と彼女は言った。そしてベッドのシーツと枕カバーをむしりとり、パジャマを脱がせた。僕は行き場所がないので、シャワーに入り、髭を剃った。あいつもだんだんお袋に似てくるな、と僕は思った。女というのはまるで鮭みたいだ。なんのかのと言ったって、みんな必ず同じ場所に戻りつくのだ。

シャワーを出ると僕はショート・パンツをはいて色褪せて字が殆んど消えてしまったTシャツをかぶり、長い長いあくびをしながらオレンジ・ジュースを飲んだ。体の中にまだいくぶん昨夜のアルコールが残っていた。新聞を広げる気にもなれない。テーブルの上にソーダ・クラッカーの箱があったので、それを三枚か四枚かじって朝食のかわりにした。

妹はシーツを洗濯機に放りこんで洗い、そのあいだに僕の部屋と自分の部屋のかたづけをした。そしてそれが終わると洗剤を使って居間と台所の床と壁を雑巾で拭きはじめた。僕はずっと居間のソファーに寝転んで、アメリカにいる友だちが送ってくれた無修整の「ハスラー」のヌード写真を見ていた。ひとくちに女性性器といっても、実にいろんな大きさとかたちがある。背の高さや知能指数なんかと同じだ。

「ねえ、そんなところでごろごろしてないで買物行ってきてよ」と妹が言って、僕にぎっしりと書きこまれたメモ用紙をわたした。「それからそんな本は目につかないところにしまっといてね。きちんとした人なんだから」

僕は「ハスラー」をテーブルの上に置いて、メモ用紙をにらんだ。レタス、トマト、セロリ、フレンチ・ドレッシング、スモーク・サーモン、マスタード、玉葱、スープ・ストック、じゃが芋、パセリ、ステーキ肉三枚……。

「ステーキ肉？」と僕は言った。「僕は昨日ステーキ食ったばかりだぜ。ステーキなんて嫌だよ。コロッケの方がいい」

「あなたは昨日ステーキを食べたかもしれないけど。私たちは食べてないのよ。勝手なこと言わないでよ。だいたいお客をわざわざ夕食に呼んでおいてコロッケ出すわけにいかないでしょ？」

「僕は女の子の家に呼ばれてあげたてのコロッケが出てきたら感動するけどね。細切りの白いキャベツが山盛りついてさ、しじみの味噌汁があって……生活というのはそういうものだよ」

「でも今日はとにかくステーキって決めたのよ。コロッケくらいまた今度死ぬほど食べさせてあげるから、今日はわがままを言わずに我慢してステーキを食べて。お願い」

「いいですよ」と僕はあたたかく言った。いろいろと文句は言うけれど、最終的には僕はものわかりの良い親切な人間なのだ。

近所のスーパーマーケットに行ってメモにあるすべての買物をすませ、酒屋に寄って四五〇〇円のシャブリを買った。シャブリは僕から婚約した若い二人へのプレゼントのつもりだった。そういうことって、親切な人間にしか思いつけない。

家に帰ってくると、ベッドの上にラルフ・ローレンのブルーのポロシャツとしみひとつないベージュの綿のズボンが畳んで置いてあった。

「それに着がえて」と妹が言った。

やれやれ、と僕は思ったが、文句は言わずに着がえをした。何を言ったところで僕のいつものあたたかい汚れにみちた平和な休日が盆に載って戻ってくるわけではないのだ。

＊

渡辺昇は三時にやってきた。もちろんバイクにまたがって、そよ風とともにやってきたのだ。彼のホンダ500ccのポクポクという不吉な排気音は五〇〇メートルくらい先からはっきりわかった。ベランダから頭を出して下を見ると、彼がアパートの玄関のわきにバイクをとめて、ヘルメットを脱ぐのが見えた。ありがたいことにSTPのステッカーのついたヘルメットをのぞけば彼は今日はまあごく普通の人間に近い服装をしていた。糊のききすぎたチェックのボタンダウン・シャツに、たっぷりとした白いズボンに、房飾りのついた茶色のローファー・シューズという格好だった。靴とベルトの色があっていないだけだ。

「フィッシャーマンズ・ウォーフの知りあいが来たみたいだよ」と僕はキッチンの流し台でじゃが芋の皮をむいている妹に言った。

「じゃあ、しばらくあなたが相手しててくれる？　私は夕食の下ごしらえしちゃうから」と妹は言った。

「あまり気が進まないな。何を話していいかわからないもの。僕が食事の仕度してやるから、二人で話してろよ」

「馬鹿言わないでよ。そんなことしたら格好がつかないでしょ。あなたが話すのよ」

ベルが鳴って、入口を開けると、そこに渡辺昇が立っていた。僕は彼を居間に上げ、ソファーに座らせた。彼は手みやげにサーティーワン・アイスクリームの詰めあわせを持ってきたが、うちの冷凍庫は狭いうえに冷凍食品がぎっしりと入っていたので、それを詰めこむのにひどく苦労をした。まったく世話のやける男だ。なんだって選りに選ってアイスクリームなんて持ってくるんだ。

それから僕は彼にビールを飲まないかと勧めた。飲まない、と彼は答えた。

「体質的にお酒が駄目なんです」と彼は言った。「なにしろグラスいっぱいビールを飲んだだけで気持ち悪くなっちゃうくらいですから」

「僕は学生時代友だちと賭けをして金だらいいっぱいビールを飲んだことあるけど」と僕は言った。

「それでどうなったんですか？」と渡辺昇が訊いた。

「丸二日、小便がビール臭かったな」と僕は言った。「おまけにげっぷが……」

「ねえ、今のうちにステレオ・セットの具合見てもらったら？」と妹が不吉な煙をかぎつけるようにやってきて、オレンジ・ジュースのグラスをふたつテーブルの上に置きながら口をはさんだ。

「いいですよ」と彼は言った。

「手先が器用なんだって？」僕は訊いた。

「そうなんです」と彼は悪びれずに答えた。「昔からプラモデルやラジオを組み立てるのが好きだったんです。家じゅうの壊れたものを修理してまわってました。ステレオのどこが悪いんですか？」

「音が出ないんだ」と僕は言った。そしてアンプのスイッチを入れてレコードをかけ、音が出ないことを示した。

彼はマングースみたいな格好でステレオ・セットの前に座りこんで、ひとつひとつのスイッチをためした。

「アンプ系統ですね。それも内部的なトラブルじゃない」

「どうしてわかるの？」

「帰納法です」と彼は言った。

帰納法と僕は思った。

それから彼は小型のプリ・アンプとパワー・アンプをひっぱりだして結線を全部はずし、ひとつひとつ丁寧に調べていた。そのあいだ僕は冷蔵庫からバドワイザーの缶を出して一人で飲んでいた。

「お酒が飲めるのってやはり楽しいんでしょうね」と彼はシャープ・ペンシルの先でプラグをつつきながら言った。

「どうだろうな」僕は言った。「昔からずっと飲んでるからなんとも言えないよね。比べようがないから」

「僕も少しは練習してるんです」

「酒を飲む練習を？」

「ええ、そうです」と渡辺昇は言った。

「変ですか？」

「変じゃないよ。まず白ワインで始めるといいな。大きなグラスに白ワインと氷を入れて、それをペリエで割ってレモンをしぼって飲むんだ。僕はジュースがわりに飲んでるけどさ」

「ためしてみます」と彼は言った。「ああ、うん、やっぱりこれだ」

「何が？」

「プリとパワーのあいだのコネクティング・コードです。右も左もピンプラグが根もとから抜けちゃってますね。このプラグは構造的に上下の揺さぶりに弱いんです。しかしちゃちに作ってあるなあ、このアンプ最近むりに動かしませんでした？」

「そういえばそのうしろを掃除するときに動かしたわ」と妹が言った。

「それだな」と彼は言った。

「それあなたの会社の製品でしょ？」と妹が僕に言った。「そんな弱いプラグつけとくのが悪いのよ」

「僕が作ったわけじゃない。僕は広告を作ってるだけさ」と僕は小さな声で言った。

「はんだごてがあればすぐになおりますよ」と渡辺昇が言った。「ありますか？」

ない、と僕は言った。そんなものがあるわけないのだ。

「じゃあバイクでひとっ走りして買ってきます。はんだごてってひとつあると便利ですから」

「そうだろうね」と僕は力なく言った。「でも金物屋はどこにあったっけな」

「わかります。さっき前を通ってきましたから」と渡辺昇は言った。

僕はまたベランダから顔を出して渡辺昇がヘルメットをかぶり、バイクにまたがって去って行くのを眺めていた。

「良い人でしょ？」と妹は言った。

「心がなごむよ」と僕は言った。

＊

　ピンプラグの修理が無事終了したのが五時前だった。彼が軽いボーカルを聴きたいというので、妹はフリオ・イグレシアスのレコードをかけた。フリオ・イグレシアス！　と僕は思った。やれやれ、どうしてそんなモグラの糞みたいなものがうちにあるんだ？

「お兄さんはどういう音楽が好きなんですか？」と渡辺昇が訊いた。

「こういうの大好きだよ」と僕はやけで言った。「他にはブルース・スプリングスティーンとかジェフ・ベックとかドアーズとかさ」

「どれも聴いたことないな」と彼は言った。「やはりこういう感じの音楽なんですか？」

「だいたい似てるね」と僕は言った。

　それから彼は今彼の属しているプロジェクト・チームが開発中の新しいコンピューター・システムの話をした。鉄道事故が起こったときに最も効果的に折りかえし運転をするためのダイアグラムを瞬時に計算するシステムで、話を聞いているとたしかに便利そうではあったが、その原理は僕にとってはフィンランド語の動詞変化と同じくらいよくわからなかった。彼が熱心に話しているあいだ、僕は適当に肯きながらずっと女のことを考えていた。今度の休日は誰とどこで酒を飲んで、どこで食事をして、どこのホテルに入るといったようなことだ。僕はきっと生まれつきそういうのが好きなのだ。プラモデルを作ったり、電車のダイアグラムを作るのが好きな人間が一方にいるように、僕はいろんな女の子と酒を飲んで、彼女たちと寝るのが好きなのだ。そういうのはきっと人知を超えた宿命のようなものなのだろう。

　僕が四本目のビールを飲み終えた頃に夕食の仕度ができた。スモーク・サーモンとヴィシ・ソワーズとステーキとサラダとフライド・ポテトというメニューだった。いつものように妹の作る料理は悪くなかった。僕はシャブリを開けて、一人で飲んだ。

「お兄さんはどうして電機メーカーに就職したんですか？　お話をうかがってると、電気のことがあまり好きじゃないようだけど」と渡辺昇がテンダーロイン・ステーキをナイフで切りながら訊ねた。

「この人はたいていの有益で社会的なものごとはあまり好きじゃないのよ」と妹が言った。「だから仕事先なんてどこでもよかったの。たまたまそこにコネがあったんで入っただけ」

「そのとおり」と僕は力強く同意した。

「遊ぶことしか頭の中にはないのよ。何かを真面目につきつめるとか、向上するなんて考えはゼロなの」

「夏の日のキリギリス」と僕は言った。

「そして真面目に生きている人をはすに見て楽しんでるのよ」

「それは違うね」と僕は言った。「他人のことと僕のことは別問題だ。僕は自分の考えに従って定められた熱量を消費しているだけのことさ。他人のことは僕とは関係ない。はすにも見ていない。たしかに僕は下らない人間かもしれないけど、少くとも他人の邪魔をしたりしない」

「下らなくなんかないですよ」と渡辺昇がほとんど反射的に言った。きっと家庭のしつけがいいのだ。

「ありがとう」と言って、僕はワイン・グラスをあげた。「それから婚約おめでとう。一人で飲んじゃってて悪いけど」

「式は十月にあげるつもりなんです」と渡辺昇は言った。「リスも熊も呼べませんけど」

「そのことなら気にしなくていいよ」と僕は言った。やれやれ、この男は冗談を言っているのだ。「それで、新婚旅行はどこに行くの？　割引料金が使えるんだろう？」

「ハワイ」と妹が簡潔に言った。

それから我々は飛行機の話をした。僕はアンデス山中の飛行機遭難事件についての本を何冊か読んだばかりだったので、その話をした。

「人肉を食べるときは飛行機のジュラルミンの破片の上に肉を載せ、太陽で焙って食べるんだ」と僕は言った。

「ねえ、食事中にどうしてそんな悪趣味な話をしなくちゃいけないの?」と妹が手を止め、僕をにらんで言った。「他の女の子を口説くときにも食事中そういう話をするの?」

「お兄さんはまだ結婚するつもりはないんですか?」と渡辺昇があいだに割って入った。なんだかまるで仲の悪い夫婦が客を呼んだような具合だった。

「チャンスがなくてね」と僕はフライド・ポテトを口に入れながら言った。「幼い妹の面倒も見なくちゃならなかったし、長い戦争もあったし」

「戦争?」と渡辺昇はびっくりしたように訊きかえした。「どの戦争?」

「下らない冗談よ」と妹はドレッシングを振りながら言った。

「下らない冗談だよ」と僕も言った。「でもチャンスがなかったというのは嘘じゃない。僕は性格が偏狭なうえに靴下をあまり洗濯しなかったものだから、一緒に暮してもいいと思ってくれるような素敵な女の子と巡りあうことができなかったんだ。君とちがってね」

「靴下がどうかしたんですか?」と渡辺昇が質問した。

「それも冗談よ」と妹が疲れた声で説明した。「靴下くらい、私が毎日洗濯してるわよ」

渡辺昇は肯いて、一秒半くらい笑った。この次は三秒笑わせてやろうと僕は決心した。

「でも彼女はずっと一緒に暮してたじゃないですか?」と彼は妹の方を指さして言った。

「まあ妹だからね」と僕は言った。

「それはあなたが好き放題やっても私が一切口を出さなかったからよ」と妹が言った。「でも本当の生活というのはそういうものじゃないわ。本当の大人の生活というのはね。本当の生活というのは人と人とがもっと正直にぶつかりあうものよ。そりゃたしかにあなたとの五年間の生活はそれなりに楽しかったわ。自由で、気楽でね。でも最近になって、こういうのは本当の生活じゃないと思うようになったの。なんていうか、生活の実体というものが感じられないのね。あなたはまるで自分のことしか考えてないし、真面目な話をしようとしても茶化すばかりだし」

「内気なだけなんだ」と僕は言った。

「傲慢なのよ」と妹は言った。

「内気で傲慢なんだ」と僕はワインをグラスに注ぎながら渡辺昇に向って説明した。「内気と傲慢の折りかえし運転をしてるんだよ」

「わかるような気はします」と渡辺昇は肯きながら言った。「でも一人になったら——つまり彼女と僕が結婚しちゃったらということだけど——やはりお兄さんも誰かと結婚したいと思うようになるんじゃないですか?」

「そうかもしれない」と僕は言った。

「本当に?」と妹が僕に訊いた。「本当にそう思うんなら私の友だちに良い子がいるから紹介してあげてもいいわよ」

「そのときになったらね」と僕は言った。「今はまだ危険すぎる」

＊

食事が終わると我々は居間に移って、コーヒーを飲んだ。妹は今度はウィリー・ネルソンのレコードをかけた。ありがたいことにフリオ・イグレシアスよりはほんの少しましだった。

「僕も本当はあなたと同じように三十近くなるまでは一人でいたかったんです」と妹が台所で洗いものをしているときに渡辺昇は僕に打ちあけるように言った。

「でも彼女に会って、どうしても結婚したくなったんです」

「いい子だよ」と僕は言った。「少し強情で便秘気味だけど、選択としては間違ってないと思う」

「でも、結婚するのって、なんだか怖いですね」

「良い面だけを見て、良いことだけを考えるようにすれば、何も怖くないよ。悪いことが起きたら、その時点でまた考えればいいさ」

「そうかもしれませんね」

「他人のことだからね」と僕は言った。それから妹のところに行って、しばらく近所を散歩してくると言った。

「十時過ぎまでは帰ってこないから、二人でゆっくり楽しめばいいよ。シーツとりかえたんだろう？」

「変なところにばかり気がつく人ね」と妹はあきれたように言ったが、僕が出ていくことに対してはとくに反対はしなかった。

僕は渡辺昇のところに行って、近所に用事があるので出てくる、少し遅くなるかもしれない、と言った。

「お話しできてよかったです。とても楽しかったです」と渡辺昇は言った。「結婚してもどんどん遊びに来て下さい」

「ありがとう」と僕は想像力を一時的にシャットアウトして言った。

「車に乗っていかないでよ。今日はずいぶん飲んでるんだから」と妹が出がけに声をかけた。

「歩いていくよ」と僕は言った。

近所のバーに入ったのは八時少し前だった。僕はカウンターに座ってI・W・ハーパーのオン・ザ・ロックを飲んだ。カウンターの中のＴＶは巨人・ヤクルト戦の中継をうつしていた。もっとも音は消されて、そのかわりにシンディー・ローパーのレコードがかかっていた。無音のＴＶを観るというのもなかなか悪くないな、と思った。ピッチャーは西本と尾花で、得点は三対二でヤクルトが勝っていた。

僕はその野球中継を眺めながら、オン・ザ・ロックを三杯飲んだ。九時になると三対三の同点のまま七回裏で野球の中継が終り、ＴＶのスイッチが切られた。僕のひとつ置いてとなりの席にはときどきこの店で見かける二十歳前後の女の子が座って同じようにＴＶを見ていたので、中継が終ると僕は彼女と野球の話をした。彼女は自分は巨人のファンだけど、あなたはどこのチームが好きかと訊ねた。どこだっていい、と僕は答えた。ただ試合そのものを見ているのが好きなんだ、と。

「そういうのどこが楽しいのかしら？」と彼女は訊いた。「そんな風に野球見ても熱中できないでしょ？」

「熱中しなくてもいいんだ」と僕は言った。「どうせ他人のやってることなんだから」

それから僕はオン・ザ・ロックをもう二杯飲み、彼女にダイキリを二杯おごった。彼女は美大で商業デザインを専攻していたので、我々は広告美術の話をした。十時になると僕と彼女はそのバーを出て、もう少しゆったりとした椅子のある店に移った。僕はそこでまたウィスキーを飲み、彼女はグラス・ホッパーを飲んだ。彼女はかなり酔払っていたし、僕だってさすがに酔っていた。十一時になると僕はその女の子を送って彼女のアパートの部屋に行き、当然のことのようにセックスをした。座布団とお茶を出されるのと同じようなものだった。

「電気を消してよ」と彼女が言ったので、僕は電気を消した。窓からはニコンの大きな広告塔が見え、となりの部屋からはＴＶのプロ野球ニュースが大きな音で聞こえてきた。暗い上にかなり酔っていたものだから、いったい何をやっているのか自分でもよくわからないくらいだった。そんなものはセックスとも呼べない。ただペニスを動かして、精液を放出するだけのことだ。

適度に簡略化されたひとどおりの行為が終了すると、彼女は待ちかねていたようにすぐに眠りこんでしまったので、僕はろくに精液も拭きとらずに服を着こんで部屋を出た。暗闇の中で女の服とまぜこぜになった僕のポロシャツとズボンとパンツを探しあてるのは一苦労だった。外に出ると酔いが真夜中の貨物列車みたいに急激に僕の体の中を通り抜けていった。まったくひどい気分だった。「オズの魔法使い」のブリキ男のように体がきしんだ。酔いざましに自動販売機のジュースを一本飲んだが、それを飲み終えるのと殆んど同時に僕は胃の中のものを全部路上に吐いた。ステーキやスモーク・サーモンやレタスやトマトの残骸だ。

やれやれ、と僕は思った。酒を飲んで吐くなんていったい何年ぶりだろう？　俺はいったい最近何をやっているんだろう？　同じことをくりかえしているのに、くりかえすたびに悪くなっていくみたいじゃないか。

それから僕は脈絡もなく、渡辺昇と彼の買ってきたはんだごてのことを考えた。

「はんだごてってひとつあると便利ですから」と渡辺昇は言った。

健全な考えだよ、と僕はハンカチで口を拭きながら思った。君のおかげで今や我が家にもひとつはんだごてができた。しかしそのはんだごてのせいで、そこはもう僕のすまいではないようにさえ感じられる。

たぶんそれは僕の性格が偏狭なせいだろう。

＊

アパートに戻ったのは真夜中すぎだった。もちろん玄関のわきにはオートバイの姿はなかった。僕はエレベーターで四階まで上り、鍵をあけて部屋に入った。台所の流しの上の小さな蛍光灯がひとつついているだけで、あとはまっ暗だった。妹はたぶん愛想をつかして先に寝てしまったのだろう。その気持ちはわかる。

　グラスにオレンジ・ジュースを注いで一息で飲み干し、それからシャワーに入って石鹸で嫌な匂いのする汗を洗い流し、丁寧に歯を磨いた。シャワーを出て洗面所の鏡を見ると、自分でもぞっとするくらいひどい顔をしていた。ときどき終電車のシートで見かける酔払った汚い中年男の顔だ。肌が荒れ、目が落ちくぼみ、髪には潤いがない。

　僕は首を振って洗面所の電気を消し、バスタオルを一枚腰に巻きつけただけの格好で台所に戻り、水道の水を飲んだ。明日になればなんとかなるさ、と僕は思った。駄目ならまた明日考える。オブラディ、オブラダ、人生は流れる。

「ずいぶん遅かったのね」とうす暗闇の中から妹が声をかけた。彼女は居間のソファーに座って一人でビールを飲んでいた。

「飲んでたんだ」

「あなた、飲みすぎよ」

「知ってる」と僕は言った。そして冷蔵庫からビールの缶を出して、それを手に妹の向いに座った。

　我々はしばらく何も言わずに、ときおりビールの缶を傾けていた。風がベランダの鉢植えの葉を揺らせ、その向うにはぼんやりとした半円形の月が見えた。

「言っとくけど、やらなかったわよ」と妹は言った。

「何を?」

「何もよ。気になってできなかったの」

「へえ」と僕は言った。僕は半月の夜にはなぜか無口になるのだ。

「何が気になるのかって訊かないの?」と妹が言った。

「何が気になるのか？」と僕は訊いた。

「この部屋がよ。この部屋が気になって、ここではできないの、私には」

「ふうん」と僕は言った。

「ねえ、どうしたの？　体の具合でも悪いんじゃないの？」

「疲れてる」と僕は言った。「僕だって疲れる」

妹は黙って僕の顔を見ていた。僕はビールの最後のひとくちを飲んでから、背もたれに首を載せて目を閉じた。

「ねえ、私たちのせいで疲れたの？」と妹が訊いた。

「違うよ」と僕は目を閉じたまま答えた。

「話をするには疲れすぎているの？」と妹が小さな声で言った。

僕は体を起こして、彼女の方を見た。そして首を振った。

「ねえ、今日私、あなたにひどいこと言ったかしら？　つまりあなた自身についてとか、あなたとの生活についてとか……？」

「いや」と僕は言った。

「本当？」

「君はここのところおおむね正当なことしか言ってない。だから気にすることはない。でもどうして急にそんなこと思ったんだ？」

「彼が帰っちゃってからずっとここであなたの帰りを待っているうちに、ふとそう思ったの。ちょっと言いすぎたんじゃないかってね」

僕は冷蔵庫から缶ビールを二本出し、ステレオ・セットのスイッチを入れて、小さな音でリッチー・バイラーク・トリオのレコードをかけた。真夜中に酔払って帰ってきたときにいつも聴くレコードだ。

「きっと少し混乱してるんだよ」と僕は言った。「生活の変化みたいなものに対してね。気圧の変化と同じさ。僕だって僕なりにいくらかは混乱している」

彼女は肯いた。

「私はあなたにあたってるの?」

「みんな誰かにあたってる」と僕は言った。「でももし君が僕を選んであたってるとしたら、その選択は間違っていない。だから気にすることはない」

「ときどき、なんだかすごく怖いのよ、先のことが」と妹は言った。

「良い面だけを見て、良いことだけを考えるようにするんだ。そうすれば何も怖くない。悪いことが起きたら、その時点で考えるようにすればいいんだ」と僕は渡辺昇に言ったのと同じ科白をくりかえした。

「でもそううまくいくものかしら?」

「うまくいかなかったら、その時点でまた考えればいいんだ」

妹はくすくす笑った。「あなたって昔からかわらず変な人ね」と彼女は言った。

「ねえ、ひとつだけ質問していいかな?」と僕はビールのプルリングを取って言った。

「いいわよ」

「彼の前に何人男と寝た?」

彼女は少し迷ってから、指を二本出した。「二人」

「一人は同じ歳で、もう一人は年上の男だろ?」

「どうしてわかるの?」

「パターンなんだよ」と言って僕はひとくちビールを飲んだ。「僕だって無駄に遊んでるわけじゃない。

それくらいのことはわかる」

「標準っていうわけね？」

「健全なんだ」

「あなたは何人くらいの女の子と寝たの？」

「二十六人」と僕は言った。「このあいだ数えてみたんだ。思い出せるだけで二十六人。思い出せないのが十人くらいはいるかもしれない。日記をつけているわけじゃないからね」

「どうしてそんなに沢山の女の子と寝るの？」

「わからない」と僕は正直に言った。「どこかでやめなくちゃいけないんだろうけど、自分でもきっかけがつかめないんだ」

我々はそれからしばらく黙って、それぞれの考えるべきことを考えていた。遠くでバイクの排気音が聞こえたが、それが渡辺昇のものであるわけはなかった。もう午前一時なのだ。

「ねえ、彼のことどう思う？」と妹が訊ねた。

「渡辺昇のこと？」

「そう」

「まあ悪い男じゃない。僕の好みじゃないし、服装の趣味もちょっと変わってるけど」と少し考えてから僕は正直に言った。「でも一族に一人くらいはああいうのがいても悪くないだろう」

「私もそう思うの。私はあなたという人間が好きだけど、世の中の人がみんなあなたみたいだったら、世界はひどいことになっちゃうんじゃないかしら？」

「だろうね」と僕は言った。

それから我々はビールの残りを飲み、それぞれの部屋に引き上げた。ベッドのシーツは新しく清潔で、しわひとつなかった。僕はその上に体を横たえ、カーテンのあいだから月を眺めた。我々はいったい何処に行こうとしているのだろう、と思った。でもそんなことを深く考えるには疲れすぎていた。目を閉じると、眠りは暗い網のように音もなく頭上から舞い下りてきた。

A window

窓

拝啓
寒さも日一日とやわらぎ、日差しの中に微かな春の匂いが感じられる今日このごろとなりました。お元気ですか。

先日のお手紙楽しく拝見させていただきました。とくにハンバーグ・ステーキとナツメグの関係についてのくだりは生活感にあふれたなかなか良い文章だと思います。台所の暖かい匂いや玉ねぎを切るとんとんという包丁の音が生き生きと感じられるのです。そういうところが一箇所でもあると、手紙が生きてきます。

あなたのお手紙を読んでいるうちにハンバーグ・ステーキがたまらなく食べたくなり、さっそくその夜近所のレストランに行って注文してみました。そのレストランには実に八種類ものハンバーグ・ステーキがありました。テキサス風とか、カリフォルニア風とか、ハワイ風とか、日本風とか、そういった感じです。テキサス風というのはとても大きいんです。それだけのことです。そんなことを知ったら、テキサスの人たちはきっとびっくりしちゃうでしょうね。ハワイ風というのにはパイナップルがあしらってあります。カリフォルニア風というのは……忘れました。日本風には大根おろしがついています。店は洒落た造りで、ウェイトレスはみんなけっこう可愛くて、とても短いスカートをはいています。

しかし僕はなにもレストランの内装の研究をしたり、ウェイトレスの脚を眺めたりするためにそこに行ったわけではありません。僕はただハンバーグ・ステーキを、それもなに風でもないごく普通のシンプルハンバーグ・ステーキを食べに行ったのです。

僕はウェイトレスにそう言いました。僕が食べたいのはごく普通のハンバーグ・ステーキなのだと。申しわけありませんが当店にはなになに風というハンバーグ・ステーキしかないのです、とウェイトレスは答えました。

でももちろんウェイトレスを責めることはできません。彼女がメニューを決めるわけでもないし、彼女が好んで食器を下げるたびにふとももが見えちゃうような制服を着ているわけでもないからです。ですから、僕はにっこり笑ってハワイ風ハンバーグ・ステーキというのを注文しました。食べる時にパイナップルをどけちゃえばいいのよ、と彼女が教えてくれたのです。

世の中というのは奇妙な場所です。僕が本当に求めているのはごくあたりまえのハンバーグ・ステーキなのに、それがある時にはパイナップル抜きのハワイ風ハンバーグ・ステーキという形でしかもたらされないのです。

ところであなたの作ったのは、ごくあたりまえのハンバーグ・ステーキなんでしょうね？　手紙を読んでいて、僕はあなたの作ったごくあたりまえのハンバーグ・ステーキを是非食べてみたくなりました。それに比べると、国電の切符自動販売機についての文章は少し上すべりではないかという気がします。目のつけどころは面白いと思うのですが、風景が読み手に伝わってこないのです。どうか鋭くあろうと思わないで下さい。文章というのは結局は間にあわせのものなのです。

全体としての今回の手紙の点数は70点というところです。少しずつ文章力は上がっています。焦らず、焦らず、がんばって下さい。次の手紙を楽しみにしています。はやく本物の春が来るといいですね。

3月12日

P・S・

「クッキー」の詰めあわせ、どうもありがとうございました。おいしくいただいております。しかし当会の規則上、手紙以外の個人的な交流は一切禁じられておりますので、今後このようなお気遣いなきようお願いします。

でもとにかく、ありがとうございました。

＊

といったアルバイトを僕は一年ばかりつづけた。二十二歳の頃のことである。

僕は飯田橋にある「ペン・ソサエティー」という名前のわけのわからない小さな会社と契約していて、一通二千円の約束でひと月に三十通以上のこれと似たりよったりの手紙を書きまくった。

「あなたも相手の心に響く手紙を書けるようになります」というのがこの会社のキャッチ・フレーズだった。入会者は入会金と月謝を払い、月に四通の手紙を「ペン・ソサエティー」あてに書く。それに対して我々「ペン・マスター」が添削をし、前にあげたような感想と指導の手紙を書くのである。僕は文学部の学生課で募集の貼り紙を見てその会社の面接試験を受けにいった。僕はいろんな事情があって、大学を留年することが決まったばかりだった。親は留年するのなら来年から仕送りを減らすと通知してきた。それで当然のことながら僕は真剣に生活費を稼ぐ必要に迫られていたのだ。面接試験があり、いくつか作文を書き、そして一週間後に僕は採用された。それから一週間かけて専門の指導員に添削のこつや、指導のノウハウや、さまざまな心得を教えられた。それはとくにむずかしいことではなかった。

女性の会員には男性の、男性の会員には女性の「ペン・マスター」がつく。僕の引き受けた会員はのべ二十四人で、年齢層は下は十四歳から上は五十三歳まで、中心は二十五歳から三十五歳までの女性だった。つまり殆どの会員が僕より年上ということになる。それではじめの一ヵ月ばかり、僕はひどく混乱することになった。なぜなら会員の多くは僕よりずっと文章が上手く、ずっと手紙を書き慣れていたからだ。僕はといえば、それまでまともな手紙なんて殆ど書いたこともないときている。僕は冷や汗を流しながら最初の一ヵ月をなんとかやりすごした。きっと何人かは──それは会員の権利として会則にもうたわれていたことなのだけれど──「ペン・マスター」の交換を求めてくるだろうと、僕は覚悟を決めていた。

しかし一ヵ月たっても誰ひとりとして僕の文章能力に対して不満の声をあげる会員は現われなかった。それどころか、僕の評判は上々である、と会社の人は僕に教えてくれた。そして三ヵ月後には僕の「指導」によって会員たちの文章力も向上してきているようにさえ思えてきた。不思議なものである。彼女たちは心の底から僕を教師として信頼しているようだった。そう思うと、僕も講評の手紙をそれまでよりずっと気楽にのびのびと書けるようになった。

今になって考えてみるとわかるのだけれど、彼女たちはみんな淋しかったのだ。彼女たちは（あるいは彼らは）ただ誰かに何かを書いてみたかったというだけのことだったのだ。そして──その頃の僕には信じられないことだったのだが──彼女たちにはその手紙を出すべき相手さえみつけられなかったのだ。彼女たちはラジオのディスク・ジョッキーに手紙を出すタイプではなかった。彼女たちはもっとパーソナルなものを求めていたのだ。たとえそれが「添削」や「講評」のようなものであったとしてもだ。

僕はそんな具合に二十代の初めの歳月を、片足のおっとせいみたいにその微温的な手紙のハレムの中で過ごした。

会員たちは実にいろんな手紙を僕あてに送ってくれた。退屈な手紙があり、ほほえましい手紙があり、悲しい手紙があった。ずいぶん昔のことだし、残念ながら彼女たちの手紙は手元に取ってないので（それは規則としてぜんぶ会社に返還しなくてはならなかった）、はっきりと具体的には思い出せないのだが、そこには実にいろんな種類の人生の事象が――ひどく大きなことからひどく細かいことまで――ちりばめられ、詰め込まれ、放り出されていたように記憶している。彼女たちの伝えるそれらのメッセージは僕には、二十一歳か二十二歳の大学生にとっては、奇妙に非現実的なものに感じられた。それらはおおかたの場合リアリティーというものを欠いているように思えたし、ある場合には全面的に無意味なことであるようにも思えた。でも僕に人生の経験が欠けているということだけがその原因ではなかった。今になってみればわかるのだけれど、ほとんどの場合、物事のリアリティーというのは伝えるべきものではないのだ。それは作るべきものなのだ。そして意味というのはそこから生まれるものなのだ。でももちろん僕にはそんなことはわからなかったし、彼女たちにもわからなかった。それも、それらの手紙に書かれたすべての物事が、僕の目に奇妙に平板に映った原因のひとつだったと思う。

　わけあってそのアルバイトを辞めることになった時、僕の指導していた会員たちはみんな残念がってくれた。僕もある意味では――そんな風に延々と仕事としての手紙を書きつづけるという作業には正直なところ少々うんざりはしていたけれど――残念だった。多くの人々がこれほどまで僕に対して正直になってくれるチャンスなんて、この先二度とないような気がしたからだ。

*

　ハンバーグ・ステーキに関していえば、僕は彼女（最初の手紙の女性）の作ったハンバーグ・ステーキを実際に食べることができた。

　彼女は三十二歳で子供はなく、夫は世間では五番めくらいに有名な商事会社に勤めていた。僕が最後の手紙に残念ながら今月いっぱいでこの仕事を辞めることになったと書いた時、彼女は僕を昼食に招待してくれた。ごくあたりまえのハンバーグ・ステーキを作りますと彼女は書いていた。会の規則には反していたけれど、僕は思い切って行ってみることにした。何ものも二十二歳の青年の好奇心を押しとどめることはできない。

彼女のマンションは小田急の沿線にあった。子供のいない夫婦にふさわしく、さっぱりとした部屋だった。家具も照明も彼女のセーターも、高価ではないけれど感じの良いものだった。僕は彼女が思っていたよりずっと若々しくみえることに、彼女は僕が思っていたよりずっと若いことに驚いた。彼女は僕を自分より年上の男だと思っていた。「ペン・ソサエティー」は「ペン・マスター」の年齢をあかさないのだ。

しかしお互いに一度ずつ驚いてしまうと、初対面の緊張はほぐれた。我々は同じ列車に乗り遅れてしまった乗客同士といった雰囲気でハンバーグ・ステーキを食べ、コーヒーを飲んだ。列車といえば、彼女の部屋のある三階の窓からは電車の線路が見えた。その日はとても良い天気で、まわりのアパートのベランダは布団やシーツでいっぱいだった。時折布団を叩くぱたぱたという音がした。僕はその音を今でも思い出せる。それは奇妙に距離感のない音だった。

ハンバーグ・ステーキの味は素敵だった。香辛料がほどよくきいて、かりっとこげた表面の内側には肉汁がたっぷりとつまっていた。ソースの具合も理想的だった。正直に言って、こんなに美味しいハンバーグ・ステーキを食べたのは生まれて初めてとはいえないにせよ、実に久し振りのことだった。僕がそう言うと、彼女は喜んだ。

我々はコーヒーを飲んでしまうと、バート・バカラックのレコードを聴きながら身の上話をした。とはいっても僕には身の上話というほどのものはないから、ほとんど彼女がしゃべった。学生時代は作家になりたかったの、と彼女は言った。彼女はフランソワーズ・サガンのファンで、僕にサガンの話をしてくれた。彼女は「ブラームスはお好き」が気に入っていた。僕もサガンは嫌いではない。少なくともみんなが言うほど俗っぽいとは思わない。誰もがヘンリー・ミラーやらジャン・ジュネみたいな小説を書かなくてはならないという規則はないのだ。

「でも私には何も書けないわ」と彼女は言った。

「今からでも遅くはありませんよ」と僕は言った。

「私にはわかるのよ。私には何も書けないって教えてくれたのはあなたなのよ」と彼女は言って笑った。「あなたに手紙を書いているうちに、それがよくわかったのよ。自分にはそういう力はないんだって」

僕は赤くなった。今ではそんなことはほとんどないけれど、二十二のころ、僕はすぐに赤くなった。

「でも、あなたの文章にはとても正直なところがありましたよ」と僕は言った。

彼女は何も言わず口もとに微笑を浮かべた。とても小さな微笑だった。

「少なくとも僕はあなたの手紙を読んでハンバーグ・ステーキを食べたいと思った」

「きっとその時おなかがすいてたのよ」と彼女はやさしく言った。

まあ、そうかもしれない。

電車がかたかたという乾いた音をたてて窓の下を通り過ぎていった。

＊

時計が五時を打った時、そろそろ失礼しなくちゃと僕は言った。「御主人が帰って来る前に夕食の支度をしなくちゃいけないんでしょ？」

「主人はとてもとても遅いの」と彼女は頬杖をついたまま言った。「真夜中より前には帰ってこないのよ」

「ずいぶん忙しいんですね」

「そうね」と言って、彼女はしばらく間を置いた。

「手紙にも一度書いたと思うけれど、主人とはいろんなことがうまく話しあえないの。気持が伝わらないのよ。あの人と話していると、お互いにまるで違う言葉で話をしているみたいに思えることがよくあるの」

どう答えていいのか僕にはよくわからなかった。そういう風に気持を伝えられない相手と一緒に暮らしているということじたいが僕にはうまく理解できなかったのだ。

「でも、いいのよ」と彼女は静かに言った。本当にそれでいいみたいに聞こえた。「長いあいだ手紙を書いてくれてありがとう。とても楽しかったわ。あなたのところに手紙を書いたことで、私はなんだかずいぶん救われたのよ」と彼女は言った。

「僕も楽しかったですよ」と僕は言った。でも正直に言って、彼女がどんな手紙をどんな文章で書いていたのか、僕にはほとんど思い出せなかった。

彼女は何も言わずに、壁にかかった時計をしばらく見ていた。まるで時間の流れかたを点検しているみたいに。

「大学を出たらどうするつもりなの？」と彼女は僕に訊ねた。

何も決めてないのだと僕は言った。自分が何をすればいいのかもよくわからないのだ、と。僕がそう言うと彼女はまた微笑んだ。「私は思うんだけれど、あなたは何か文章を書く仕事につくといいんじゃないかしら。あなたが講評のときにくれる手紙はとても素敵だったから。私はあれをすごく楽しみにしていたのよ。本当に。お世辞じゃなくて。あなたはそれをただ単にアルバイトのノルマとして書いていたのかもしれないけれど、でもあそこには何か心がこもったものが感じられたのよ。ぜんぶちゃんとまとめて取ってあるし、ときどき取り出して読みなおしているのよ」

「ありがとう」と僕は言った。「それからハンバーグ・ステーキをどうも御馳走さま」

＊

十年たった今でも小田急の電車に乗って彼女のマンションの近所を通るたびに、彼女とあのかりっとしたハンバーグ・ステーキのことを思い出す。僕は線路沿いに並んだマンションの建物を眺め、あれはどの窓だったかなと思う。彼女の家の窓から見えた風景を思い出し、あれはどのあたりだったかな、と考えてみる。でも僕にはもうぜんぜん思い出せない。

あるいは彼女はもうそこには住んでいないかもしれない。でももしまだそこに住んでいるとしたら、その窓の奥で彼女は今でも一人でバート・バカラックの同じレコードを聴きつづけているんじゃないかという気がする。

僕はあの時彼女と寝るべきだったんだろうか？

これがこの文章のテーマだ。

その答えは僕にはわからない。今でもぜんぜんわからない。どれだけ年をとっても、どれだけ経験をかさねても、わからないことはいっぱいある。僕はただ電車の窓からそれらしい建物の窓をじっと見上げるだけだ。すべての窓があの彼女の住んでいた部屋の窓であるように思えることもある。そしてどの窓もぜんぶ違う窓であるようにも。そこにはあまりにも多くの窓があるのだ。

TV people

ＴＶピープル

1

TVピープルが僕の部屋にやってきたのは日曜日の夕方だった。

季節は春だ。たぶん春だと思う。いずれにせよそれほど暑くもなく、それほど寒くもない季節である。でも正直なところ、ここでは季節はあまり重要な問題ではない。重要なのはそれが日曜日の夕方であったということだ。

僕は日曜日の夕方という時刻を好まない。というか、それに付随するあらゆるもの――要するに日曜日の夕方的状況というものを好まないのだ。日曜日の夕方が近づくと、僕の頭はきまって疼《うず》き始める。そのときどきによって度合いの多少はある。でもとにかく疼くのだ。両方のこめかみの一センチか一センチ半くらい奥の方で、柔らかな白い肉のかたまりが奇妙にひきつれる。まるでその肉の中心から目に見えない糸が出ていて、ずっと向こうの方で誰かがその端を持って、そっとひっぱっているような感じだ。とくに痛いというのではない。痛くてもいいはずなのに、不思議に痛くない。深く麻酔をかけた部分に長い針をすうっと刺しこんでいるみたいに。

そして音が聞こえる。いや、音というよりはそれは分厚い沈黙が闇の中で立てる軋《きし》みのようなものだ。

ックルーズシャヤヤタル・ックルーズシャヤヤヤヤタル・ッッッックルーズムムス、とそれは聞こえる。それがまず最初の徴候だ。まず疼きがやってくる。そしてそれにあわせて視界がわずかに歪《ゆが》みはじめる。入り乱れる潮のように、予感が記憶を引き、記憶が予感を引く。空におろしたての剃刀《かみそり》みたいな白い月が浮かんで、疑問の根が暗い地中を這《は》う。人々は僕にあてつけるようにわざと大きな音を立てて廊下を歩く。**カールスパムク・ダブ・カールスパムク・ダブック・カールスパムク・クブ**、とそれは聞こえる。

TVピープルはだからこそ日曜日の夕方を狙《ねら》って僕の部屋にやってきたのだ。まるで憂鬱《ゆううつ》な考えや、秘密めかして音もなく降る雨のように、彼らは時刻の薄闇の中にそっともぐりこんでくるのだ。

2

TVピープルの外見についてまず説明しておこう。

TVピープルの体のサイズは、僕やあなたのそれよりはいくぶん小さい。目立って小さいというわけではない。いくぶん小さいのだ。だいたい、そう、二割か三割くらい。それも体の各部分がみんな均一に小さい。だから小さいというよりは、縮小されていると表現した方が用語的にはむしろ正確だろう。

あるいはあなたはTVピープルをどこかで見かけても、彼らが小さいことに最初のうち気づかないかもしれない。でももしそうだとしても、おそらく彼らはあなたに何かしら奇妙な印象を与えるはずだ。居心地の悪さとでも言えばいいのだろうか。なんだか変だな、とあなたは思うに違いない。そしてもう一度あらためて彼らをじっと見つめることになるだろう。一見してとくに不自然なところはないのだが、そこがかえって不自然なのだ。つまりTVピープルの小ささは子供やコビトの小ささとは全然違っている。僕らは子供やコビトを見て、彼らを「小さい」と感じるわけだが、その感覚的認識は多くの場合彼らの体つきのバランスの悪さから発しているのである。彼らはたしかに小さいのだけれど、すべてが均一に小さいわけではない。手は小さいけれど頭が大きかったりする。それが普通だ。でもTVピープルの小ささはそれとは全然違う。TVピープルの場合はまるで縮小コピーをとって作ったみたいに、何もかもが実に機械的に規則的に小さいのだ。背丈が0.7の縮尺なら、肩幅も0.7の縮尺だし、足のサイズも頭の大きさも耳の大きさも指の長さも0.7の縮尺なのだ。実物より少しだけ小さく作られた精密なプラモデルみたいに。

あるいは彼らは遠近法のモデルみたいにも見えるとも言える。手前にいるのに、遠くにいるように見える人。まるでだまし絵のように、平面が歪み、波打つ。届くはずのところに手が届かない。届かないはずの物に手が触れる。

それがTVピープル。

それがTVピープル。

それがTVピープル。

それがTVピープル。

3

彼らは全部で三人だった。

彼らはノックもしなかったし、ドア・ベルも鳴らさなかった。こんにちはとも言わなかった。ただそっと部屋に入ってきただけだった。足音も聞こえなかった。ひとりがドアを開け、あとの二人がテレビを抱えていた。それほど大きくないテレビだった。ソニーの、ごく普通のカラー・テレビだ。ドアにはたぶん鍵がかかっていたと思うのだが、確信はない。あるいはかけ忘れていたかもしれない。よく思い出せない。

彼らが入ってきたとき、僕はソファーに寝ころんでぼんやり天井を見ていた。家には僕しかいなかった。その午後、妻は女友達と会うことになっていた。高校時代の仲の良い同級生が何人か集まって話をして、それからどこかのレストランに行って夕食を食べる。「あなたは何か適当に食べておいてくれる?」と妻は出る前に言った。

「冷蔵庫に野菜とか冷凍食品とかいろいろ入っているから。それくらい自分で出来るでしょう? それから日が暮れる前に洗濯物だけ取り込んでおいてね」いいよ、と僕は言った。全然かまわない。たかが夕飯だ。たかが洗濯物だ。些細《ささい》なことだ。簡単にかたづけられる。**サリュッツップクルゥウウツ**、と。

「何か言った?」と妻が訊いた。

「何も言わないよ」と僕は答えた。

それで僕は午後のあいだひとりでソファーに寝ころんでぼんやりしていた。他にやることがなかったのだ。本を少し読んだ。音楽も少し聴いた。ビールも少し飲んだ。でもどれにも気持ちを集中することはできなかった。ベッドに横になって眠ろうかとも思った。でも僕は眠りにも神経を集中することができなかった。だからソファーに寝ころんで天井を見ていた。

僕の場合、日曜日の午後にはいろんなことがそんな風に少しずつになってしまう。どれをやっても、たいてい中途半端になってしまう。うまく何かに入り込んでいくことができない。朝には何もかもがうまくいきそうに感じられる。今日はこの本を読んで、このレコードを聴いて、手紙の返事を書こうと思う。今日こそ机の引き出しをかたづけて、必要な買い物をして、久し振りに車を洗おうと思う。でも時計が二時をまわり三時をまわり、だんだん夕方が近づくにつれて、何もかもが駄目になっていく。そして僕は結局いつも、ソファーの上で途方に暮れてしまうことになる。時計の音が耳につくようになる。タルップ・ク・シャウス・タルップ・ク・シャウス、とその音が雨垂れのようにまわりの事物を少しずつ削りとっていく。タルップ・ク・シャウス・タルップ・ク・シャウス。日曜日の午後にはなにもかもが少しずつ擦《す》り減って縮尺が少しずつ縮んで見える。まるでＴＶピープルそのものみたいに。

4

ＴＶピープルは僕の存在なんて頭から無視していた。彼らは三人とも、そこには僕なんか存在しないというような顔をしていた。彼らはドアを開け、テレビを部屋の中に運び入れた。二人がテレビをサイドボードの上に載せ、あとのひとりがコンセントにプラグを差し込んだ。サイドボードの上には置き時計と雑誌が一山載っていた。時計は結婚祝いに友人たちからもらったものだった。とても巨大で重い。まるで時間そのものみたいに巨大で重いのだ。音も大きい。タルップ・ク・シャウス・タルップ・ク・シャウス、とそれは部屋に鳴り響く。ＴＶピープルはそれをサイドボードの上からどかせて、床に下ろした。きっと女房が怒るだろうなと僕は思った。彼女は部屋の中の物を勝手に移動されるのが大嫌いなのだ。同じものが同じ場所に置いていないと、とても不機嫌になる。それに時計を床に置いたりしたら、僕は夜中にきっと足をぶっつけてしまうことだろう。僕はいつもきまって二時すぎに目を覚まして便所に行くし、とても寝惚《ねぼ》けているから、すぐ何かにつまずいたりぶつかったりしてしまうのだ。

それからＴＶピープルは雑誌をどかせてテーブルの上に置いた。全部妻の雑誌だった（僕は雑誌はほとんど読まない。本しか読まない。僕は個人的には世の中の雑誌という雑誌が全部きれいに潰《つぶ》れてなくなってしまえばいいと思っている)。『エル』とか『マリ・クレール』とか『家庭画報』とか、その手の雑誌だ。そういうのがサイドボードの上にきれいに積み重ねてあったのだ。妻は自分の雑誌に手を触れられるのも好まない。積み重ねられた順番が変わっていたりしたらちょっとした騒ぎになる。だから僕は妻の雑誌になんて近寄りもしない。ページをめくったことさえない。でもTVピープルはそんなことにはおかまいなく、どんどん雑誌をどかせてしまう。彼らには雑誌を大事に扱おうという気配はまったくない。彼らはそれをただ単にサイドボードの上から別のどこかにどかせたいというだけなのだ。積み重ねられた雑誌の上下が入れ代わる。『マリ・クレール』が『クロワッサン』の上になる。『家庭画報』が『アンアン』の下になる。それは間違いだ。おまけに彼らは妻が何かの雑誌にはさんでおいた栞《しおり》をばらばらと床に落としてしまう。栞がはさんであったところは、妻にとっての重要な情報が載っていたページなのだ。それがどんな情報でどれほど重要なのか、僕は知らない。彼女の仕事に関係したことかもしれないし、あるいは個人的なことかもしれない。でもとにかく、彼女にとってはそれは大事な情報だったのだ。きっとすごく文句を言うだろうな、と僕は思った。私がたまにお友達と会って気持ち良く楽しんで帰ってきたら、家の中がきまって無茶苦茶になっているんだから、とかなんとか。僕はその台詞《せりふ》を全部思い浮かべることができた。やれやれ、と僕は思った。そして首も振った。

5

とにかくサイドボードの上には何もなくなってしまった。そしてTVピープルはそこにテレビを載せた。壁のコンセントにプラグを差し込み、スイッチを入れた。ちりちりという音がして画面が白くなった。しばらく待ってみたが、画像は浮かんでこなかった。彼らはリモコンで、チャンネルを順番に変えていった。でもどのチャンネルもみんな真っ白だった。アンテナに繋《つな》いでないせいだろうと僕は思った。部屋のどこかにアンテナの接続口があるはずだと僕は思った。このマンションに入居するときに、テレビのアンテナの接続について管理人から説明を聞いたような気がする。ここにこう繋げればいいんですよと。でもそれがどこにあるのかは思い出せない。僕の家にはテレビがないから、そんなもののことはすっかり忘れてしまったのだ。

でもＴＶピープルはどうやら放送を受信するということにはまったく興味を感じていないようだった。彼らはアンテナの接続口を探そうというそぶりさえ見せなかった。画面が白いままでも、画像がまったく映らなくても、彼らは意に介さなかった。スイッチを押して電源がオンになれば、それで彼らの目的は達せられたみたいだった。

テレビは新品だった。箱にこそ入っていないが、それがまったくの新品であることは一目でわかった。取扱説明書と保証書がビニールの袋に入って、セロテープで機械の脇にはりつけられていた。電源コードはとれたての魚のようにつるつると光っていた。

ＴＶピープルは三人で部屋のあちこちからそのテレビの白い画面を点検するように眺めた。ひとりのＴＶピープルは僕の隣に来て、僕の座った位置からどのようにテレビの画面が見えるかを確認した。テレビは僕の方に正面を向けて据えられていた。距離もほどよい距離だった。彼らはそれで満足したようだった。これで作業がひととおり終わったという雰囲気だった。ＴＶピープルのひとりが（僕の隣に来て画面を確認したＴＶピープルだ）リモコンをテーブルの上に置いた。

ＴＶピープルたちはその間ひとことも口をきかなかった。彼らは正確に手順どおり行動しているようだった。だからとくに口をきく必要もないのだ。三人が三人とも、自分の決められた職務をきちんときちんと効率よく果たしていた。手際《てぎわ》がいい。てきぱきしている。作業に要した時間も短かった。最後にひとりのＴＶピープルが床に置きっぱなしになっていた置き時計を手に持って、どこか適当な置き場所がないものかとしばらく部屋の中を物色していたが、結局見つけられずにあきらめてそれをまた床に戻した。**タルップ・ク・シャウス・タルップ・ク・シャウス**、とそれは床の上で重々しく時を刻みつづけた。僕の住んでいるマンションはかなり狭いし、それに僕の本と、妻の集めている資料とで、もうほとんど足の踏み場もないような有り様なのだ。きっといつか僕はあの時計につまずくだろう、と僕は思って溜《た》め息をついた。間違いない。絶対につまずく。賭《か》けてもいい。

ＴＶピープルは三人とも濃いブルーの上着を着ていた。よくわからないけれど、とにかくつるりとした感じの生地だ。そしてブルージーンズとテニス・シューズを履いていた。服も靴も少しずつ縮尺が小さかった。長いあいだ彼らの動く姿を見ていると、だんだん僕の縮尺の方が間違っているみたいな気がしてきた。まるで度のきつい眼鏡をかけて、後ろ向きにジェットコースターに乗っているみたいな気分になった。風景がいびつに前後する。それまで自分が無意識に身を置いていた世界のバランスが絶対的なものではなかったことを思い知らされる。ＴＶピープルは見る人をいやおうなくそういう気持ちにさせるのだ。

ＴＶピープルは結局最後まで一言も口をきかなかった。彼らは三人でもう一度テレビの画面を点検し、問題のないことを再確認してからリモコンで画面を消した。画面の白がすうっと消え、ちりちりという小さな音も消えた。画面はもとどおりの無表情な黒っぽいグレイに戻った。もう窓の外は暗くなりはじめていた。誰かが誰かを呼ぶ声が聞こえた。マンションの廊下を誰かがゆっくりと歩いて通り過ぎていった。いつものようにわざと大きな音を立てて。**カールスパムク・ダルブ・カールスパク・ディィイク**という革靴の音が聞こえた。日曜日の夕方だ。

ＴＶピープルたちは部屋の中をもう一度ぐるりと点検するように見回してから、ドアを開けて出ていった。来たときと同じように、彼らは僕に何の注意も払わなかった。彼らはまるで僕がまるっきり存在しないみたいに振る舞っていた。

6

TVピープルが部屋に入ってきてから出ていくまで、僕は身動きひとつしなかった。一言も口をきかなかった。ずっとソファーに横になったまま、彼らの作業を眺めていた。不自然だとあなたは言うかもしれない。部屋の中に見知らぬ人間が突然、それも三人も入ってきて、勝手にテレビを置いていったというのに、何も言わずに黙ってそれをじっと眺めているなんて、ちょっと変な話じゃないか、と。

でも僕は何も言わなかった。ただ黙って状況の進行を見守っていた。それはたぶん彼らが僕の存在を徹底的に無視していたからじゃないかと思う。あなただって僕と同じ立場に置かれたら、たぶんおなじようにしたんじゃないかと思う。自己弁護するわけではないけれど、目の前にいる他人からそんな風にきっちりと存在を無視されると、自分でも自分がそこに存在しているかどうかだんだん確信が持てなくなってくるものなのだ。ふと自分の手を見ると、それが透けて見えるようにさえ感じられる。それはある種の無力感だ。呪縛《じゅばく》だ。自分の体が、自分の存在がどんどん透けていく。そして動けなくなる。何も言えなくなる。そして僕は三人のTVピープルが僕の部屋にテレビを置いて出ていくのをただじっと見守っているしかない。うまく口が開けない。自分の声を聞くのが怖くなる。

TVピープルが出ていって、僕はまたひとりになる。僕の存在感が戻ってくる。僕の手は再び僕の手に戻る。気がつくと、夕暮れはすっかり闇の中に飲み込まれてしまっている。部屋の電気をつける。そして目を閉じる。そこにはやはりテレビがある。時計は時を刻み続けている。タルップ・ク・シャウス・タルップ・ク・シャウス、と。

7

とても不思議なことなのだけれど、妻はテレビが部屋の中に出現したことに対して何も言及しない。何の反応も示さない。まったくのゼロなのだ。気がつきさえしないようだ。これは実に奇妙なことだ。というのは、さっきも言ったように、彼女は家具や物の配置・配列に対してとても神経質だからだ。自分のいないあいだに部屋の中の何かがほんの少しでも移動したり変化したりしていると、それを一瞬で見てとる。彼女にはそういう能力があるのだ。そして眉をひそめ、それをきちんともとどおりに修正する。僕とは違う。僕は『家庭画報』が『アンアン』の下になったって、鉛筆立てにボールペンが一本混じっていたって、そんなの別にたいしたことじゃないと思う。おそらく気がつきもしないだろう。彼女のような生き方をしていたらすごく疲れるだろうとも思う。でもそれは彼女の問題であって、僕の問題ではない。だから僕はべつに何も言わない。彼女の好きなようにさせておく。僕はだいたいそういう考え方をする人間なのだ。でも彼女はそうではない。ときどき彼女はひどく怒る。僕の無神経さが耐えられなくなることがあると言う。僕だってときどき重力や円周率や $E=mc^2$ の無神経さに耐えられなくなることがあるさ、と僕は言う。だって本当にそうだから。でも僕がそう言うと、彼女は黙ってしまう。たぶんそれを個人的な侮辱だと感じたのかもしれない。でもそうじゃない。僕には彼女を個人的に侮辱しようというような思いはない。ただ自分の感じたままを口にしただけなのだ。

その夜も彼女は家に帰ってくると、まず部屋の中をぐるっと見回した。僕は説明するための文句を前もって用意していた。TVピープルが来て、いろんなものを混乱させてしまったんだということ。TVピープルについて彼女に説明するのはすごくむずかしい。信じてくれないかもしれない。でもとにかく全部正直に説明するつもりだった。

でも彼女は何も言わなかった。ただぐるっと部屋の中を見回しただけだった。サイドボードの上にはテレビがあった。雑誌は順番を違えてテーブルの上に置いてあった。置き時計は床の上に下ろされていた。でも妻は何も言わなかった。だから僕も説明しなかった。

「夕御飯はちゃんと食べたの？」と彼女はワンピースを脱ぎながら僕に訊いた。

食べてないと僕は言った。

「どうして？」

「そんなに腹が減らなかったんだ」と僕は言った。

妻はワンピースを半分脱ぎかけたままそれについて少し考えていた。彼女はしばらく僕の顔をじっと見ていた。何か言おうかどうか迷っているみたいに。時計が重い音で沈黙を分割していた。**タルップ・ク・シャウス・タルップ・ク・シャウス**。僕はその音を聞くまいとした。耳に入れまいとしていた。でもその音はどうしようもなく重く、巨大だった。いやでも耳に入ってきた。彼女もその音に耳をすませているように見えた。それから首を振った。「何か簡単に作ってあげようか？」と彼女は言った。

「そうだね」と僕は言った。とくに何かを食べたいわけではなかったが、そこに何かがあればそれを食べてもいいような気がした。

妻は動きやすい服に着替えて、台所で雑炊とたまごやきをつくりながら、友達と会った様子を話した。誰が何をして、誰が何を言って、誰が髪型を変えて綺麗《きれい》になって、誰がつきあっていた男と別れたといういような話だ。僕も彼女たちのことは一応知っている。僕はビールを飲みながらうんうんと相槌《あいづち》を打っていた。でもほとんど何も聞いてはいなかった。ずっとＴＶピープルのことを考えていた。そしてどうして彼女はテレビが出現したことについて何も言わないんだろうと思った。気がつかなかったのか？　まさか、新しいテレビが急に部屋に出現してそれに気づかないわけがないじゃないか。じゃあ、どうしてそれについて何も言わないんだ。すごく変だ。おかしい。何かが間違っている。でもその間違いをどう訂正すればいいのか僕にはわからない。

雑炊ができると、僕は台所のテーブルに座ってそれを食べた。たまごやきを食べ、梅干しを食べた。僕が食べ終わると、妻は食器を片づけた。僕はまたビールを飲んだ。彼女も少しビールを飲んだ。僕はふと目を上げてサイドボードの上を見た。テレビは、まだそこにあった。電源は入っていなかった。テーブルの上にはリモコンが載っていた。僕は椅子《いす》から立ち上がってそのリモコンを手に取り、スイッチをオンにしてみた。テレビの画面がさっと白くなり、ちりちりという音が聞こえた。画像は相変わらず何も映らなかった。ただ白い光がブラウン管の上に浮かんでいるだけだった。スイッチを押して音量を上げてみたが、ざああっというノイズが大きくなっただけだった。僕は二十秒だか三十秒だかその光を眺めてから、スイッチを切った。音と光が一瞬にして消えた。妻はその間カーペットの上に座って『エル』のページをぱらぱらと繰っていた。テレビがついて消えたことに彼女は何の関心も払わなかった。気がつきもしないようだった。

僕はリモコンをテーブルの上に置き、またソファーに座った。そしてガルシア・マルケスの長い小説の続きを読もうと思った。僕はいつも夕食のあとで本を読む。三十分でやめることもあるし、二時間読むこともある。とにかく毎日読む。でもその日は一ページの半分も読めなかった。いくら本に意識を集中させようとしても、僕の注意はすぐにテレビに戻った。つい目を上げてテレビを見てしまうのだ。テレビの画面は僕に真正面を向けられて据えられていた。

8

夜の二時半に目が覚めたとき、テレビはまだそこにあった。僕はテレビが消えてなくなってしまっていることを期待してベッドを出た。でもテレビはやはり同じ場所にあった。僕は便所に行って小便をしてから、ソファーに座って足をテーブルに載せた。それからリモコンを使ってもう一度テレビのスイッチをつけてみた。でも目新しいことは何もなかった。同じことの繰り返しだった。白い光、ノイズ。それだけ。僕はしばらく画面を眺めてからスイッチを消して光とノイズを消し去った。

ベッドに戻って眠ろうとした。とても眠かった。でもどうしても眠れなかった。目を閉じるとTVピープルの姿が浮かんできた。テレビを運んでいたTVピープル、時計をどかせていたTVピープル、雑誌をテーブルの上に移動したTVピープル、コンセントにプラグを差し込んだTVピープル、画像を点検していたTVピープル、ドアを開けて黙って出ていったTVピープル。彼らはずっと僕の頭の中にいた。彼らは僕の頭の中を歩きまわっていた。僕はまたベッドを出て台所に行き、水切り台にあったコーヒーカップにブランディーをダブルぶん注いで飲んだ。それからソファーに横になってマルケスのページを開いた。でもやはり文章は僕の頭には入ってこなかった。何が書いてあるのかさっぱり理解できなかった。

仕方なくガルシア・マルケスを放り出し、『エル』を読んだ。たまには『エル』を読んだってかまわないだろう。でも『エル』には僕の興味を引きそうなことはなにも書いてなかった。新しいヘア・スタイルのこととか、白い上品な絹ブラウスのこととか、美味しいビーフ・シチューを食べさせる店とか、オペラには何を着ていけばよいだとか、そんなことしか書いていなかった。僕はそんなことには全然興味が持てなかった。それで『エル』も放り出した。そしてまたサイドボードの上のテレビを眺めた。

結局何もせずそのまま朝まで起きていた。六時にやかんで湯を沸かして、コーヒーを作って飲んだ。することがないので妻が起きてくる前にハムのサンドイッチを作っておいた。

「ずいぶん早く起きたのね」と彼女は眠そうに言った。

「うん」と僕は言った。

僕らは言葉少なに食事を済ませてから一緒に家を出て、別々の会社に行った。妻は小さな出版社に勤めている。自然食についての専門誌を編集している。椎茸料理が痛風の予防に良いだとか、有機農法の将来についてだとか、そういうかなり専門的なことの書いてある雑誌だ。それほど数は売れないけれど、作るのにほとんど金がかからないし、宗教的といってもいいくらいに熱心な固定読者がついているので、まず食いっぱぐれはない。僕は電機会社の広報宣伝部の仕事をしている。トースターや洗濯機や電子レンジやらの広告を作っている。

9

出勤の途中、会社の階段で僕はTVピープルのひとりとすれ違った。前日家にテレビを持って来たTVピープルのうちのひとりだったと思う。たぶんいちばん最初にドアを開けて部屋に入ってきた奴だ。テレビを担いでいなかった奴。彼らは顔に特徴らしい特徴がなくて、ひとりひとりを見分けるのは至難の業であるし、だからはっきりと確信は持てないのだけれど、十中八九間違いないと思う。彼は昨日と同じブルーの上着を着ていた。手には何も持っていなかった。ただ歩いて階段を下りてきただけだった。僕は階段を上っていた。僕はエレベーターに乗るのが嫌いなのだ。だからいつも歩いて階段を上り下りする。オフィスはビルの九階にあるからこれは楽な作業ではない。とくに急ぎの用事があるときなんかは汗だくになってしまう。でも僕としてはエレベーターに乗るよりは汗だくになった方がずっといい。そのことでみんなは冗談を言う。僕がテレビもビデオも持っていなくて、エレベーターも使わないせいで、同僚たちは僕のことを変人だと思っているのだ。あるいは僕がある意味でまだ未成熟な段階にあるという風に考えているようだった。奇妙な考え方だ。彼らがどうしてそんな風に考えるのか、よく理解できない。

でもとにかくそのときも、いつもと同じように歩いて階段を上っていた。階段を歩いているのは僕ひとりだけだった。階段を使う人間なんてほとんどいない。四階と五階の間の階段で僕はTVピープルのひとりとすれ違った。あまりに突然のことだったので、どうすればいいのかよくわからなかった。何か声をかけようかとも思った。

でも結局何も言えなかった。何と言えばいいのかとっさに思いつけなかったし、TVピープルには声をかけづらい雰囲気があった。彼はとても機能的に階段を歩いて下りていた。一定のテンポで、規則正しく精密に歩を運んでいた。そして昨日と同じように僕の存在をまったく無視していた。僕のことなんか目にも入らないようだった。僕はどうしていいのかわからないままに彼とすれちがった。すれちがうときに一瞬、あたりの重力がさっと揺らいだように感じられた。

その日、会社では朝から会議があった。新商品の販売戦略についてのかなり重要な会議だった。何人かの社員がレポートを読みあげた。黒板に数字を並べ、コンピューターの画面にグラフを映した。熱心な討論があった。僕もそれに参加したが、その会議における僕の立場はそれほど重要なものではなかった。僕はそのプロジェクトに直接関わっていなかったからだ。だから会議のあいだ僕はだいたい考えごとをしていた。それでも一度だけ発言した。たいした発言ではない。オブザーバーとしてのごく常識的な意見だ。いくらなんでも、まったく何も言わないというわけにはいかない。僕はとくに仕事にたいして意欲的な人間ではないが、ここで給料をもらっている以上、それなりの責任というものがある。僕はそれまでに出てきた意見をざっとまとめて整理し、その場の雰囲気をほぐすための軽い冗談まで言った。たぶんずっとTVピープルのことを考えていたことに後ろめたさを感じていたからだと思う。何人かが笑った。でも一度発言をしてしまうと、あとは資料に目を通すふりをしてまたずっとTVピープルのことを考えていた。新しい電子レンジにどういう名前がつこうが、そんなことは僕の知ったことではなかった。僕の頭の中にはTVピープルのことしかなかった。僕はずっと彼らのことを考えていた。あのテレビにはいったい何の意味があるんだろうというようなこと。何故TVピープルがわざわざ僕の部屋にテレビを運んできたのかというようなこと。何故妻はテレビの出現について何も言わなかったのかというようなこと。何故TVピープルが僕の会社にまで入り込んでいるのかというようなこと。

会議はいつまでたっても終わらなかった。十二時に昼食のための短い休憩があった。外に食事に出るほどの暇はなかったので、サンドイッチとコーヒーがみんなに配られた。会議室は煙草臭かったので、僕はそれを自分の机に持ってかえって食べた。食べている最中に課長が僕のところにやってきた。僕は正直なところ、この男のことがあまり好きではなかった。どうして好きになれないのか、正確な理由は自分でもよくわからない。どこといって反発すべきところはないのだ。いかにも育ちが良さそうな雰囲気を身につけている。頭も悪くない。ネクタイの趣味も良い。かといってそれを鼻にかけるわけでもないし、部下に対して威張るわけでもない。僕のことを目にかけてくれさえした。ときどき食事にもさそってくれた。でも僕はこの男にどうしてもなじめなかった。たぶんそれは彼が話している相手の体になれなれしく触りすぎるからだと思う。それが男であれ女であれ、話の途中で相手の体にすっと手を触れるのだ。触れるといっても、そこにはべつにいやらしい感じはない。とてもスマートで自然な触れかただ。触れられても気がつかない人間がほとんどじゃないかと思う。それくらい自然な触れかたなのだ。でもどういうわけか僕はそれがすごく気になるのだ。だから僕は彼の姿を見るたびに本能的に身構えてしまうのだ。これは些細なことと言えば些細なことだ。でもとにかく気になる。

彼はかがみこむようにして僕の肩に手をかけた。「さっきの会議での君の発言だけどな、あれはよかったよ」と課長は親しげに言う。「とても簡潔で要を得ていた。俺も感心した。いい指摘だ。君の発言で場がぴりっとしたもんな。タイミングもよかった。うん、これからもあの調子でやってくれ」

それだけ言うとさっさとどこかへ行ってしまった。たぶん自分の昼食を食べにいったのだろう。僕はその場では素直に礼を言ったが、正直なところすっかり面食らってしまった。というのは、僕は自分が会議の場で何を言ったかなんて全然覚えてはいなかったからだ。何も言わないのはまずいので、適当に思いついたことを口に出しただけなのだ。どうしてその程度のことで課長がわざわざ僕の席までやってきて賞賛しなくてはならないのだろう？　もっと立派な発言をした人間は他にいっぱいいるのだ。なんだか変だ。僕はよくわけのわからないまま昼食の続きを食べた。そしてふと妻のことを考えた。彼女は今何をしているんだろう、と僕は思った。昼食を食べに外に出ているのだろうか？　よほど彼女の会社に電話をかけてみようかと思った。そしてなんでもいいからふたことみこと言葉を交わしてみたかった。最初の三つの数字を回しまでした。でも思い直して途中でやめた。わざわざ電話をかけるほどの用事なんて何もないのだ。世界がいくぶんバランスをくずしかけているようにも感じられる。でもだからといって、昼休みに妻の会社に電話をかけて、それについていったいどう言えばいいのだ？　それに、彼女は職場に電話をかけられることをあまり好まない。僕は受話器をもとに戻し、溜め息をついてコーヒーの残りを飲み干した。そしてプラスティックのカップをごみ箱に放り込んだ。

10

午後の会議で僕はまたＴＶピープルを見かけた。今回は人数が二人に増えていた。彼らは昨日と同じようにソニーのカラー・テレビを担いで会議室を横切っていった。でもテレビのサイズは昨日のよりひとまわり大きかった。困ったな、と僕は思った。何故ならソニーは我々の会社の商売仇《がたき》だからだ。どんな理由があるにせよ、そんな商品を会社内に持ち込んだらえらいことになる。商品比較するために他社の製品を部内に持ち込むことはないではないが、そんなときでも会社のマークは外してしまう。外部の目に触れるといささかまずいことになるからだ。でも彼らはそんなことにはおかまいなく、ＳＯＮＹというマークを堂々とこちらに向けていた。彼らはドアを開けて会議室に入ってきた。そして部屋をぐるっと回った。あたりを物色して、テレビの置き場所を検討していたようだったが、結局適当な場所は見つからなかった。そして彼らはそのテレビを担いだまま後ろのドアから出ていった。でもその部屋にいた人々は、誰もＴＶピープルに対して反応を見せなかった。彼らがＴＶピープルを見なかったというわけではない。彼らにもＴＶピープルは見えたのだ。その証拠にＴＶピープルがテレビを担いでやってくると、そこにいる人はどいて、彼らのために道をあけてやった。でも彼らはＴＶピープルに対してそれ以上の反応を示さなかった。彼らの反応は近所の喫茶店のウェイターがコーヒーの出前を運んできたときと同じだった。彼らは原則的に、ＴＶピープルがそこに存在しないものとして対応しているのだ。存在していることは知っている。でも存在しないものとして対応している。

それで僕には何がなんだかわけがわからなくなってしまった。他のみんなはＴＶピープルのことを知っているのだろうか？　そして僕だけがＴＶピープルについての情報からひとり疎外されているのだろうか？　あるいは妻もＴＶピープルのことをちゃんと知っていたのかもしれないな、と僕は思った。たぶんそうなのだろう。だからこそ彼女は部屋の中にテレビが出現しても、驚きもせず、それについて一言も触れなかったのだ。それ以外に説明のしようがないじゃないか。僕の頭は混乱した。ＴＶピープルとはいったい何ものなんだ。どうしていつもテレビを運んでいるのだ。

ひとりの同僚が便所に行くために席を外したとき、僕もそのあとを追うように席を立って便所に行った。僕はこの男とは入社も同期だし、わりに仲が良い。たまに仕事のあとでふたりで一緒に飲みに行くこともある。僕は誰とでもそんなことをするわけではない。僕らは並んで小便をした。やれやれ、この分じゃどうも夕方までかかりそうだな、まったくいつまでたっても会議会議だ、と彼はうんざりした声で言った。僕もそれに同意した。そして二人で手を洗った。彼も僕の午前中の会議での発言を褒《ほ》めてくれた。僕は礼を言った。

「ところでさっきテレビを持って入ってきた連中のことだけどさ――」と僕はなにげなく切り出してみた。

彼は何も言わなかった。水道の蛇口をぎゅっとひねって閉め、ペーパータオルを二枚ホルダーからひっぱり出してそれで手を拭《ふ》いた。僕の方をちらりとも見なかった。時間をかけて手を拭いてしまうと、タオルを丸めてごみ箱に捨てた。あるいは僕の言ったことが聞こえなかったのかもしれない。あるいは聞こえたけれど聞こえないふりをしていたのかもしれない。どちらかはわからない。でもその場の雰囲気から、もうそれ以上は何も訊かない方がいいように思えた。だから僕も黙ってペーパータオルで手を拭いた。空気がとてもこわばって感じられた。僕らは無言のまま廊下を歩いて会議室へ戻った。そのあと会議のあいだじゅう、彼は僕の視線を避けているように感じられた。

11

会社から帰ったとき、部屋の中は真っ暗だった。外では雨が降りはじめていた。ヴェランダの窓から、低くたれこめた暗い雲が見えた。部屋の中に雨の匂いがした。日も暮れはじめていた。妻はまだ帰っていなかった。僕はネクタイをほどき、しわをのばしてネクタイかけにかけた。スーツのほこりをブラシで払った。シャツは洗濯物入れのかごに放り込んでおいた。髪に煙草の匂いがしみついていたので、シャワーに入って髪を洗った。いつものことだ。長い会議があると、体に煙草の匂いがしみついてしまう。妻はその匂いをひどく嫌がるのだ。彼女が結婚してまず最初にやったことは、僕に煙草をやめさせることだった。四年前の話だ。

シャワーから出ると、ソファーに座ってタオルで髪を拭きながら缶ビールを飲んだ。ＴＶピープルが運んできたテレビは、まだサイドボードの上にあった。僕はテーブルの上のリモコンを手に取って、スイッチを入れてみた。でも何度スイッチ・オンのボタンを押しても、電源は入らなかった。何の反応もなかった。画面はじっと暗いままだった。電源コードを確かめてみた。プラグはちゃんとコンセントに入っていた。プラグを抜いてもう一度しっかり差し込んでみた。でも駄目だった。リモコンのスイッチをどれだけ押しても画面は白くならなかった。念のためリモコンの裏蓋《うらぶた》をあけて電池を取り出し、簡易テスターでチェックしてみた。電池は新品だった。僕はあきらめてリモコンを放り出して、ビールを喉《のど》の奥に流し込んだ。

なんでそんなことが気になるんだろう、と僕は不思議に思った。テレビのスイッチが入ったところで、それでどうなるって言うんだ。白い光が浮かんで、ざあっというノイズが聞こえるだけじゃないか。そんなものついたってつかなくたって気にすることはないじゃないか。

でも僕は気になった。昨日の夜はちゃんとついていたのだ。そのあと指一本触れてはいない。話が通らない。

もう一度リモコンを手に取って試してみた。ゆっくりと指先に力を入れて。でも結果は同じだった。何の反応もない。画面はすっかり死んでしまっている。月のように冷えきっている。

冷えきっている。

二本目のビールを冷蔵庫から出し、蓋をあけてのんだ。プラスティックの容器に入ったポテト・サラダを食べた。時計は六時を回っていた。ソファーに座って夕刊をひととおり読んだ。いつにも増して退屈な新聞だった。読むべき記事なんてほとんどなかった。でももとくに他にするべきことも思いつかないので、僕はずいぶん長いあいだその新聞を読んでいた。新聞を読み終えると、何か他のことをしなくてはならない。それについて考えるのを回避するために、だらだらと時間をひきのばすように新聞を読みつづけた。そうだ、手紙の返事を書くのはどうだろう？　従姉妹《いとこ》から結婚式の案内状が来ている。それに対する断りの返事を書かなくてはならない。僕はその結婚式の日に妻と二人で旅行に出ることになっているのだ。僕らは沖縄に行く。これはずっと前から予定していたことなのだ。そのため二人の休暇を合わせて取ったのだ。今更変更するわけにはいかない。そんなことをしたら、次にいつ一緒に長い休暇が取れるかなんてもう神様にしかわからないのだ。それに僕はその従姉妹ととくに親しいわけではない。もうかれこれ十年くらい会っていない。いずれにせよ返事を早く書かなくてはいけないと思う。向うだって正確な出席人数を早く知りたいはずだ。でも駄目だ。今は手紙なんて書けやしない。とてもそんな気になれないのだ。

また新聞をとりあげて、同じ記事を二度読んだ。それからふと、夕食の支度をしようかとも思った。でも妻は仕事の関係で夕食を済ませて帰ってくるかもしれない。そうなれば作ったぶんだけ無駄になる。僕ひとりの食事ならありあわせのもので何とでもなる。わざわざ作ることはない。もし彼女が何も食べていなかったら、外に出て一緒に何か食べればいい。

なんだか変だなと僕は思った。我々は帰宅が六時より遅くなりそうなときには、必ず前もって連絡を入れることになっている。それがルールなのだ。留守番電話にでもメッセージだけは入れておく。そうすれば相手はそれにあわせて行動することができる。先にひとりで食事を済ませるとか、相手の分を作っておくとか、あるいは先に寝てしまうとか。僕は仕事の性格上どうしても夜遅くなることがあるし、彼女の方も打ち合わせや校了で帰宅が遅れることもある。どちらの仕事も、きっちり朝の九時に始まって夕方の五時に終わるというようなタイプの仕事ではない。お互いが忙しいときには三日くらいろくに口をきけないことだってある。だから僕らはいつも、相手に現実的な迷惑をかけないように、ルールだけはきちんと守るようにしているのだ。遅くなりそうだったら、電話でそれを相手に伝える。僕はときどきそれを忘れてしまうことがある。でも彼女は一度も忘れたことはない。

でも留守番電話にはメッセージは入っていなかった。

僕は新聞を放り出してソファーに横になり、目を閉じた。

12

会議の夢を見た。僕は立って発言している。何を言っているのか自分でも理解できない。ただしゃべっているだけだ。でも話しやめたら僕は死んでしまう。だから話しやめることはできない。永遠に意味のわからないことを話しつづけるしかない。まわりの人間はもうみんな死んでしまっている。死んで石になっている。かちかちの石像になっている。風が吹いている。窓ガラスが全部割れていて、そこから風が吹き込んでくるのだ。そしてTVピープルがいる。彼らは三人に増えている。最初と同じように。彼らはやはりソニーのカラー・テレビを運んでいる。テレビの画面にはTVピープルが映っている。僕は言葉を失いつつある。それにあわせて手の指先が少しずつ固まってくるのが感じられる。僕はだんだん石に変わろうとしている。

目が覚めると、部屋が白っぽくなっていた。まるで水族館の廊下のような色あいだった。テレビがついているのだ。あたりはもうすっかり暗くなって、その闇の中でテレビの画面がちりちりと小さな音を立てて光っていた。僕はソファーの上で身を起こして、指先でこめかみを押さえた。指はまだちゃんと柔らかい肉のままだった。口の中には寝る前に飲んだビールの味が残っていた。僕は唾《つば》を飲み込んだ。喉の奥がひからびていて、飲み込むのに時間がかかった。リアルな夢を見たあとはいつもきまってそうだけれど、眠りよりは覚醒《かくせい》の方が非リアルに感じられた。でもそうじゃない。これが現実なのだ。誰も石になんかなっちゃいないんだ。何時だろうと思って僕は床に置かれたままの時計を見た。**タルップ・ク・シャウス・タルップ・ク・シャウス**。八時少し前だった。

でも夢と同じように、テレビの画面にはひとりのTVピープルが映し出されていた。そのTVピープルは会社の階段で僕とすれちがったのと同じTVピープルだった。間違いなくあの男だ。最初にドアを開けて部屋に入ってきた男。百パーセント間違いない。彼は蛍光灯のような白い光をバックに、じっと立って僕の顔を見ていた。それは現実にもぐりこんできた夢の尻尾《しっぽ》みたいだった。目を閉じて目を開けたら、そんなものはすっと消えうせてしまいそうに思えた。でも消えなかった。画面のTVピープルの姿は逆にだんだん大きくなってきた。画面に彼の顔がいっぱいに映しだされた。遠くからじりじりと近くに寄ってくるような感じで、ＴＶピープルの顔がだんだんアップになってきた。

それからＴＶピープルはテレビの外側に出てきた。まるで窓から出るように、枠に手をかけて足をよいしょと踏み出して出てきたのだ。彼が出たあとの画面には背景の白い光だけが残っていた。

彼はしばらくテレビの外の世界に体をなじませるように右手の指で左手をこすっていた。縮尺の小さな右手が縮尺の小さな左手を長いあいだこすっていた。彼はまったく急いではいなかった。時間はいくらでもあるんだというようないかにも余裕のあるそぶりだった。テレビ・ショウの手慣れた司会者のようだった。彼はそれから僕の顔を見た。

「我々は飛行機を作っているんだ」とＴＶピープルは言った。遠近感のない声だった。うすっぺらで、まるで紙に書かれた声みたいだった。

彼の言葉にあわせてテレビの画面には黒い機械が映しだされた。本当にニュース・ショウみたいだ。まず広い工場のようなスペースが映しだされて、それから真ん中にある作業場がアップになった。二人のＴＶピープルがその機械をいじっていた。スパナをつかってボルトをしめたり、計器を調整したりしていた。彼らはその作業に神経を集中していた。それは不思議な機械だった。円筒形で上に細長く、ところどころに流線型のでっぱりが出ていた。それは飛行機というより巨大なオレンジ絞りの機械みたいに見えた。翼もなければ、座席もなかった。

「飛行機にはとても見えない」と僕は言った。僕の声は僕の声に聞こえなかった。すごく変な声だ。分厚いフィルターで養分をすっかり吸い取られたあとの声だ。自分がすごく歳を取ってしまったような気がする。

「それはまだ色を塗っていないからじゃないかな」とＴＶピープルが言った。「明日にはちゃんと色を塗る。そうすれば飛行機だってことがはっきりわかるはずだよ」

「色の問題じゃない。形の問題だよ。それは飛行機じゃない」

「飛行機じゃないとすると、これは何なんだい?」とTVピープルが僕に訊いた。僕にはわからなかった。だとするとこれはいったい何なんだろう?

「だから色のせいなんだよ」とTVピープルは優しい声で僕に言った。「色を塗ればちゃんとした飛行機になるんだよ」

僕はそれ以上討論することをあきらめた。どちらだっていいじゃないか、と思った。それがオレンジの絞れる飛行機であろうが、空を飛べるオレンジ絞り機であろうが、それが何だっていうんだ。どちらだってかまやしない。女房はどうして帰ってこないんだ。僕は指先でもういちどこめかみを押さえた。時計の音が響きつづけた。**タルップ・ク・シャウス・タルップ・ク・シャウス**。テーブルの上にはリモコンが載っていた。その隣には女性雑誌が積み重ねてあった。電話はまだ沈黙したままだ。部屋のテレビのほの暗い光に照らしだされている。

テレビの画面では二人のTVピープルが熱心に作業を続けている。画像はさっきよりずっとはっきりしている。機械の計器の数字まで今でははっきりと読みとれる。かすかであるがその音も聞こえるようになっている。機械が**タアアブジュラヤィフッグ・タアブジュラヤィフッグ・アルップ・アルップ・タアブジュラヤィフッグ**、という唸りを立てている。時折、金属が金属を打つ規則正しい乾いた音がする。**アリイイイインブツ・アリイイインブツ**、それは聞こえる。ほかにもいろんな種類の音がいりまじっている。でも僕にはそれ以上はっきりとは聞きわけられない。でも何はともあれ、その二人のTVピープルは画面の中で懸命に働いている。それがこの画像のテーマなのだ。僕はしばらくその二人の作業をじっと眺める。画面の外のTVピープルも黙って画面の中の仲間の姿を見つめている。わけのわからない——それはどうしても僕には飛行機には見えないのだ——真っ黒な機械は、白い光の中に浮かんでいる。

「奥さんは帰ってこないよ」と画面の外にいるTVピープルが僕に言った。

僕は彼の顔を見た。彼が何を言っているのかうまくキャッチできなかった。僕は真っ白なブラウン管をのぞきこむみたいに彼の顔をじっと見た。

「奥さんはもう帰ってこないよ」とTVピープルは同じ口調で言った。

「何故？」と僕は訊いた。

「何故って、もう駄目だからだよ」とTVピープルは言った。ホテルで使うカード式のプラスティック・キイのような声だった。平面的で、抑揚のない声が、細いスリットから、刃物のようにすっともぐりこんでくる。「もう駄目だから帰ってこないんだ」

もう駄目だから帰ってこない、と僕は頭の中で繰り返した。とても平板でリアリティーがない。僕はその文脈をうまく把握することができなかった。原因が結果の尻尾をくわえてのみこもうとしていた。僕は立ち上がって台所に行った。そして冷蔵庫を開け、深呼吸をし、缶ビールを持ってソファーに戻った。TVピープルはテレビの前にじっと立ったまま、僕がプル・リングをむしりとるのを眺めていた。彼は右の肘《ひじ》をテレビの上に載せていた。別にビールが飲みたいわけではなかった。ただ何かしないことには間がもたないのでビールを持ってきただけだった。ひとくちだけ飲んでみたが、ビールは美味《うま》くもなんともなかった。缶をずっと手に持っていたが、重たくなったのでテーブルの上に置いた。

それから僕は妻がもう帰ってこないというTVピープルの声明について考えてみた。彼はもう我々が駄目になってしまったのだと言う。それが彼女の帰ってこない理由だと言う。でも僕には我々の関係が駄目になっていたとはどうしても思えなかった。もちろん僕らは完全な夫婦ではなかった。僕らは四年間のあいだに何度も口論した。二人のあいだにはたしかにいくつかの問題はあった。僕らはそれについて時折話しあった。解決したこともあったし、解決しなかったこともあった。解決しないことの多くはそのまま放り出されて、しかるべき時間の経過を待っていた。オーケー、僕らは問題のある夫婦だった。それはそうだ。でもだからといって僕らが駄目になったということにはならないはずだ。そうじゃないか。どこに問題のない夫婦がいる？　それに今はまだ八時過ぎだ。彼女は何かの理由でどうしても電話がかけられなかっただけなのだ。そんな理由はいくつでも思いつける。たとえば……、でも僕にはひとつも思いつけなかった。僕はひどい混迷の中にいる。

僕はソファーの背もたれに深くもたれた。

あの飛行機は――もしあれが飛行機だとしたら――いったいどうやって飛ぶんだろう、と僕は思った。推進力は何だ？　窓はどこにあるんだ？　だいたいどっちが前でどっちが後ろなんだ？

僕はひどく疲れていた。とてもうすっぺらだ。従姉妹に断りの返事を書かなくちゃな、と思った。仕事の都合でどうしても出席することができません。残念です。結婚おめでとう、と。

テレビの中の二人のTVピープルは僕とは無関係に、せっせと飛行機を作りつづけていた。彼らは一時も仕事の手をやすめなかった。その機械を完成させるまでに彼らがやらなくてはならない作業は無限にあるようだった。ひとつの作業が終わると、休みなくすぐに次の作業が始まった。きちんとした工程表や図面があるわけではなかったが、彼らは自分が何をすればいいのか、次に何をすればいいのかを熟知していた。カメラは彼らのそんな見事な作業をきわめて手際良くフォローしていた。わかりやすく的確なカメラワークだった。説得力のある画面だった。たぶん別の（第四だか第五だかの）TVピープルがカメラやコントロール・パネルの作業を担当しているのだろう。

不思議な話だけれど、TVピープルたちのそんな完璧と言ってもいい仕事ぶりをじっと見ているうちに、僕にもそれが少しずつ飛行機に見えてきた。少なくとも飛行機であってもおかしくないという気がしてきた。どちらが前でどちらが後ろだって、そんなことかまわないじゃないかと思った。あれだけ見事に精密な仕事をしているんだから、それはきっと飛行機なのだ。たとえそうは見えなくても、彼らにとっては、それが飛行機なのだ。たしかにこの男の言うとおりだ。

飛行機でないとするなら、これは何なんだい？

テレビの外のＴＶピープルはさっきからぴくりとも姿勢を崩してはいなかった。彼は右肘をテレビに載せて、僕を見ていた。僕は見られていた。テレビの中のＴＶピープルは働きつづけていた。時計の音が聞こえた。**タルップ・ク・シャウス・タルップ・ク・シャウス**。部屋は暗く、息苦しかった。だれかが靴音を響かせて廊下を歩いていた。

そうかもしれないな、僕は突然そう思った。たしかに妻はもうここには戻ってこないかもしれない。僕はそう思った。妻はもうずっと遠くにまで行ってしまったのだ。あらゆる交通機関を使って、僕の手が届かない遠くの場所に去ってしまったのだ。たしかに僕らはもうとりかえしのつかないほど駄目になってしまったのかもしれない。失われてしまっていたのかもしれない。そして僕だけがそれに気づかなかったのだ。僕の中でいろんな思いがほどけて、それからまたひとつになった。そうかもしれない、と僕は口に出して言った。僕の声は自分の体の中でとてもうつろに響いた。

「明日色を塗れば、もっとよくわかるようになるよ」とＴＶピープルが言った。「色さえ塗ればきちんとした飛行機になるんだ」

僕は自分の手のひらを眺めた。手のひらはいつもに比べて少し縮んでいるように見えた。ほんの少しだけ。気のせいかもしれない。光の加減でそう見えるだけかもしれない。遠近感のバランスが少し狂っているのかもしれない。でもたしかに手のひらは縮んでいるように見える。ちょっと待ってくれ。僕は発言したい。僕は何か言わなくてはならない。僕には言うべきことがあるのだ。そうしないと僕は縮んで乾いて、そして石になってしまう。他のみんなと同じように。

「もうすぐここに電話がかかってくるよ」とTVピープルは言った。それから計算するようにすこしだけ間をおいた。「あと五分くらいで」

僕は電話機を見た。そして電話機のコードのことを考えた。どこまでもどこまでも繋がっている電話機のコード。そのおそろしい回線迷路のどこかの端末に妻がいるのだ、と僕は思った。ずっと遠く、僕の手の届かないくらい遠くに。僕は彼女の鼓動を感じることができた。あと五分、と僕は思った。どっちが前でどっちが後ろなんだ？　僕は立ち上がって何かを言おうとした。でも立ち上がった瞬間に言葉は消えてなくなってしまった。

A slow boat to China

中国行きのスロウ・ボート

中国行きの貨物船《スロウ・ボート》に
なんとかあなたを
乗せたいな、
船は貸しきり、二人きり……
——古い唄

1

最初の中国人に出会ったのはいつのことだったろう？

この文章は、そのような、いわば考古学的疑問から出発する。様々な出土品にラベルが貼りつけられ、種類別に区分され、分析が行われる。

さて最初の中国人に出会ったのはいつのことであったか？

一九五九年、または一九六〇年というのが僕の推定であるが、どちらにしたところで違いはない。正確に言うなら、まったくない。僕にとっての一九五九年と一九六〇年は、不格好な揃いの服を着た醜い双子の兄弟のようなものである。実際のところタイム・マシーンに乗ってその時代に戻ることができたとしても、一九五九年と一九六〇年を見分けるためには僕はそうとう苦労しなくてはならないだろう。

それでもなお、僕の作業は辛抱強く続けられる。竪穴の枠が広げられ、僅かではあるが新しい出土品がその姿を現わし始める。記憶の破片。

そうだ、それはたしかヨハンソンとパターソンがヘヴィー・ウェイトのチャンピオン・タイトルを争った年だった。僕はその年にテレビでその試合を見た記憶がある。とすれば、図書館に行って古い新聞年鑑のスポーツのページを繰ればいいわけだ。それで全ては終るはずだった。

翌朝、僕は自転車に乗って近くの区立図書館に出かけた。

図書館の玄関のわきにはどういうわけかにわとり小屋があり、小屋の中では五羽のにわとりが少し遅い朝食だか少し早い昼食だかを食べているところだった。気持の良い天気だったので僕は図書館に入る前に小屋の横の敷石に座り、煙草を一本吸うことにした。そして煙草を吸いながらにわとりたちが餌を食べているところをずっと眺めていた。にわとりたちはとても忙しそうに餌箱をつついていた。彼らはあまりにもせかせかとしていたので、その食事風景は、まるでコマ数の少ない昔のニュース映画みたいに見えた。

煙草を吸い終った時、僕の中で何かが確実に変化していた。なぜだかはわからない。しかしなぜだかはわからないままに、五羽のにわとりと煙草一本分の距離を隔てた新しい僕は、自分自身に向って二つの疑問を提出した。

まずひとつ、僕が最初の中国人に出会った正確な日付になんて誰が興味を持つだろうか？

もうひとつ、日あたりの良い読書室の机に置かれた古い新聞年鑑と僕のあいだに、これ以上お互いに分かち合うべき何が存在するだろうか？

それらはもっともな疑問であるように思えた。僕はにわとり小屋の前でもう一本煙草を吸い、それから自転車に乗って図書館とにわとりに別れを告げた。だから空を飛ぶ鳥が名を持たぬように、僕のその記憶は日付を持たない。

もっとも、たいていの僕の記憶は日付を持たない。僕の記憶力はひどく不確かである。それはあまりにも不確かなので、ときどきその不確かさによって僕は誰かに向って何かを証明しているんじゃないかという気がすることさえある。しかしそれが一体何を証明しているかということになると、僕にはまるでわからない。だいたい不確かさが証明していることを正確に把握するなんて、不可能なんじゃないだろうか？

とにかく、というか、そんな具合に、僕の記憶はおそろしくあやふやである。前後が逆になったり、事実と想像が入れかわったり、ある場合には僕自身の目と他人の目が混じりあったりもしている。そんなものはもう記憶とさえ呼べないかもしれない。だから僕が小学校時代（戦後民主主義のあのおかしくも哀しい六年間の落日の日々）をとおしてきちんと正確に思い出すことのできる出来事といっても、たったふたつしかない。ひとつはこの中国人の話であり、もうひとつはある夏休みの午後に行われた野球の試合である。その野球の試合で僕はセンターを守り、三回の裏に脳震盪を起こした。もちろん僕はなんの理由もなしに突然脳震盪を起こしたわけではない。我々のチームがその試合のために近所の高校のグラウンドの片隅しか使えなかったというのが、その日の僕の脳震盪の主な理由だった。つまり僕はセンター・オーバーの飛球を全速力で追っていて、顔面からバスケットボールのゴール・ポストに激突したのである。

目を覚ましたのは葡萄棚の下のベンチ、もう日は暮れかけ、乾ききったグラウンドにまかれた水の匂いと、枕がわりの新品のグローヴの革の匂いが最初に僕の鼻をついた。そしてけだるい側頭部の痛み。僕は何かをしゃべったらしい。覚えてはいない。僕に付き添ってくれていた友だちが、あとになって恥かしそうにそれを教えてくれた。僕はこう言ったらしいのだ。**大丈夫、埃さえ払えばまだ食べられる。**

そんな言葉が何処からでてきたものか、いまだにわからない。おそらく夢でも見ていたのだろう。あるいはそれは給食のパンを運んでいる途中で階段から転がり落ちた夢であったのかもしれない。それ以外にその言葉から連想できる情景といってもまずないから。

僕はそれから二十年経った今でもときどき、この文句を頭の中で転がしてみる。

大丈夫、埃さえ払えばまだ食べられる。

そのことばを頭にとどめながら、僕は僕という一人の人間の存在と、僕という一人の人間が辿らねばならぬ道について考えてみる。そしてそのような思考が当然到達するはずの一点——死、について考えてみる。死について考えることは、少なくとも僕にとっては、ひどく茫漠とした作業だ。死はなぜかしら僕に、中国人のことを思い出させる。

2

港街の山の手にある中国人子弟のための小学校（名前をすっかり忘れてしまったので以後便宜的に中国人小学校と呼ぶことにする。妙な呼び方かもしれないが許してほしい）を訪れることになったのは、それが僕の受けた模擬テストの会場にあてられていたためだ。会場は幾つにも分かれていたのだけれど、僕の学校から中国人小学校に行くようにと指定されたのは僕一人きりだった。理由はよくわからない。おそらく何かの事務的な手違いがあったのだろう。クラスの連中はみんな近くの会場に指定されていたのだから。

中国人小学校？

僕は誰かれとなくつかまえては、中国人小学校について何か知らないかと訊ねまわってみた。誰ひとり何ひとつ知らなかった。わかったことといえば、その中国人小学校は僕たちの校区から電車で三十分もの距離にあるということだけだった。当時の僕は一人で電車に乗ってどこかに行くというようなタイプの子供ではなかったから、それは実際、僕にとっては世界の果てというにも等しいことであった。

世界の果ての中国人小学校。

二週間後の日曜日の朝、僕はおそろしく暗い気持で一ダースの新しい鉛筆を削り、指定されたとおりに弁当とスリッパをビニールの鞄に詰めた。天気の良い、少しばかり暖かすぎるほどの秋の日曜日だったが、母親は僕に分厚いセーターを着せた。僕は一人で電車に乗り、乗り越さぬようにとずっとドアの前に立ったまま外の風景に注意していた。

中国人小学校は、受験票の裏に印刷された地図を見るまでもなくすぐにわかった。スリッパと弁当箱で鞄をふくらませた一群の小学生のあとをついていけば、それでよかったわけだ。急な坂道を何十人、何百人という小学生が列を連ねて同じ方向に歩いていた。それは不思議といえば不思議な光景だった。彼らは地面にボールをつくわけでもなく、下級生の帽子をひっぱるでもなく、ただ黙々と歩いていた。彼らの姿は僕に何かしら不均一な永久運動のようなものを想起させた。坂道を上りながら、僕は分厚すぎるセーターの下で汗をかきつづけた。

僕の漠然とした予想に反して、中国人小学校の外見は僕の小学校と殆んど変らなかったばかりか、ずっと垢抜けさえしていた。暗く長い廊下、じっとりと黴臭い空気……二週間のあいだに僕が頭の中で勝手に膨らませてきたそんなイメージは、何処にも見受けられなかった。洒落た鉄の扉をくぐると植込みに囲まれた石畳の道がゆるやかな弧を描きながら長く続き、玄関の正面では澄んだ池の水が午前九時の太陽を眩しく反射させていた。校舎に沿って立木が並び、そのひとつひとつには中国語の説明板が吊されていた。僕に読める字もあり、読めない字もあった。玄関の向うにはパティオのような形に、校舎に囲まれた四角い運動場があり、それぞれの隅には誰かの胸像や、気象観測用の白い小箱や、鉄棒があった。

僕は指示されたとおりに玄関で靴を脱ぎ、指示されたとおりの教室に入った。明るい教室には小綺麗なはねあげ式の机が正確に四十個並び、それぞれの机には受験番号を書いた紙片がセロテープで貼りつけられていた。僕の席は窓際の最前列、つまりはこの教室におけるいちばん若い番号だった。

黒板はまあたらしい深緑色、教壇の上にはチョークの箱と花瓶、花瓶の中には白い菊が一輪。何もかもが清潔で、きちんと整えられている。壁面のコルク・ボードには図画も作文も貼り出されてはいない。我々受験生の邪魔にならぬようにと、わざわざ取り外されたのかもしれない。僕は椅子に座り、机の上に筆箱と下敷を並べてから頬杖をついて目を閉じた。

答案用紙を小脇に抱えた監督官が教室に入ってきたのは十五分ばかり後のことだった。監督官は四十歳より上には見えなかったが、左足を床にひきずるように軽いびっこをひき、左手で杖をついていた。それは登山口の土産物屋にでも売っていそうな粗い仕上げの桜材の杖だった。そして彼のびっこのひき方があまりにも自然に見えたので、その杖の粗末さだけがいやに目立った。四十人の小学生たちは監督官の姿を見ると、というより答案用紙を見ると、しんと静まり返った。

監督官は教壇にのぼると、まず答案用紙の束を机の上に置き、次にことりという音を立てて、そのわきに杖を並べた。そして全ての席が欠員なく埋まっていることを確認すると、咳払いをひとつして、ちらりと腕時計を見た。それから体を支えるように机の端に両手をついたまま顔をまっすぐに上げ、しばらく天井の隅を眺めた。

沈黙。

十五秒ばかり、そのそれぞれの沈黙はつづいた。緊張した小学生たちは息をのんで机の上の答案用紙をみつめ、足の悪い監督官はじっと天井の隅を眺めていた。彼は淡い鼠色の背広に白いシャツ、それに見た次の瞬間には色も柄も忘れてしまいそうなほど印象の薄いネクタイをしめていた。彼は眼鏡をはずしてハンカチでゆっくりとレンズの両面を拭き、そしてもとに戻した。

「わたくしがこのテストの監督をいたします」わたくし、と彼は言った。「答案用紙が配られましたら、机の上に伏せたままにしておいて下さい。決して表向きにしてはいけません。両手はきちんと膝の上に置いておきなさい。わたくしがはいと言ったら表を向けて問題にかかるように。終了の十分前になったら十分前と言います。つまらない間違いがないか、もう一度調べて下さい。次にわたくしがはいと言ったらそれでおしまいです。答案用紙を伏せて両手を膝の上に置くように。わかりましたね？」

沈黙。

「名前と受験番号を最初に書きこむことを、くれぐれも忘れないように」

沈黙。

彼はもう一度、腕時計を眺めた。

「さて、あと十分ばかり時間があります。そのあいだみなさんと少しばかりお話がしたい。気持を楽にして下さい」

ふう、という息が幾つか洩れた。

「わたくしはこの小学校に勤める中国人の教師です」

そう、僕はこのようにして最初の中国人に出会った。

彼はまるで中国人には見えなかった。けれど、これはまあ当然な話だった。これまで中国人に出会ったことなんて僕には一度もなかったのだから。

「この教室では」と彼は続けた。「いつもはみなさんと同じ年頃の中国人の生徒たちがみなさんと同じように一所懸命勉強しております。……みなさんも、ご存じのように、中国と日本は、言うなればお隣り同士の国です。みんなが気持良く生きていくためにはお隣り同士が仲良くしなくてはいけない。そうですね？」

沈黙。

「もちろんわたくしたち二つの国のあいだには似ているところもありますし、似ていないところもあります。わかりあえるところもあるでしょうし、わかりあえないところもあるでしょう。それはあなた方のお友だちのことを考えても同じことではないですか？　どんなに仲の良い友だちでも、やはりわかってもらえないこともある。そうですね？　わたくしたち二つの国のあいだでもそれは同じです。でも努力さえすれば、わたくしたちはきっと仲良くなれる、わたくしはそう信じています。でもそのためには、まずわたくしたちはお互いを尊敬しあわねばなりません。それが……第一歩です」

沈黙。

「例えばこう考えてみて下さい。もしあなた方の小学校にたくさんの中国人の子供たちがテストを受けに来たとしますね。今みなさんがやっているのと同じように、今度はみなさんの机に中国人の子供たちが座るわけです。そう考えてみて下さい」

仮定。

「月曜日の朝に、みなさんが学校にやって来ます。そして席に着きます。するとどうでしょう。机は落書きや傷だらけ、椅子にはチューインガムがくっついている、机の中の上履きは片方なくなっている。さて、どんな気がしますか？」

沈黙。

「例えばあなた」彼は実に僕を指さした。僕の受験番号がいちばん若いせいだった。「嬉しいですか？」

みんなが僕を見ていた。

僕は真赤になりながら慌てて首を振った。

「中国人を尊敬できますか？」

僕はもう一度首を振った。

「だから」と彼は正面に向きなおった。みんなの目も、やっと教壇の方向に戻った。「みなさんも机に落書きしたり、チューインガムを椅子にくっつけたり、机の中のものにいたずらしたりしてはいけません。わかりましたか？」

沈黙。

「中国人の生徒たちはもっときちんとした返事をしますよ」

はい、と四十人の小学生たちが答えた。いや三十九人。僕には口を開くことすらできなかった。

「いいですか、顔を上げて胸をはりなさい」

僕たちは顔を上げて胸をはった。

「そして誇りを持ちなさい」

二十年も昔の試験の結果なんて、今ではすっかり忘れてしまった。僕が思い出せるのは坂道を歩いていた小学生たちの姿と、その中国人教師のことだけだ。そして顔を上げて胸をはること、誇りを持つこと。

3

高校が港街にあったせいで、僕のまわりにはけっこう数多くの中国人がいた。中国人といっても、べつに我々とどこかが変っているわけではない。また彼らに共通するはっきりとした特徴があるわけでもない。彼らの一人一人は千差万別で、その点においては我々も彼らもまったく同じである。僕はいつも思うのだけれど、個人の個体性の奇妙さというのは、あらゆるカテゴリーや一般論を超えている。

僕のクラスにも何人かの中国人がいた。成績の良いものもいれば良くないものもいたし、陽気なのもいれば無口なのもいた。ちょっとした豪邸に住んでいるものもいれば、日あたりの悪い六畳一間に台所といったアパートに住んでいるのもいた。様々だ。しかし僕は彼らのうちの誰かととくに親しくなるということはなかった。だいたい僕はあたりかまわず誰とでも親しくなるという性格ではない。相手が日本人だろうが中国人だろうが何だろうが、それは同じことだ。

彼らの一人とは十年ばかり後で偶然顔を合わすことになるのだが、それについてはもう少し先で語った方がいいと思う。

舞台は東京に移る。

順序からいけば――というのはつまり、あまり親しく口をきかなかったクラスメイトの中国人たちをのぞけば、ということだが――僕にとっての二人めの中国人は大学二年生の春にアルバイト先で知りあった無口な女子大生ということになる。彼女は僕と同じ十九歳で、小柄で、考えようによっては美人といえなくもなかった。僕と彼女は三週間一緒に働いた。

彼女はとても熱心に働いた。僕もそれにつられて熱心に働いたが、彼女の働きぶりを横で見ていると、僕の熱心さと彼女の熱心さは根本的に質の違うものであるような気がした。つまり、僕の熱心さが「少なくとも何かをするのなら、熱心にやるだけの価値はあるかもしれない」という意味あいでの熱心さであるのに比べて、彼女の熱心さはもう少し人間存在の根元に近い種類のものであるように見えた。うまく説明できないけれど、彼女の熱心さには、彼女のまわりのあらゆる日常性がその熱心さによって辛うじてひとつにくくられ支えられているのではないかといったような奇妙な切迫感があった。だからおおかたの人間は彼女と仕事のペースがあわなくて、途中で腹を立てた。最後まで文句も言わず彼女と組んで作業ができたのは僕くらいのものだった。

とはいっても、僕と彼女は始めのうち殆んど口もきかなかった。何度か話しかけてみたのだが、彼女は会話をすることに対して気が進まないように見えたので、それ以上はあまり話しかけないようにしていた。僕と彼女が最初にまとめて口をきいたのは、一緒に働きはじめてから二週間ばかりたってからだった。彼女はその日の昼前、三十分ばかり、一種のパニック状態におちいった。彼女がそんな風になったのははじめてのことだった。そもそもの原因はちょっとした作業手順の狂いだった。そうなったのはたしかに彼女の責任といえば責任だったのだが、僕から見ればそんなものはよくある失敗だった。ちょっとうっかりしてドジッたのだ。誰でもやることだ。でも彼女にはそうは思えないみたいだった。小さなひびが彼女の頭の中で少しずつ大きくなり、やがてとりかえしのつかない巨大な深淵へと姿を変えていった。彼女はその先に一歩も進めなくなってしまったのだ。彼女は一言も口をきかずに、文字どおりその場にじっと立ちすくんでいた。彼女の姿は僕に、夜の海にゆっくりと沈んでいく船を思わせた。

僕は作業を中断し、彼女を椅子に座らせ、握りしめた指を一本ずつほどき、熱いコーヒーを飲ませた。それから、大丈夫、何も心配することはないと言ってきかせた。手遅れになるというようなことじゃないし、間違ったところを最初からもう一度やりなおしても、それでたいして作業が遅れるわけではないのだ。たとえ遅れたところで、それで世界が終るわけではないのだ、と。彼女はうつろな目をしていたが、それでも黙って肯いた。コーヒーを飲んでしまうと、彼女は少し落ちついたようだった。

「ごめんなさい」と小さな声で彼女は言った。

昼食の時間に我々は軽い世間話をした。彼女は自分が中国人だといった。

僕らの仕事場は、文京区の小さな出版社の暗くて狭い倉庫だった。倉庫の隣りには汚い川が流れていた。

簡単で、退屈で、しかも忙しい仕事だった。僕が伝票を受け取り、指示された冊数の本を抱えて倉庫の入口まで運ぶ。彼女がそれにロープをかけて台帳をチェックする。実にそれだけのことだった。おまけに倉庫には暖房装置のかけらもなかったので、凍死しないためには僕らはいやがおうでもせわしなく働かざるを得なかった。これじゃアンカレッジ空港で雪かきのアルバイトをしているのとあまり変りないんじゃないかと思うくらい寒かった。

昼休みになると、僕らは外に出て温かい昼食をとり、休みが終るまでの一時間を、体を暖めながら二人でぼんやりと過した。何よりも体を暖めるのが休み時間の主要な目的だった。でも彼女がパニックを起こしてからは、僕らは少しずつお互いの話をするようになった。彼女はきれぎれにしかしゃべらなかったが、少したつとだいたいの状況がわかってきた。彼女の父親は横浜で小さな輸入商を営んでおり、その扱う荷物の大半は、香港からやってくるバーゲン用の安い衣料品だった。中国人とはいっても、彼女は日本で生まれ、中国にも香港にも台湾にも一度も行ったことはなく、通った小学校は日本の小学校で、中国人小学校ではなかった。中国語は殆んどできなかったが、英語は得意だった。彼女は都内の私立の女子大に通っていて、将来の希望は通訳になることだった。そして駒込のアパートで兄と同居していた。あるいは彼女の表現を借りるなら、転がりこんでいた。父親とソリが合わなかったためだ。僕が彼女について知り得た事実は、ざっとそんなところだった。

その三月の二週間は、時折のみぞれまじりの冷ややかな雨とともに過ぎ去っていった。仕事の最後の日の夕方、経理課で給料を受け取ったあとで、僕はちょっと迷ってから、以前に何度か行ったことのある新宿のディスコティックにその中国人の女の子を誘ってみた。彼女を口説こうとか、そういう風に思ったわけではない。僕には高校時代からつきあっているガールフレンドがいた。でも正直に言って、僕らのあいだは以前ほどしっくりとはいっていなかった。彼女は神戸にいて、僕は東京にいた。会えるのは年に二ヵ月か、せいぜい三ヵ月だった。僕らはまだ若かったし、それだけの距離と時間の空白を克服できるほどお互いのことをしっかりと理解していたわけではなかった。これから先、そのガールフレンドとの関係をいったいどういう風に展開させていけばいいのか、僕には見当もつかなかった。僕は東京ではまったくのひとりぼっちだった。友だちらしい友だちもいなかったし、大学の授業は退屈だった。僕としては正直なところ少し息ぬきをしたかったのだ。女の子を誘って踊りに行って、軽く酒を飲んでうちとけた話をして、楽しみたかった。それだけのことだった。僕はまだ十九だった。なんといってもいちばん人生を楽しみたい年齢だった。

彼女は五秒ばかり首をかしげて考えていた。「でも踊ったことなんてないのよ」と彼女は言った。「簡単だよ」と僕は言った。「踊るなんていうほどのことでもないんだ。音楽にあわせて体を動かしてればいいんだよ。誰だってできる」

僕らはまずレストランに入ってビールを飲み、ピザを食べた。もうこれで仕事は終ったのだ。もう二度とあの寒い倉庫に行って本を運ばなくてもいいのだ。そのことで僕らはすごく解放的な気持になっていた。僕はいつもより沢山冗談を言い、彼女はいつもよりよく笑った。食事を済ませてから僕らはそのディスコティックに行って二時間ばかり踊った。ホールは心地よい暖かさに充ちて、汗の匂いと、誰かが焚いたらしい香の匂いが漂っていた。フィリピン・バンドがサンタナのコピーをやっているようなディスコティックだった。汗をかくと座ってビールを飲み、汗がひくとまた踊った。時折ストロボ・フラッシュが点滅した。ストロボの光の中の彼女は、倉庫にいるときとは全然違って見えた。踊ることに馴れてくると、彼女はそれを楽しむようになった。

くたくたになるまで踊ってから僕らは店を出た。三月の夜の風はまだ冷ややかではあったけれど、それでもそこには春の予感が感じられた。体はまだ暖まっていたので僕らはコートを手に持ったまま、あてもなく街を歩いた。ゲーム・センターをのぞき、コーヒーを飲み、そしてまた歩いた。春休みはまだちゃんと半分手つかずで残っていたし、何よりも僕らは十九歳だった。歩け、と言われればそのまま多摩川べりまでだって歩いたかもしれない。僕は今でもその夜の空気の気配のようなものを思い出せる。

時計が十時二十分を指したところで、そろそろ帰らなくちゃ、と彼女が言った。「十一時までに戻らなくちゃいけないのよ」彼女はとても申し訳なさそうに僕にそう言った。

「ずいぶん厳しいんだね」と僕は言った。

「ええ、兄貴がうるさいの。保護者ぶってるのよね。まあ一応世話になってるから文句も言えないし」と彼女は言った。でも彼女がそのお兄さんを好いていることは口ぶりでよくわかった。

「靴を忘れないようにね」と僕は言った。

「靴?」五、六歩あるいてから彼女は笑った。「ああ、シンデレラね。大丈夫、忘れないわ」

僕たちは新宿駅の階段を上り、並んでベンチに腰を下ろした。

「ねえ、もしよかったら電話番号を教えてくれないかな」と僕は彼女に訊いた。「また今度どこかに一緒に遊びに行こう」

彼女は唇を噛んだまま何度か肯いた。そして電話番号を教えてくれた。僕はそれをディスコティックの紙マッチの裏にボールペンで書きとめた。電車がやってきたので僕は彼女を乗せ、おやすみと言った。楽しかったよ、どうもありがとう、またね。ドアが閉まり、電車が動き出すと僕は隣りのプラットフォームに移り、池袋方面に行く電車を待った。僕は柱によりかかって、煙草を吸いながら、その夜のことを順番に思い返してみた。レストランからディスコから散歩まで。悪くない、と僕は思った。女の子とデートしたのは久し振りだった。僕はそれを楽しんだし、彼女だって楽しんでいた。僕らは少なくとも友だちにはなれるだろう。彼女は少し無口すぎるし、神経質なところもある。でも僕は彼女に対して本能的な好意を抱くことができた。

僕は靴の底で煙草を踏み消し、それからまた新しい煙草に火をつけた。様々な街の音がひとつに入り混じって、淡い闇の中にぼんやりとにじんでいた。僕は目を閉じ、息を深く吸いこんだ。まずいことは何もない、と僕は思った。しかし彼女と別れてから、何かが不思議な感じで僕の胸につっかえていた。飲み込もうと思っても、がさがさとしたものが喉にひっかかっていて飲み込めないのだ。何かが間違っているのだ。僕は何かとんでもない失敗を犯してしまったような気がした。

僕がその何かに思い当たったのは山手線の電車を目白駅で降りたときだった。そこで僕はやっと気づいた。僕は彼女を逆まわりの山手線に乗せてしまったのだ。

僕の下宿は目白にあったのだから、彼女と同じ電車に乗って帰ればよかったのだ。すごく簡単なことだった。どうしてそれをまたわざわざ逆まわりの電車に乗せてしまったんだろう？　酒を飲みすぎたせいだろうか？　あるいは僕は自分のことで頭がいっぱいになりすぎていたのかもしれない。駅の時計は十時四十五分を指していた。おそらく門限には間に合うまい。彼女が早く僕の間違いに気づいて逆まわりの電車に乗り換えていれば別だ。でも僕には彼女がそうするとは思えなかった。彼女はそういうタイプではないのだ。間違えた電車に乗せられたらずっとそのまま乗っているタイプなのだ。それにだいたい彼女には始めからちゃんとわかっていたはずなのだ。自分が間違った電車に乗せられているということが。やれやれと僕は思った。

彼女が駒込駅に姿を見せたのは十一時を十分ばかりまわったところだった。階段のわきに立っている僕を見ると、彼女は足を止めて、笑えばいいのか怒ればいいのか決め兼ねるような表情を顔に浮かべた。僕はとにかく彼女の腕をとってベンチに座らせ、その隣りに腰を下ろした。彼女はバッグを膝の上に置いてそのストラップを両手で握り、足を前にのばし、白い靴の先をじっと見ていた。

僕は彼女に謝った。どうしてかはわからないけれど、ついうっかり間違えたんだと僕は言った。きっとぼんやりしてたんだ。

「本当に間違えたの？」と彼女は訊いた。

「当たり前だよ。でなきゃこんなことにはならないじゃないか」と僕は言った。

「わざとやったのかと思ったわ」と彼女は言った。

「わざと？」

「だから、怒ったのかと思ったのよ」

「怒る？」彼女が何を言おうとしているのか、僕にはよく理解できなかった。

「ええ」

「どうして僕が怒ってるなんて思ったの？」

「わからない」と彼女は消え入りそうな声で言った。「私と一緒にいるのがつまらなかったからじゃない」

「つまらなくなんかないよ。君と一緒にいてとても楽しかった。嘘じゃない」

「嘘よ。私と一緒にいたって楽しくなんかないわ。そんなはずないわよ。それは自分でもよくわかるのよ。あなたが本当に間違えたんだとしても、それはあなたが実は心の底でそう望んでいたからよ」

僕はため息をついた。

「気にしなくてもいいのよ」と彼女は言った。そして首を振った。「こんなのこれが最初じゃないし、きっと最後でもないんだもの」

彼女の瞳から涙が二粒あふれ、コートの膝に音を立ててこぼれた。

いったいどうすればいいものか、僕には見当もつかなかった。僕たちはそのままの姿勢でずっと黙っていた。電車が何台かやってきては乗客をはき出していった。彼らの姿が階段の上に消えると、また静けさが戻った。

「お願い。もう私のことは放っておいて」彼女は涙に濡れた前髪をわきにやって微笑んだ。「最初は私も何かの間違いだろうって思ってたの。だからまあいいやって思ってずっと逆まわりの電車に乗っていたの。でも電車が東京駅を過ぎたあたりで、力が抜けちゃったの。何もかもが嫌になっていったの。そしてもうこんな目には二度とあいたくないって思ったの」

僕は何か言おうと思ったが、言葉が出てこなかった。夜の風が夕刊をばらばらにほぐして、プラットフォームの端の方まで運んでいった。

彼女は涙に濡れた前髪をわきにやって力なく微笑んだ。「いいのよ。そもそもここは私の居るべき場所じゃないのよ。ここは私のための場所じゃないのよ」

彼女の言う場所がこの日本という国を指すのか、それとも暗黒の宇宙をまわりつづけるこの岩塊を指すのか、僕にはわからなかった。僕は黙って彼女の手を取って僕の膝にのせ、その上にそっと手をかさねた。彼女の手はあたたかく、内側が湿っていた。僕は思い切って口を開いた。

「ねえ、僕には僕という人間をうまく君に説明することはできない。僕にもときどき自分という人間がよくわからなくなることがある。自分が何をどう考えて、何を求めているのか、そういうことがわからなくなるんだ。それから自分がどういう力を持っていて、その力をどういう風に使っていけばいいのか、それもわからない。そういうことをひとつひとつ細かく考えだすと、ときどき本当に怖くなる。怖くなると、自分のことしか考えられなくなる。そしてそういうときには、僕はすごく身勝手な人間になる。そうしようとも思わないのに、他人を傷つけたりもする。だから僕には自分が立派な人間だとはとても言えない」

僕はその先をうまく続けることができなかった。だからそこで僕の話はぷつんと途切れてしまった。彼女はその続きを待つように、じっと黙っていた。そして相変わらず自分の靴の先を見つめていた。遠くの方から救急車のサイレンの音が聞こえた。駅員がほうきでプラットフォームのごみを集めていった。駅員は僕らには目もくれなかった。時刻が遅くなったせいで電車の本数はもうすっかり少なくなっていた。

「僕は君といてとても楽しかった」と僕は言った。「それは嘘じゃない。でもそれだけじゃない。うまく言えないけれど、君という人間が僕にはなんだかすごくまともに感じられるんだ。どうしてかはわからない。どうしてかな？　でもずっと一緒にいて、いろんな話をして、あるときふとそう思ったんだ。そして僕はそのことについてずっと考えてたんだ。そのまともさというのはどういうことなんだろうって」

彼女は顔を上げて、しばらくじっと僕の顔を見ていた。

「わざと間違えた電車に乗せたわけじゃないんだ」と僕は言った。「たぶん考えごとをしていたんだと思う」

彼女は肯いた。

「明日電話するよ」と僕は言った。「またどこかに行ってゆっくり話そう」

彼女は指先で涙の跡を拭ってから両手をコートのポケットに戻した。「……ありがとう。いろいろごめんなさい」

「君が謝ることなんてないよ。だって僕が間違えたんだ」

そしてその夜、僕たちは別れた。僕は一人ベンチに座ったまま最後の煙草に火を点け、その空箱を屑かごに投げた。時計はもう十二時近くを指していた。

僕がその夜に犯したふたつめの誤謬に気づいたのはそれから九時間もあとのことだった。それはあまりにも馬鹿げていて、あまりにも致命的な過ちだった。僕は煙草の空箱と一緒に、彼女の電話番号を控えた紙マッチまで捨ててしまったのだ。僕はずいぶん調べてまわったのだけれど、アルバイト先の名簿にも電話帳にも、彼女の電話番号は載っていなかった。大学の学生課に問い合わせてみてもわからなかった。それ以来彼女とは一度も会っていない。

彼女が僕の出会った二人めの中国人である。

4

三人めの中国人の話。

彼は前にも書いたように、僕の高校時代の知り合いである。友人の友人といったあたり。何度かは口もきいたことがある。

そのとき僕は二十八になっていた。結婚してから六年の歳月が流れていた。六年のあいだに三匹の猫を埋葬した。幾つかの希望を焼き捨て、幾つかの苦しみを分厚いセーターにくるんで土に埋めた。全てはこのつかみどころのない巨大な都会の中で行われた。

冷ややかな十二月の午後だった。風こそなかったが、空気はいかにも肌寒く、時折雲間からこぼれる光も、街を覆ったうす暗い灰色の膜を消し去ることはできなかった。僕は銀行に行った帰り途、青山通りに面したガラス張りの喫茶店に入り、コーヒーを飲みながら買ったばかりの小説のページを繰っていた。小説に飽きると目を上げて、通りを流れる車を眺め、そしてまた本を読んだ。

気がつくとその男は僕の前に立っていた。そして僕の名前を口にした。

「そうだよね」

僕は驚いて本から目を上げ、そうだと言った。相手の顔に見覚えはなかった。年の頃は僕と同じくらい、仕立ての良いネイビー・ブルーのブレザー・コートに、色のあったレジメンタル・タイというきちんとした格好だった。でも何もかもがちょっとずつ擦り減っているような感じを受けた。服が古くなっているとか、くたびれているとか、そういうのではない。ただ単に擦り減っているのだ。顔立ちもそれに似ていた。きちんと整ってはいるものの、顔に浮かんでいる表情は、その場に応じて何処からかむりやりかき集めてきた断片の集積にすぎないように見えた。まるでまにあわせのパーティーのテーブルに並べられた不揃いの皿みたいだった。

「座っていいかな?」

「どうぞ」と僕は言った。彼は向いあって腰を下ろすと、ポケットから煙草の箱と小さな金のライターを取り出し、火を点けるでもなくテーブルの上に置いた。

「どう、思い出せない?」

「思い出せない」僕はそれ以上考えるのを放棄してあっさりとそう告白した。「悪いけどいつもそうなんだ。人の顔がうまく思い出せない」

「ひょっとして昔のことを忘れたがってるんじゃないのかな、それは。潜在的に、というかさ」

「そうかもしれない」と僕は認めた。たしかにそうかもしれない。

ウェイトレスが水を運んでくると、彼はアメリカン・コーヒーを注文した。うんと薄くして、と彼は言った。

「胃が悪いんだ。本当はコーヒーも煙草もとめられてるんだ」彼は煙草の箱をいじりまわしながらそう言った。そして胃の悪い人が胃の話をするときに特有の顔つきをした。「そうそう、ところでさっきの話のつづきだけどね、俺は君と同じ理由で、昔のことを本当にひとつ残らず覚えてるんだよ。全く妙なものだよね。俺だっていろんなことをさっぱりと忘れてしまいたいと思う。でも忘れようとすればするほど、ますますいろんなことを思い出してくるんだよ。寝ようと思えば思うほど目がさえてくることがあるだろう。あれと同じだよ。どうしてそんなことになるのか、自分でもよくわからない。覚えてるはずのないことまで思い出すんだ。こんなによく昔のことばかり覚えていたら、この先の人生の記憶をキープする余地はもうないんじゃないかと不安になるくらい記憶が鮮明なんだ。困ったことにさ」

僕は、手に持ったままの本をテーブルの上に伏せておき、コーヒーをひとくち飲んだ。

「それも、実にありありと思い出すんだな。その時の天気から、温度から、匂いまでね。まるで今そこにいるみたいな気分になる。それで時々自分でもわからなくなってしまうんだ。いったい本当の俺は何処に生きている俺だろうってね。今ここにある物事がひょっとしてただの記憶にすぎないんじゃないかと思うことさえある。そんな気がしたことあるかい？」

僕はぼんやりと首を振った。

「君のことも実によく覚えてる。通りを歩いていてガラス越しに一目見てすぐにわかったね。声をかけて迷惑だったかな？」

「いや」と僕は言った。「でも僕の方はどうしても思い出せないな。とても悪いとは思うんだけれど」

「悪くなんてないよ。こちらが勝手に押しかけたんだからね。気にしないでほしいな。思い出す時がくれば自然に思い出す。そんなもんだよ。記憶というのは人によって働きかたが全然違うんだ。容量も違えば、その方向性も違う。頭脳の働きを助ける記憶もあれば、阻害してしまう記憶もある。どれが良くてどれが悪いということもないんだ。だから気にしなくていいよ。たいしたことじゃないんだから」

「名前を教えてもらえないかな。どうしても思い出せないし、思い出せないと気持が悪いんだ」と僕は言った。

「名前なんてどうでもいいんだよ、本当に」と彼は言った。「まあそれを君が思い出すもよし、思い出さずともまたよし。どっちでもいいんだ。どっちでもかわりないんだから。でももし君が俺の名前を思い出せなくてそんなに気になるのなら、俺のことを初対面の相手だと思えばいいよ。それだってべつに話をするのに支障はないんだから」

コーヒーが運ばれ、彼はそれを美味くもなさそうにすすった。彼のことばの真意を僕はつかみかねた。

「余りにも多くの水が橋の下を流れた、という文章が高校時代の英語の教科書にあったな。覚えてる？」と彼は言った。

高校時代？　ということは、この男は高校時代の知り合いなのだろうか？

「たしかにそのとおりだよ。この間、橋の上に立ってぼおっと下を見てたんだ。そうしてたら、その英語の例文をふと思い出した。実感としてよくわかったよ。なるほどな、時間というのはこういう風に流れてたんだなってさ」

彼は腕を組んで椅子に深く身を埋め、曖昧な表情を顔に浮かべた。それはあるひとつの表情ではあったけれど、それがいったいどのような感情を意味しているのか、僕には全然理解できなかった。表情を作っている遺伝子がところどころで擦り切れているみたいな感じだった。

「結婚してる？」彼は僕にそう訊ねた。

僕は肯いた。

「子供は？」

「いない」

「俺には一人いる。男の子だけど」と彼は言った。「もう四つなんだ。幼稚園に行ってる。元気が取り柄だ」

子供の話はそれで終り、僕らはそのまま黙り込んだ。僕が煙草をくわえると、彼がすぐライターで火を点けてくれた。すごく自然な手つきだった。僕は他人に煙草の火を点けてもらったり、酒を注いでもらったりするのがあまり好きではないけれど、彼の場合はほとんど気にならなかった。火を点けてもらったことにしばらく気がつかなかったくらいだった。

「ところで何の仕事してる？」

「ちょっとした商売」と僕は答えた。

「商売？」彼はしばらくぽかんと口をあけてからそう言った。

「そう。たいしたものじゃないけどね」僕はそう言って口を濁した。彼は何度か肯いただけで、あえてそれ以上の質問をしなかった。仕事の話をしたくないというのではなかった。でも話し始めると長い話になるし、それをいちいち全部話すには僕はいささか疲れすぎていた。それに僕は相手の名前さえ知らないのだ。

「でも驚いたな。君が商売をやってるなんてね。商売になんておよそ向かないように見えたものなんだがな」

僕は微笑んだ。

「昔は本ばかり読んでたっけな」彼は不思議そうになおも続けた。

「まあ本なら今でも相変わらず読んでるけどね」僕は苦笑しながらそう言った。

「百科事典は？」

「百科事典？」

「そう、百科事典は持ってる?」

「いや」僕はわけのわからないまま首を振った。

「百科事典は読まない?」

「そりゃ、あれば読むだろうね」と僕は言った。でも今のところ、僕の住んでいる部屋にはそんなものの置き場所だってない。

「実はね、俺はいま百科事典を売って歩いてるんだ」と彼は言った。

それまで心の半分を占めていたその男への好奇心がすっと消えた。なるほど、彼は百科事典を売っているのだ。僕は冷たくなったコーヒーを一口すすり、それを音を立てないように皿に戻した。

「欲しいことは欲しい。あればいいだろうとは思う。でも、残念ながら今は金がないんだ。本当にまるでないんだよ。借金を抱えていて、やっと返しはじめたばかりだ」

「おいおい、よしてくれよ」と彼は言った。そして首を振った。「何も君に百科事典を売りつけようとしてるわけじゃないんだ。俺だって負けず劣らず貧乏だけど、そこまでは落ちぶれてない。それに実を言うと俺は日本人には売らなくてもいいことになってるんだよ。これは取り決めなんだ」

「日本人?」と僕は言った。

「そう、俺の場合は中国人専門なんだよ。中国人にだけその百科事典を売るんだ。電話帳で都内の中国人の家庭をピック・アップしてね、リストを作って、かたっぱしから戸別訪問していくんだ。誰が考えついたかは知らないけど、まあなかなか上手いアイディアだよな。売れ行きだって悪くはないんだ。ドアのベルを押して、こんにちは、はじめまして、こういうものですって名刺を出す。それだけだよ。そのあとはいわゆる同胞のよしみというやつで、話はわりにとんとんと進むからさ」

何かが突然頭の中のキイを叩いた。

「思い出した」と僕は言った。
高校時代の知り合いの中国人だった。

「不思議なんだ。いったいどういう経緯で中国人相手に百科事典を売り歩くような羽目になったのか、自分でもまだよくわからないんだ」と彼は言った。すごく客観的な口調だった。「もちろんひとつひとつの細かい事情は思い出せるんだけどね、それがひとつに結びついてこういう方向に流れていくという、全体的なものが見渡せないんだ。でも気がつくと、いつの間にかこうなっていた」

僕と彼とは同じクラスになったこともないし、それほど個人的に親しく話をしたこともなかった。知り合いの知り合いという程度の付き合いだった。でも僕が覚えている限りでは、彼は百科事典のセールスマンをやっているようなタイプの男ではなかった。育ちも悪くはなかったし、成績だってたしか僕より上のはずだった。女の子にも人気のあった方だと思う。

「まあいろいろあるんだけどね、とても長くて薄暗くて平凡な話なんだ。きっと聞かない方がいいよ」彼はそう言った。

返事のしようもなかったから、僕は黙っていた。

「俺一人のせいばかりでもないんだ」と彼は言った。「いろんなややこしいことが重なってね。でもまあ結局は俺のせいなんだけどさ」

僕はそのあいだ高校時代の彼のことを思い出そうとしていた。でもひどく漠然としか思い出せなかった。一度誰かの家の台所のテーブルに座って、一緒にビールを飲みながら音楽の話をしたことがあるような気がした。たぶんいつかの夏の午後だった。でもそれも確かではなかった。それはずっと昔に見たまま忘れていた夢みたいに思えた。

「どうして君に声なんてかけちゃったのかな?」と彼は自分自身に向って問いかけるように言った。そしてしばらくテーブルの上のライターを指でくるくるとまわしていた。「まあなんにしても迷惑だったろう?　申し訳なかったな。でも君に会えて懐かしかったよ。何が懐かしいというんでもないんだけどさ」

「迷惑なんかじゃないよ」と僕は言った。それは本当だった。僕の方もとくに理由もなく、なんだか不思議に懐かしかったのだ。

　僕らはしばらく黙り込んだ。それ以上何を話せばいいのかわからなかったからだ。それで僕は煙草の残りを吸い、彼はコーヒーの残りを飲んだ。

「さて、そろそろ行くとするか」と彼は煙草とライターをポケットにしまいこみながらそう言った。そして椅子を少し後ろに引いた。「あまり油を売ってもいられないんだ。他にいろいろと売らなくちゃいけないものがあるからね」

「パンフレットは持ってないの?」と僕は尋ねた。

「パンフレット?」

「百科事典のさ」

「ああ」ぼんやりと彼は言った。「今は持ってないな。見たい?」

「見たいね。あくまで好奇心からだけど」

「じゃあ家に郵送しよう。君の住所を教えてくれないかな?」

　僕は手帳のページを破り、住所を書いて彼に渡した。彼はそれをちらっと見てから、きちんと四つに折り畳んで名刺入れにしまった。

「なかなか良い事典なんだ。自分で売っているから言うわけじゃない。けれど、本当によく作ってあるんだ。カラー写真も多くてね。きっと役に立つよ。俺もたまに手にとってぱらぱら読んでみることがある。

退屈しないよ」

「何年先になるかはわからないけど、余裕ができたら買うかもしれない」

「そうなるといいね」彼は選挙ポスターのような微笑を再び口もとに浮かべた。「たぶんそうなるよ。でもその頃には俺はもうおそらく百科事典とは縁を切っているんじゃないかな。だって中国人の家庭をひととおり回っちゃったら、あとはもう仕事がなくなってしまうものな。そうなったら何をやるんだろうね。次は中国人専門の損害保険かな。それとも墓石のセールスかな。まあいいさ、何か売るものはあるだろう」

僕はそのとき彼に何かを言いたかった。おそらくもう二度とこの男と会うことはないだろうと思ったからだ。僕が彼に言いたかったのは何か中国人に関することだった。でも僕には自分がいったい何を言いたいのかがきちんと把握できなかった。だから僕は何も言わなかった。ただ月並みな別れの言葉を口にしただけだった。

今だってやはり何も言えないだろうと思う。

5

既に三十歳を超えた一人の男として、もう一度外野飛球を追いながらバスケットボールのゴール・ポストに全速力でぶつかり、もう一度グローヴを枕に葡萄棚の下で目を覚ましたとしたら、僕は今度はいったいどんな言葉を口にするのだろう？　あるいは僕はこう言うかもしれない。ここは僕のための場所でもないんだ、と。

そう思いついたのは山手線の車内だった。僕はドアの前に立ち、切符をなくさないようにしっかりと手に握りしめたままガラス越しの風景を眺めていた。我らが街、その風景は何故か僕の心をひどく暗くさせた。都市生活者が年中行事のようにおちいるあのおなじみの、濁ったコーヒー・ゼリーのような精神の薄暗闇が僕をまた捉えていた。うす汚れたビル、名もない人々の群れ、絶え間のない騒音、身動きの取れない車の列、灰色の空、空間を埋めつくす広告板、欲望と諦めと苛立ちと興奮。そこには無数の選択肢があり、無数の可能性があった。しかしそれは無数であると同時にゼロだった。僕らはそれらのすべてを手に取りながら、それでいて僕らの手にするものはゼロだった。それが都会だった。僕はふとあの中国人の女の子の言葉を思い出した。「そもそもここは私の居るべき場所じゃないのよ」

僕は東京の街を見ながら、中国のことを思う。

僕はそのようにして沢山の中国人に会った。そして僕は数多くの中国に関する本を読んだ。「史記」から「中国の赤い星」まで。僕は中国についてもっと多くのことを知りたかったのだ。それでもその中国は、僕のためだけの中国でしかない。それは僕にしか読み取れない中国である。僕にしかメッセージを送らない中国である。地球儀の上の黄色く塗られた中国とは違う、もうひとつの中国である。それはひとつの仮説であり、ひとつの暫定である。ある意味ではそれは中国という言葉によって切り取られた僕自身である。僕は中国を放浪する。でも僕は飛行機に乗る必要はない。その放浪はこの東京の地下鉄の車内やタクシーの後部座席で行われる。その冒険は近所の歯科医の待合室や銀行の窓口で行われる。僕は何処にも行けるし、何処にも行けない。

東京——そしてある日、山手線の車輛の中でこの東京という街さえもが突然そのリアリティーを失いはじめる。その風景は窓の外で唐突に崩壊を始める。僕は切符を握りしめながらその光景をじっと見ている。

東京の街に僕の中国が灰のように降りかかり、この街を決定的に浸食していく。それは次々に失われていく。そう、ここは僕の場所でもないのだ。そのようにして僕らの言葉は失われ、僕らの抱いた夢はいつか霞み消えていく。あの永遠に続くようにも思えた退屈なアドレセンスが人生の何処かのポイントで突然消え失せてしまったように。

誤謬……、誤謬というのはあの中国人の女子大生が言ったように（あるいは精神分析医の言うように）結局は逆説的な欲望であるのかもしれない。とすれば、誤謬こそが僕自身であり、あなた自身であるということになる。とすれば、どこにも出口などないのだ。

それでも僕はかつての忠実な外野手としてのささやかな誇りをトランクの底につめ、港の石段に腰を下ろし、空白の水平線上にいつか姿を現わすかもしれない中国行きのスロウ・ボートを待とう。そして中国の街の光輝く屋根を想い、その緑なす草原を想おう。

だから喪失と崩壊のあとに来るものがたとえ何であれ、僕はもうそれを恐れまい。あたかもクリーン・アップ・バッターが内角のシュートを恐れぬように、熱烈な革命家が絞首台を恐れぬように。もしそれが本当にかなうものなら……。

友よ、中国はあまりに遠い。

The dancing dwarf

踊る小人

夢の中で小人が出てきて、僕に踊りませんかと言った。

僕にはそれが夢だということはちゃんとわかっていた。でも夢の中の僕も、そのときの現実の僕と同じくらい疲れていた。だから僕は〈申しわけないけれど疲れていて踊れそうにない〉と丁寧に断った。小人はべつにそのことで気を悪くしたりはしなかった。小人は一人で踊った。

小人は地面にポータブル・プレイヤーを置いて、レコードをかけながら踊った。レコードはプレイヤーのまわりにいっぱいちらばっていた。僕はその中の何枚かを手に取って見てみた。そこにある音楽の種類は実に雑多だった。まるで目をつぶって手あたり次第に摑んで持ってきたみたいな感じだった。おまけにレコードの中身とジャケットはたいてい違っていた。小人はいったんかけたレコードをジャケットにしまわずにそのままに放り出しておいたので、最後にはどのレコードがどのジャケットに入っていたかわからなくなり、結局でたらめにつっこんでしまうことになったのだ。おかげでグレン・ミラー・オーケストラのジャケットにローリング・ストーンズのレコードが入っていたり、ラヴェルの「ダフニスとクロエ組曲」のジャケットにミッチ・ミラー合唱団のレコードが入っていたりした。

しかし小人はそんな混乱はちっとも意に介さないようだった。結局のところ、それがいやしくも音楽であって、それにあわせて踊ることさえできたなら、小人にとっては充分なのだ。小人は今、「ギター音楽名曲集」というジャケットに入っていたチャーリー・パーカーのレコードにあわせて踊っていた。チャーリー・パーカーの猛烈に速い音符を体に吸い込みながら、小人は疾風のように踊った。僕は葡萄を食べながら、小人の踊りを眺めていた。

　小人は踊りながらずいぶん汗をかいていた。小人が頭を振ると顔の汗がとびちり、手を振ると指の先から汗がこぼれた。それでも小人は休むことなく踊りつづけた。レコードが終ると、僕は葡萄の鉢を地面に置き、新しいレコードをかけた。そしてまた小人は踊った。

「君はほんとに踊りがうまいね」と僕は声をかけた。「まるで音楽そのものだよ」

「ありがとう」と小人は気取って言った。

「そんな具合にいつも踊っているのかい?」と僕はたずねてみた。

「まあそうだね」と小人は言った。

　それから小人は爪先立ちをしてくるりと一周じょうずに回った。ふさふさとした柔らかな髪が風に揺れた。僕は拍手をした。そんな見事な踊りを僕はそれまで一度も見たことがなかった。小人が丁寧におじぎをして、そこで曲が終った。小人は踊りをやめて、タオルで汗を拭いた。レコードの針がぱちんぱちんと同じところをまわっていたので、僕は針をあげてプレイヤーをとめた。そして適当なレコード・ジャケットにそれを仕舞った。

「話せば長いんだけれど」と小人は言ってちらりと僕の顔を見た。「あんたはたぶんあまり時間がないんだろうねえ」

　僕は葡萄をつまみながら、なんと答えたものか迷った。時間はいくらでもあったが、小人の長い身の上話を聞かされるというのもちょっとうんざりだし、それにだいたいこれは夢なのだ。夢なんてそれほど長い時間見るものではない。いつ消えてしまうかもしれないのだ。

「北の国から来たんだ」と小人は僕の返事を待たずに勝手にしゃべりはじめ、指をぱちんと鳴らした。

「北の人間は誰も踊らない。誰も踊り方を知らない。誰も踊りなんてものがあることじたいを知らない。でもあたしは踊りたかった。足を踏み、手をまわし、首を振り、ぐるりと回りたかった。こんな風にね」

小人は足を踏み、手をまわし、首を振り、ぐるりと回った。よく見ていると、足を踏むのと手をまわすのと首を振るのとぐるりと回るのが、まるで光の球がはじける時みたいに、一斉に体から吹き出していた。ひとつひとつの動作はそれほどむずかしいものではないのだけれど、四つが一緒になると、信じられないくらい優美な動きになった。

「こんな風に踊りたかった。それであたしは南に来た。南に来て踊り手になり、酒場で踊った。あたしの踊りは評判になり、皇帝の前でも踊った。そう、あれはもちろん革命の前の話だけどね。革命が起って、あんたも知ってのように皇帝がお亡くなりになり、あたしも町を追われた。そして森の中で暮すようになった」

小人はまた広場のまんなかに行って踊りはじめた。僕はレコードをかけた。フランク・シナトラの古いレコードだった。小人はシナトラの声にあわせて「ナイト・アンド・デイ」を唄いながら踊った。僕は皇帝の玉座の前で踊る小人の姿を想像してみた。きらびやかなシャンデリアと美しい女官たち、珍しい果物と近衛兵の槍、太った宦官、宝玉をちりばめたガウンに身をくるんだ若き皇帝、汗をかきながらわきめもふらずに踊る小人……。そんな光景を想像していると、どこか遠くの方から今にも革命の砲声が聞こえてきそうな気がした。

小人は踊りつづけ、僕は葡萄を食べた。日が西に傾き、森の影が大地を覆った。鳥ほどの大きさの巨大な黒い蝶が広場を横切って、森の奥に消えていった。空気がひやりとした。そろそろ消えどきだなという気がした。

「そろそろ行かなくちゃいけないみたいだ」と僕は小人に言った。

小人は踊るのをやめ、黙って肯いた。

「どうも踊りを見せてくれてありがとう。とても楽しかった」と僕は言った。

「いいさ」と小人は言った。

「もう会えないかもしれないけど、元気でね」と僕は言った。

「いいや」と小人は言って首を振った。

「どうして？」と僕はたずねた。

「あんたはまたここに来ることになるからさ。ここにきて、森に住み、そして来る日も来る日もあたしと一緒に踊りつづけるのだよ。そのうちにあんただってとても上手く踊れるようになる」

ぱちん、と小人は指をならした。

「何故僕がここに住んで君と一緒に踊ることになるんだい？」と僕はちょっとびっくりしてたずねてみた。

「決められているんだよ」と小人は言った。「もう誰にもそれを変えることはできないんだ。だからあたしとあんたはまたいずれ顔を合わせることになる」

小人はそう言ってじっと僕の顔を見上げた。既に闇が夜の水のように小人の体を青く染めていた。

「それでは」

と小人は言った。

そして僕に背中を向けてまた一人で踊りはじめた。

目が覚めると、僕は一人だった。一人でベッドにうつぶせになって、ぐっしょりと汗をかいていた。窓の外に鳥の姿が見えた。鳥はいつもの鳥のようには見えなかった。

僕は念入りに顔を洗い、髭を剃り、パンを焼き、コーヒーをわかした。猫に餌をやり、便所の砂をとりかえ、ネクタイをしめ、靴をはいた。そしてバスに乗って工場に行った。工場では象を作っていた。

もちろん象を作るのは簡単な作業ではない。作るものも大きいし、仕組みも複雑である。髪どめのピンやら色鉛筆やらを作るのとはわけが違う。工場は広大な敷地に建てられ、いくつもの棟に分かれている。ひとつの棟もすごく広くて、セクションごとにきちんと色わけされている。僕の場合はその月は耳のセクションにまわされていたから、天井と柱が黄色い建物の中で働いていた。ヘルメットとズボンも黄色だった。僕はそこでずっと象の耳を作っていた。その前の月は緑色の建物の中で、緑色のヘルメットをかぶり、緑色のズボンをはいて象の頭を作っていた。我々はみんな一ヵ月ごとにジプシーみたいにセクションを移動していくのだ。それが工場のやりかただった。そうすれば象というのがどういうものかという全体像がみんなに理解できるからだ。一生耳だけを作っているとか、一生爪先だけを作っているとか、そういうことはここでは許されないのだ。偉い人たちがその移動表を作る。僕らはそのとおりに移動する。

象の頭を作るというのはすごくやりがいのある作業だ。とても細かい仕事だし、一日が終わると口をきくのも嫌になるくらいくたくたに疲れている。一ヵ月それをやって僕の体重は三キロも減ってしまった。でも、たしかに自分が〈何かをしている〉という気持になれる。それに比べれば象の耳づくりなんて本当に楽なものだ。ぺらっとしたうすいものを作ってそこにしわをつければ一丁あがりである。だから僕たちは耳づくりセクションに行くことを〈耳休暇をとる〉と言っている。一ヵ月耳休暇をとったあとで、僕は鼻づくりセクションにやられる。鼻をつくるのはこれまた細かい神経を必要とする仕事である。鼻がうまくくねくねと動いて、しかもきちんと穴がとおってないと出来上がった象が怒ってあばれ出すことがあるからだ。鼻を作っているあいだはものすごく緊張する。

念のために説明しておくと、我々はなにも無から象を作りあげているわけではない。正確に言うなら、我々は象を水増ししているということになる。つまり一頭の象をつかまえてきてのこぎりで耳と鼻と頭と胴と足と尻尾に分断し、それをうまく組みあわせて五頭の象を作るわけなのだ。だから出来上がったそれぞれの象の1/5だけが本物で、あとの4/5はニセ物であるということになる。でもそんなことはちょっと見ただけではわからないし、象自身にだってわかりはしない。我々はそれくらいうまく象を作るのだ。

どうしてそんな風に人工的に象を作らなければ——あるいは水増ししなければ——ならないかというと、我々は象に比べてとてもせっかちだからだ。自然にまかせておくと、象というのは四、五年に一頭しか子供を出産しない。我々はもちろん象のことを大好きだから、象のそういう習慣あるいは習性を見ているととても苛立つわけだ。それで自分たちの手で象を水増しすることにしたのだ。

水増しされた象は悪用されないようにいったん象供給公社に買い上げられ、半月間そこに留められて厳重な機能チェックを受ける。それから足の裏に公社のマークを押されてジャングルに放たれる。我々は通常週に十五頭の象を作る。クリスマス前のシーズンには機械をフルに動かして最高二十五頭まで作ることができるが、十五頭というのはまあまあ妥当な数だろうと僕も思う。

前にも述べたように、耳づくりセクションは象工場における一連の工程の中でいちばん楽なところである。力もいらないし、細かい神経もいらないし、複雑な機械も使わない。作業の量そのものも少ない。一日とおしてのんびりと働いてもいいし、あるいは午前中熱心に働いてノルマを仕上げ、あとを何もせずに過してもかまわない。

僕と相棒はどちらもだらだら働くのが性にあわなかったので、朝のうちにまとめて仕事を済ませ、午後は世間話をしたり本を読んだり、それぞれ好きなことをして過すことにしていた。その午後も、我々はしわ入れまで済んだ耳を十枚ずらりと壁に並べてしまうと、あとは床に座ってひなたぼっこをしていた。

僕は夢に出てきた踊る小人のことを相棒に話した。僕はその夢の中の情景を隅々までしっかりと覚えていたので、どうでもいいような細かいところまで克明に説明した。ことばで足りないところは実際に首を振ってみたり、手をまわしたり、足を踏んだりして示した。相棒はお茶を飲みながら「うんうん」と肯きながら僕の話を聞いていた。相棒は僕より五つ年上で、体つきはがっしりとして髭が濃く、無口である。それから腕組みをして考え込む癖がある。顔つきのせいもあって、一見とても真剣に思いをめぐらせているようにも見えるのだが、実際にはそれほどのこともなくて、大抵の場合はしばらくしてからむっくりと体を起こして「むずかしいなあ」とぽつんとひとこと言うだけのことである。

このときも、相棒は僕の夢の話を聞き終ったあと、一人でずっと考えこんでいた。相棒はずいぶん長く考えこんでいたので、僕はそのあいだ暇つぶしに電気ふいごのパネルを雑巾で磨いていた。少しあとで彼はいつもと同じようにむっくりと体を起こし、「むずかしいね」と言った。「小人、踊る小人……むずかしいな」

僕の方もいつもと同じようにきちんとした形の解答を求めていたわけではないので、それでべつにがっかりはしなかった。ただ誰かにしゃべりたかっただけなのだ。僕は電気ふいごをもとに戻し、それからぬるくなってしまった茶を飲んだ。

しかし相棒は、彼にしては珍しくそのあとも長いあいだ一人で考えこんでいた。

「どうかしたの？」と僕は訊ねてみた。

「どこかで前にも一度小人の話を聞いたような気がするんだ」と彼は言った。

「へえ」と僕はちょっと驚いて言った。

「覚えはあるんだけど、どこで聞いたかが思い出せないんだよ」

「思い出して下さいよ」

「うん」と相棒は言ってまたひとしきり考えこんだ。

彼がやっと小人のことを思い出したのは三時間ばかりあとのことで、もう夕刻の退社時間に近かった。

「そうか！」と彼は言った。「そうか、やっと思い出したよ」

「よかった」と僕は言った。

「第六工程に植毛工のじいさんがいるだろう。ほら髪の毛がまっ白で肩までたれて、歯のあんまり残ってないじいさんさ。ほら、革命前からこの工場に勤めてるっていう……」

「ええ」と僕は言った。その老人なら酒場で何度か見かけたことがある。

「あのじいさんがずいぶん前に俺にその小人の話をしてくれたことがあるんだ。踊りのうまい小人の話だよ。その時はどうせ年寄りの与太話だろうと思ってあまりとりあわなかったんだけれど、あんたの話を聞いてみると、まるっきりのほらというわけでもなかったようだな」

「どんな話だったんですか」と僕は訊ねてみた。

「そうさなあ、何しろ昔のことだから……」と言って相棒は腕を組み、また考え込んだ。でもそれ以上のことは何も思い出せなかった。やがて彼はむっくりと体を起こして、「いや、思い出せん」と言った。「やはりあんたが実際にじいさんに会って、自分の耳で話を聞いてみる方がよかろうよ」

僕はそうすることにした。


終業のベルが鳴るとすぐに、僕は第六工程所に行ってみたが、既に老人の姿はなかった。小さな女の子が二人で床のはき掃除をしているだけだった。やせた方の女の子が「おじいさんならたぶん古い方の酒場でしょう」と教えてくれた。酒場に行ってみると、案の定老人はそこにいた。彼はカウンターの椅子《スツール》に腰を下ろし、弁当箱の包みをわきに置き、背筋をしゃんとのばして酒を飲んでいた。

それはとても古い酒場だった。とてもとても古い。僕が生まれる前から、革命の前から、酒場はここにあった。何代にもわたる象職人たちがここで酒を飲み、トランプをし、歌をうたった。壁には象工場の昔の写真がずらりと並んでかけてあった。初代の社長が象牙の点検をしている写真とか、工場を訪れたむかしむかしの映画女優の写真とか、夏の夜会の写真とか、そういったものだ。ただし皇帝やその他の皇族のうつった写真や、あるいは「帝政的」とみなされた写真はぜんぶ革命軍の手で焼かれてしまった。そしてもちろん革命の写真がある。象工場を占拠した革命軍の写真、工場長を吊した革命軍の写真……。

老人は〈象牙をみがく三人の少年工〉という題のついた変色した古い写真の下に座ってメカトール酒を飲んでいた。僕があいさつして隣りに座ると、老人は写真を指でさして、

「これがわしだ」

と言った。

僕は目をこらしてその写真をにらんだ。三人並んで象牙をみがいているいちばん右の十二、三歳の少年がどうやら老人の若い頃の姿であるらしかった。言われなければ絶対に気づかないところだが、言われてみればとがった鼻とぺったりとした唇に特徴があった。どうやら老人はいつもこの写真の下の席に座り、見なれない客が店に入ってくるたびに「これがわしだ」と教えているようであった。

「ずいぶん古そうな写真ですね」と僕は水を向けた。

「革命前」と老人はなんでもなさそうに言った。「革命前はわしだってこんな小さな子供だった。みんな年をとる。お前さんだってじきにわしみたいになる。まあ楽しみに待っとれ」

老人はそう言うと、半分近く歯のかけた口を大きくあけて、つばをとばしながらひやひやひやと笑った。

老人はそれからひとしきり革命の頃の話をした。老人は皇帝のことも革命軍のことも、どちらも嫌いだった。僕は話したいだけ話させておいてからころあいをみてメカトール酒をおごり、ひょっとして踊る小人について何か知ってはいないだろうかと切り出してみた。

「踊る小人か」と老人は言った。「踊る小人の話を聞きたいか？」

「聞きたいですね」と僕は言った。

老人はじろりと僕の目をのぞきこんだ。「またどうして？」

「人づてに聞いて、興味を感じたんです。面白そうだから」と僕は嘘をついた。

老人はなおも僕の目をじっとにらんでいたが、やがて酔払い特有のどろんとした目に戻った。「よかろう」と彼は言った。「酒を買ってくれたことでもあるし、話してやろう。しかし」と言って老人は僕の顔の前で指を一本立てた。「人には言うな。革命からずいぶん長い歳月が流れたが、踊る小人の話だけはいまだに人前で口に出しちゃいかんことになっとる。だから他人には言うな。わしの名前も出すな。それはわかったか？」

「わかりました」

「酒を注文してくれ。それから仕切り席に移ろう」

僕はメカトール酒をふたつ注文し、バーテンダーに話をきかれないようにテーブル席に移った。テーブルの上には象の形をした緑色のライト・スタンドがのっていた。

「革命前のことだが、北の国から小人がやってきた」と老人は話した。「小人は踊りが上手かった。いや、上手いなんてもんじゃない。あれはもう踊りそのものだ。誰にもあんなまねはできん。風や光や匂いや影や、あらゆるものが集まって、それが小人の中ではじけるんだ。小人にはそういうことができた。あれは……まったくたいしたものだった」

老人は何本か残った前歯でグラスをかちかちといわせた。

「あなたは実際にその踊りを見たんですか？」と僕はたずねてみた。

「見たか？」老人は僕の顔をじっと見て、それからテーブルの上で両手の指をいっぱいに広げた。「もちろん見たとも。毎日わしは見とったよ。毎日ここでな」
「ここで？」
「そうさ」と老人は言った。「ここでだ。ここで毎日小人が踊ってたんだ。革命前にな」

老人の話によれば無一文でこの国に流れてきた小人は象工場の職工たちの集まるこの酒場にもぐりこんで下働きのようなことをやっていたのだが、やがて踊りの腕を認められ、踊り手として遇されるようになった。職工たちは若い女の踊りを望んでいたので、はじめのうちは小人の踊りに対してぶうぶうと文句を言っていたのだが、やがて誰も何も言わなくなり、酒のグラスを手に小人の踊りをじっと見入るようになった。小人の踊りは他の誰の踊りとも違っていた。ひとことで言えば小人の踊りは観客の心の中にある普段使われていなくて、そんなものがあることを本人さえ気づかなかったような感情を白日のもとに——まるで魚のはらわたを抜くみたいに——ひっぱり出すことができたのだ。

小人はこの酒場で約半年踊っていた。酒場はいつもあふれんばかりの客でうまった。みんな小人の踊りを見に来た客だった。客たちは小人の踊りを見ては限りのない至福に浸り、限りのない悲嘆に暮れた。小人はその頃から踊り方ひとつで人々の感情を自由にあやつるやり方を身につけることになった。

やがてこの踊る小人の話は近隣に領地を持ち象工場とも浅からぬ縁を持つ貴族団長——彼はのちに革命軍に捕えられ、生きたままにかわ桶に放り込まれることになる——の耳に達し、貴族団長を通して若き皇帝の耳にも入った。音楽好きの皇帝は、その小人の踊りを是非見てみたいと言った。皇室の紋章入りの垂直誘導船が酒場にさしむけられ、近衛兵がうやうやしく小人を宮廷に運んだ。酒場の主人には充分すぎるくらい充分な額の金が下賜された。酒場の客たちはぶつぶつと文句を言ったが、皇帝に向って文句を言ったところでどうなるというものでもない。彼らはあきらめてビールやメカトール酒を飲み、また以前のように若い女の踊りを見た。

一方小人は宮廷の一室をあてがわれ、そこで女官たちに体を洗われたり、絹の服を着せられたり、皇帝の前での作法を教えこまれたりした。次の夜、小人は宮廷の広間につれていかれた。広間には皇帝直属のオーケストラが待機していて、皇帝の作曲したポルカを演奏した。小人はポルカにあわせて踊った。はじめは音楽に体をなじませるようにゆったりと、それから少しずつスピードをはやめ、やがてはつむじ風のように小人は踊った。人々は息をのんで小人をみつめた。誰も一言も口をきくことができなかった。何人かの貴婦人は気を失って倒れた。皇帝は金粉酒の入ったクリスタル・グラスを思わず床に落としてしまったが、その砕けちる音にも誰一人として気づかないほどだった。


老人はそこまで話すと、手に持っていた酒のグラスをテーブルの上に置き、手の甲で口をぬぐった。それから象の形をしたライト・スタンドを指でいじった。僕はしばらく老人がまた話し出すのを待っていたが、老人はずっと黙ったままだった。僕はバーテンダーを呼び、ビールとメカトール酒のおかわりを注文した。店は少しずつ混みはじめ、ステージでは若い女の歌手がギターの調弦を始めた。

「それでどうなったんですか？」と僕は訊いた。

「ああ」と老人は思い出したように言った。「革命が起り、皇帝は殺され、小人は逃げた」

僕はテーブルに肘をついて、両手でジョッキをかかえるようにしてビールを飲み、老人の顔を見た。

「小人が宮廷に入ってからすぐに革命が起ったんですか？」

「そうさなあ、一年ってとこだ」と老人は言って、大きなゲップをした。

「よくわからないな」と僕は言った。「さっきあなたは小人の話は人前でおおっぴらにできないって言った。どうしてなんですか？　小人と革命のあいだに何か関係があるっていうことなんですか？」

「さあてな、それはわしにもよくはわからん。ただひとつはっきりしておることは、革命軍がずっと血まなこになって小人の行方を捜しておったということだ。あれからずいぶん長い歳月が過ぎて、革命なんぞ昔がたりになっちまったが、それでもやつらはまだその踊る小人を捜しておる。しかし小人と革命とのあいだにどんな関係があるのかはわからん。噂話しかない」

「どんな噂ですか？」

老人は決めかねたような表情を顔にうかべた。「噂というのは所詮噂だ。ほんとうのところはわからん。しかし噂によると小人は宮廷でよくない力を使ったということだ。そしてそのせいで革命が起ったんだという説を唱えるものもおった。わしが小人について知っておることはそれだけだ。それ以上は何も知らん」

老人はひゅうという音を立ててため息をつき、ひといきでグラスの酒をあけた。桃色の液体が唇のわきからこぼれ、だらりとしたシャツの中につたたって落ちた。

小人の夢はそれきり見なかった。僕は相変わらず毎日象工場に通い、耳を作りつづけた。蒸気を使って耳をやわらかくしておいてからプレスハンマーでべったりとのばし、裁断し、まぜものを入れて五倍に増量し、乾かしてからしわ入れをした。昼休みになると僕と相棒は弁当を食べ、第八工程に新しく入った若い女の子の話をした。

象工場にはかなりの数の女の子たちが働いている。彼女たちは主に神経系の接続とか、縫製とか、掃除とか、そういう仕事をしている。僕らは暇があると、女の子たちの話をする。女の子たちも暇があると僕らの話をする。

「そらもうとびっきり綺麗な子なんだ」と相棒は言った。「みんなその子に目をつけてる。でもまだ誰もモノにできない」

「そんなに綺麗なの？」と僕は疑わしげに言った。噂を耳にしてわざわざでかけてみると実際にはたいしたこともなかったという例がこれまでに何度もあったからだ。この手の噂くらいあてにならないものはない。

「嘘じゃない。なんなら今行って自分の目で見てくりゃいいよ。あれが美人じゃないっていうんならあんた第六工程の目作りのところに行って、新しい目と取り替えてもらったほうがいいぜ。俺だって女房がいなきゃ死にもの狂いで口説くところだね」と相棒は言った。

昼休みはもう終っていたが、我々のセクションは例によって暇で、午後にやることといっても殆んどなかったので、僕は適当な用事をでっちあげて第八工程所に行ってみることにした。第八工程所に行くためには長い地下トンネルをくぐらねばならなかった。トンネルの入口には守衛がいたが、僕とは顔なじみだったので何も言わずに通してくれた。

トンネルを出ると川が流れていて、それを少し下ったところに第八工程所の建物があった。屋根も煙突もピンク色だった。第八工程所では象の足を作っている。僕は四ヵ月前ここで働いていたから勝手はよくわかっている。しかし入口に立っている若い守衛は見かけたことのない新顔だった。

「なんの用？」とその新顔の守衛は言った。まだぱりぱりの新品の制服を着た融通のきかなそうな奴だった。

「神経ケーブルが足りなくなったんで借りに来たんだよ」と僕は言って咳払いした。

「変だな」と彼は僕の制服をじろじろ見ながら言った。「あんた耳部の人だろう。耳部と脚部の神経ケーブルには互換性がないはずだけどね」

「話せば長いんだよ」と僕は言った。「そもそもは鼻部に行ってケーブルを借りようと思ったんだけど、鼻部には余分はなかったんだ。でも向うは脚部用のケーブルが足りなくて困っていて、それを一本調達してくれたら、細いケーブルをまわしてもいいって言うんだ。ここに連絡したら余ってるからとりに来いっていうもんだから、それで来たんだ」

彼は紙ばさみをぱらぱらと繰った。「でもそういう話は聞いてないな。そういう移動に関しては事前連絡があるはずだけど」

「変だな、それは。手違いがあったんだね。連絡がきちんとするように中の連中によく言っておこう」

守衛はしばらくのあいだぐずぐずと言っていたが、僕が仕事の遅れのことで何か上から文句が来たらあんたに責任を持ってもらうからなと言って脅すと、ぶつぶつ言いながら中にとおしてくれた。

第八工程所——つまり脚部作業場——はがらんとして平べったい建物である。半地下になっていて細長く、床はさらさらとした砂地である。目の高さあたりがちょうど地面になっており、狭いガラス窓が採光のためについている。天井には可動レールがはりめぐらされ、そこから何十本という数の象の足がぶらさげられている。目を細めて見ると、まるで象の大群が空から舞い下りてくるように見えた。

作業場では全部で三十人くらいの男女が働いていた。建物の中はうす暗かったし、みんな帽子をかぶったりマスクをつけたりちりよけ眼鏡をかけたりしていたので、新入りの女の子がどこにいるのかさっぱりわからなかった。中に一人、僕のかつての同僚がいたので、僕はその男に新しい女の子ってどれだいと訊ねてみた。

「十五番台で爪つけしてる子」と彼は教えてくれた。「でも口説くつもりならあきらめたがいいぜ。なにしろ亀甲石みたいに固いからな。手も足も出ないぞ」

「ありがとう」と僕は言った。

十五番台で爪つけをしている女の子はとてもほっそりとしていて、中世の絵に出てくる少年みたいに見えた。

「失礼」と僕が声をかけると、彼女は僕の顔を見て、制服を見て、足もとを見て、また顔を見た。それから帽子をとり、ちりよけ眼鏡をとった。彼女はたしかにすごい美人だった。髪の毛はちりちりとして長く、瞳は海のように深かった。

「なんでしょう？」と女の子は言った。

「もし暇だったら明日の土曜日の夜、一緒に踊りに行かない？」と僕は思い切って誘ってみた。

「明日の夜は暇で踊りに行くつもりだけど、あなたとは行かないわ」と彼女は言った。

「誰かと約束があるんだね？」と僕はきいた。

「約束なんて何もないわよ」と彼女は言った。そしてまた帽子をかぶり、ちりよけ眼鏡をかけ、机の上の象の爪を手にとり、足の先にあてて寸法をはかった。爪の幅がほんの少しだけ大きかったので、彼女はのみをとって手速く爪を削った。

「約束がないんなら僕と一緒に行こうよ」と僕は言った。「一人で行くよりは連れがいた方が楽しいじゃないか。夕食のうまい店も知ってるしさ」

「結構よ。私は一人で踊りに行きたいのよ。もしあなたも踊りたいのなら、好きにくればいいんじゃない」

「行くよ」と僕は言った。

「お好きに」と彼女は言った。そして僕のことは無視して仕事に戻った。彼女はのみで削った爪を足の先のくぼみにあてた。今度はちょうど良い大きさだった。

「新入りにしちゃうまいね」と僕は言った。

彼女はそれに対しては何も答えなかった。

その夜、夢の中にまた小人が現われた。それが夢だということは今回もちゃんとわかっていた。小人は森の広場のまん中にある丸太の上に腰を下ろして煙草を吸っていた。今回はプレイヤーもレコードもなかった。小人は疲れた顔をしていたので最初に見たときより少し老けて見えたが、それでも革命前に生まれた老人のようにはとても見えなかった。感じとしては僕よりせいぜい二、三歳年上というくらいだったが、正確にはわからない。小人の年というのはだいたいがよくわからないものなのだ。

僕はとくにやることもなかったので、小人のまわりをぶらぶらと歩き、空を見上げ、それから小人の隣りに腰を下ろした。空はどんよりと曇り、暗い色の雲が西に流されていた。いつ雨が降り出しても不思議はないような天気だ。小人はたぶんそれで、プレイヤーとレコードをどこか雨に濡れないところにしまいこんだのだろう。

「やあ」と僕は小人に声をかけた。

「やあ」と小人は答えた。

「今日は踊らないんだね?」と僕はたずねた。

「今日は踊らない」と小人は言った。

踊っていない時の小人はとても弱々しくて、気の毒な感じがした。かつて宮廷で権勢を誇ったとか、そういう風にはまるで見えない。

「具合でも悪いの?」と僕はきいてみた。

「ああ」と小人は言った。「気分が良くないんだ。森はひどく冷えるからさ。ずっと一人で住んでいると、いろんなことが体にこたえるようになる」

「大変だね」と僕は言った。

「活力が必要なんだ。体にみなぎる新しい活力がね。いつまでも踊りつづけることができて、雨に濡れても風邪をひかなくて、野山を駆けまわることのできる新しい活力がね。それが要るんだ」

「ふうん」と僕は言った。

僕と小人はしばらく黙って丸太の上に並んで座っていた。頭上高くで、梢が風に鳴っていた。時折幹の間に巨大な蝶が見えかくれした。

「ところで」と小人は言った。「あんたは何かあたしに頼みごとがあるんじゃないのかい？」

「頼みごと？」と僕はびっくりしてききかえした。「なんだい、頼みごとって？」

小人は木の枝を拾って、その先で地面に星の絵を描いた。「女の子のことだよ。あの子が欲しいんじゃないのか？」

第八工程に入った綺麗な女の子のことだ。小人がそんなことまで知っていることに僕は驚いた。でもまあ夢の中ではいろんなことが起るものだ。

「そりゃあ欲しいけどね。だからってあんたに頼んでどうなるってもんでもないだろう。自分の力でなんとかするしかないさ」

「あんたの力じゃなんともならんさ」

「そうかい」と僕はちょっとムッとして言った。

「そうとも。なんともならんよ。あんたがいくら腹を立てたって、なんともならんものはなんともならん」と小人は言った。

たしかにそのとおりかもしれない、と僕は思った。小人の言うとおりだ。僕はどこをとってもごく普通の男だった。他人に誇れるものなんて何もなかった。金もないし、ハンサムでもないし、口だってうまくない。取り柄というものがないのだ。性格はまあ悪くないと思うし、仕事だって熱心にする。同僚にもわりに好かれている。体も丈夫だ。でも若い女の子が一目で夢中になってくれるタイプではないのだ。そんな僕があれほどの美人を簡単に口説きおとせるとも思えなかった。

「でもね、あたしがちょっと力を貸せばなんとかなるかもしれんよ」と小人はそっと囁いた。

「どんな力？」と僕は好奇心に駆られてたずねてみた。

「踊りだよ。あの子は踊りが好きだ。だからあの子の前でうまく踊りさえすれば、あの子はもうお前さんのものだよ。あんたはあとは木の下に立って果実が勝手に落ちてくるのをじいっと待ってりゃいいのさ」

「あんたが踊り方を教えてくれるのかい？」

「教えてもいい」と小人は言った。「でも一日や二日教えたくらいじゃ、どうしようもないね。毎日みっちりとやって最低半年は必要だよ。それくらいは練習しなきゃ人の心を捉える踊りはできやせんさ」

僕はがっかりして首を振った。「じゃあ話にもならないや。半年も待ってたらどこかの男が彼女を口説きおとしちゃうもの」

「いつ踊るんだね？」

「明日」と僕は言った。「明日の土曜の夜、彼女は舞踏場に踊りに行く。僕も行く。そこで彼女に踊りを申し込むんだ」

小人は木の枝で地面にまっすぐな線を何本か描き、そのあいだに横線をわたし、奇妙な図形を描いた。僕は黙って小人の手の動きをじっと見つめていた。やがて小人は短くなった煙草を唇から地面にふっと吹き落とし、足で踏んでつぶした。

「手段がないわけじゃない。もし本当にその女が欲しきゃな」と小人は言った。「欲しいんだろう？」

「そりゃ欲しいさ」と僕は言った。

「どんな手段か聞きたいかい？」と小人は言った。

「きかせてくれよ」と僕は言った。

「むずかしいことじゃない。あたしがお前さんの中に入るんだ。そしてお前さんの体を借りてあたしが踊るんだ。あんたなら体は丈夫そうだし、力もありそうだからな。なんとか踊れるだろう」

「体のことなら誰にも負けやしないけどさ」と僕は言った。「でも本当にそんなことができるの？　僕の中に入り込んで踊るなんてさ」

「できる。そうすればあの子はもう確実にお前さんのもんさ。保証してやるよ。あの子だけじゃない。どんな女だってあんたのもんだ」

僕は舌の先で唇を舐めた。なんだか話がうますぎる。一度小人を中に入れてしまったら、それっきりもう二度と外に出てこなくって、結局僕の体が小人にのっとられるという可能性だってあり得るのだ。いくら女の子を手に入れるためだって、そんな目にあうのはまっぴらだ。

「心配なんだな、お前さん」と小人は僕の心をみすかしたように言った。「体をのっとられるんじゃないかってさ」

「いろいろとあんたの噂は耳にしたからね」と僕は言った。

「良くない噂をね」と小人は言った。

「ああ、そうさ」と僕は言った。

小人はわけ知り顔でにやりと笑った。「でも心配はいらん。いくらあたしだってそんなに簡単に永劫に他人の体をのっとることはできないよ。そうするには契約というものが必要なんだ。つまりお互いに納得ずくでなくちゃ、そういうことはできんのさ。あんた、永劫に体をのっとられたかないだろう？」

「もちろん」と僕は身ぶるいして答えた。

「しかしまああたしとしてもまったくの無償であんたの口説きに力を貸すというのもどうも面白くない。

く条件だ」

「そこでだ」と小人は指を一本あげた。「ひとつ条件がある。それほどむずかしい条件じゃないが、とにかく条件だ」

「どんな？」

「あたしがあんたの体の中に入る。そして舞踏場に入って女を誘い、踊ってたぶらかす。そしてあんたは女をモノにする。そのあいだお前さんはひとことも口をきいちゃならん。女を完全にモノにしちまうまでは、声を発してもならん。それが条件だ」

「しかし、口をきかなきゃ女の子は口説けないよ」と僕は抗議した。

「いいや」と言って小人は首を振った。「心配しなくてもいい。あたしの踊りさえあればどんな女だって、黙ってたってモノにできる。心配はいらん。だから舞踏場に一歩足を踏み入れてから女をモノにするまで絶対に声を出してはならん。わかったかい？」

「もし声を出したら？」と僕はたずねてみた。

「その時はあんたの体をもらう」と小人はこともなげに言った。

「もし声を出さずにうまくやりとおしたら？」

「女はあんたのもんさ。あたしはあんたの体を出て森に戻る」

僕は深いため息をつき、いったいどうすればよいものか思案した。小人はそのあいだまた木の枝を持って不可思議な図形を地面に描いていた。蝶が一匹やってきて、その図形のまん中にとまった。僕は正直言って怖かった。自分がずっと口をきかないでいられるという自信はなかった。でもそうしないことにはあの娘を抱くことなんてまずできないだろうと僕は思った。僕は第八工程で象の足の爪を削っていた彼女の姿を思い浮かべた。僕はどうしても彼女を手に入れたかった。

「のるよ」と僕は言った。「やってみることにしよう」

「決まり」と小人は言った。

舞踏場は象工場の正門のわきにあって、土曜の夜ともなればフロアは象工場の若い職工や女の子たちであふれんばかりに混みあっている。工場で働いている独りものの男女はほとんど全員ここにやってくる。僕らはここで踊り、酒を飲み、仲間で集まって話をする。恋人たちはやがて林の中に姿を消して抱き合うのだ。

〈懐かしいねえ〉と小人が僕の体の中で感きわまったように言った。〈踊りというのはこういうもんさ。群衆、酒、光、汗の匂い、女の子の化粧水の香り、懐かしいねえ〉

僕は人ごみをかきわけて彼女を捜した。何人かの顔見知りが僕の姿をみつけて肩を叩き声をかけた。僕もにっこり笑ってあいさつをかえしたが、ひとこともロはきかなかった。そのうちにオーケストラが演奏を始めたが、彼女の姿はまだみつからなかった。

〈あわてることないさ。まだまだ夜は早い。これからがお楽しみってやつだ〉と小人が言った。

フロアは円形で、それが動力じかけでゆっくりと回転していた。フロアをぐるりととりまくようにして椅子席が並んでいる。高い天井からは大きなシャンデリアが下がり、丁寧に磨きこまれたダンス・フロアは、まるで氷盤のようにキラキラとその光を反射させていた。フロアの上手にはスポーツ競技場の観客席のように高くせりあがって、バンド・スタンドがあった。バンド・スタンドには二組のフル・オーケストラが並び、三十分ごとに交代して、一晩じゅうとぎれることなくゴージャスなダンス音楽を流しつづけた。右側のバンドは派手なツー・ドラムズで、楽団員はみんな胸に赤い象のマークをつけていた。左側のバンドの売りものは十本並んだトロンボーンで、こちらは緑色の象のマークをつけていた。

僕は椅子席に座ってビールを注文し、ネクタイをゆるめ、煙草を吸った。料金制のダンス・ガールがかわりばんこに僕のテーブルにやってきて、「ね、男前のおにいさん、踊りましょうよ」と誘ったが、僕は相手にしなかった。僕は頬づえをつき、ビールで喉をうるおしながら、彼女が姿を現わすのを待った。しかし一時間たっても、彼女は来なかった。ワルツやフォックス・トロットやドラム・バトルやトランペットのハイノートが舞踏場のフロアをいたずらに通りすぎていった。あるいは彼女ははじめからここに踊りにくる気なんかなくて、ただ僕のことをからかっていたのかもしれない。そんな気がした。

〈大丈夫〉と小人が囁いた。〈ぜったいに来るんだから、のんびりとかまえてなって〉

彼女が舞踏場の入口に姿を見せたのは、時計の針がもう九時をまわった頃だった。彼女はキラキラと光るタイトなワンピースを着て、黒いハイヒールをはいていた。舞踏場ぜんたいが白くかすんでどこかに消え失せてしまいそうなくらい輝かしく、セクシーだった。何人かの若い男たちが目ざとく彼女の姿を見つけてエスコートを申し出たが、腕のひと振りで軽く追い払われた。

僕はゆっくりとビールを飲みながら、彼女の動きを目で追っていた。彼女はフロアを隔てた僕の向い側あたりのテーブルに腰を下ろし、赤い色をしたカクテルを注文し、細長い紙巻き煙草に火をつけた。カクテルにはほとんど口もつけなかった。彼女は煙草を一本吸ってしまうとそれをもみ消し、それから立ちあがり、まるで跳びこみ台にでも向うような格好で、ゆっくりとダンス・フロアに進み出た。

彼女は誰とも組まずに一人で踊った。オーケストラはタンゴを演奏していた。彼女は見事にタンゴを踊った。そばで見ていてもうっとりとしてしまうような踊りだった。彼女が身をかがめると、長いちぢれた黒髪が風のようにフロアを舞い、ほっそりとした白い指が空気の弦をさらさらとかきならした。彼女はなんの気がねもなく、一人っきりで、自分のために踊っていた。じっと見ていると、それはまるで夢のつづきみたいに見えた。それで僕の頭は少し混乱した。もし僕がひとつの夢のために別の夢を利用しているのだとしたら、本当の僕はいったいどこにいるのだろう。

〈あの娘はとてもうまく踊るね〉と小人が言った。〈あの娘が相手ならやりがいもあるってもんさ。そろそろ行こうじゃないか〉

僕はほとんど意識もしないうちにテーブルから立ちあがり、ダンス・フロアに向って歩いていた。そして何人かの男たちを押しのけながら前に出て、彼女のわきに立ち、かちんと靴のかかとをあわせて、これから踊るということをみんなに示した。彼女が踊りながらちらりと僕の顔を見た。僕はにっこりと笑いかけた。彼女はそれにはこたえず、一人で踊りつづけた。

僕ははじめのうち、ゆっくりと踊った。それから少しずつ少しずつスピードをあげ、ついにはつむじ風のように僕は踊った。僕の体はもう僕の体ではなかった。僕の手や足や首は、僕の思いとは無関係に、奔放にダンス・フロアの上を舞った。そんな踊りに身をまかせながら僕は星の運行や潮の流れや風の動きをはっきりと聞きとることができた。ダンスとはそういうものなのだという気がした。僕は足を踏み、手をまわし、首を振り、ぐるりと回った。ぐるりと回ると頭の中で白い光の球がはじけた。

女はちらりと僕を見た。彼女は僕にあわせてぐるりと回り、足をどんと踏んだ。彼女の中でも光がはじけるのが、僕には感じられた。僕はとても幸せな気持になった。そんな気持になったのは生まれてはじめてのことだった。

〈どうだい、象工場なんかで働いているよりはずっと楽しかろう〉と小人が言った。

僕はなんとも答えなかった。口がからからになっていて、声を出そうとしても出ない。

我々は何時間も何時間も踊りつづけた。僕が踊りをリードし、彼女が応えた。それは永遠にも感じられる時間だった。やがて彼女は精も根も尽きたという格好で踊りをやめ、僕の肘をつかんだ。僕も——あるいは小人もと言うべきなのだろうが——踊りをやめた。そしてフロアのまん中で、我々はつっ立ったままぼんやりとお互いの顔をみつめた。彼女は身をかがめて黒いハイヒールを脱ぎ、それを手にぶらさげてもう一度僕の顔を見た。

我々は舞踏場を出て、川に沿って歩いた。僕は車を持っていなかったので、ただただどこまでも歩くしかなかった。やがて道はゆるい上り坂になり、あたりは夜に咲く白い花の香りに覆われた。うしろを振り返ると、工場の建物が黒々と眼下に広がっていた。舞踏場からは黄色い光とオーケストラの演奏するジャンプ・ナンバーが花粉のようにまわりにこぼれ落ちていた。風はやわらかく、月の光が彼女の髪に濡れた光を投げかけていた。

彼女も僕も、まったく口をきかなかった。ダンスのあとでは、何をしゃべる必要もなかった。彼女はまるで道案内をされる盲人みたいにずっと僕の肘をつかんでいた。

坂をのぼりつめたところに、広い草原があった。草原はまわりを松の林にかこまれ、まるで静かな湖のように見えた。やわらかい草が腰の高さまで均等に茂り、夜の風に吹かれて踊るように揺れていた。ところどころに光る花弁を持った花が頭を出して、虫を呼んでいた。

僕は彼女の肩を抱いて草原のまん中あたりまで歩き、何もいわずに彼女をそこに押し倒した。「ほんとに無口な人ね」と言って彼女は笑い、ハイヒールをそのへんに投げ捨て、僕の首に両腕をまわした。僕は彼女の唇に口づけしてから体を離し、もう一度彼女の顔を眺めた。彼女は夢のように美しかった。彼女をこんな風に抱くことができるなんて、自分でもうまく信じられなかった。彼女は目を閉じて、僕の口づけをじっと待ち受けているようだった。

彼女の顔つきが変りはじめたのはその時だった。最初に鼻の穴からぶよぶよとした白い何かが這い出てくるのが見えた。蛆だった。これまでに見たこともないほど巨大な蛆だった。両方の鼻腔から蛆は次々に這い出し、むかつくような死臭が突然あたりを覆った。蛆は唇から喉へと転げ落ち、あるものは目をつたって髪の中へともぐりこんだ。鼻の皮膚がずるりとめくれ、なかの溶けた肉がぬるりとまわりに広がり、あとにはふたつの暗い穴がのこった。蛆の群れはなおもそこから這い出ようとして、腐った肉にまみれていた。

両眼から膿が吹き出していた。眼球が膿に押されて二、三度ぴくぴくと不自然に震えたあとで、顔の両脇にだらりと垂れた。その奥の空洞の中にはまるで白い糸玉のように蛆がかたまっていた。腐った脳味噌に蛆がたかっていた。舌が巨大なめくじのようにずるりと唇から垂れさがり、ただれて落ちた。歯茎が溶解し、白い歯がぼろぼろとこぼれた。やがて口そのものも溶けて落ちた。毛根からは血が吹き出し、毛がばらばらと抜け落ちた。ぬるぬるとした頭皮のあちこちを食い破って蛆が顔を出した。毛の背中にまわした腕の力をゆるめなかった。僕は女の腕をふりほどくこともできず、顔をそらすこともできず、目をつぶることさえできなかった。胃の中のかたまりが喉もとにまで上ってきていたが、それを押し出すこともできなかった。体じゅうの皮膚がぜんぶ裏がえしになってしまったような気がした。耳もとで小人の笑い声が聞こえた。

女の顔はどこまでも溶けつづけていた。筋肉が何かの拍子にねじれてしまったらしく、顎のたががはずれてぱっくりと開き、ペースト状の肉と膿と蛆のかたまりが、そのいきおいでまわりにとびちった。

僕は悲鳴をあげるために思い切り息を吸い込んだ。誰でもいいから、誰かにこの地獄からひっぱり出して欲しかった。しかし僕は結局叫びはしなかった。ほとんど直観的に、こんなことが本当に起るわけはないと思った。僕はそう感じた。これは小人によってもたらされたただのまやかしなのだ。小人は僕に声をあげさせたいのだ。僕が一度声をあげてしまえば、僕の体は永劫に小人のものになってしまうのだ。それこそ小人の望んでいることなのだ。

僕は覚悟を決めて目を閉じた。今度は何の抵抗もなくすっと目を閉じることができた。目を閉じると草原をわたる風の音が聞こえた。背中にはしっかりと女の指が食いこんでいるのが感じられた。僕は思い切って女の体に手をまわし、こちらに引き寄せ、その腐乱した肉のかたまりの、かつて口があったと思われるあたりに唇をつけた。ぬるりとした肉片、ぶつぶつとした蛆のかたまりが僕の顔に触れ、耐えがたいほどの死臭が僕の鼻腔にとびこんできた。しかしそれはほんの一瞬のことだった。目を開けたとき、僕はもとの美しい女と口づけをかわしていた。やわらかな月の光が、彼女の桃色の頰の上に光っていた。僕は自分が小人を打ち負かしたことを悟った。僕はとうとう一声たりとも発せずに、すべてをやりとげたのだ。

「お前さんの勝ちだよ」と小人はぐったりした声で言った。「女はお前さんのものだ。あたしは出ていく」

そして小人は僕の体から抜け出した。

「しかしこれで終ったわけじゃない」と小人はつづけた。「あんたは何度も何度も勝つことができる。しかし負けるのはたった一度だ。あんたが一度負けたらすべては終る。そしてあんたはいつか必ず負ける。それでおしまいさ。いいかい、あたしはそれをずっとずっと待っているんだ」

「何故僕でなきゃいけないんだ」と僕は小人に向って叫んだ。「何故他の誰かじゃいけないんだ」

しかし小人は答えなかった。笑っただけだった。小人の笑い声はしばらくあたりを漂っていたが、やがて風に吹かれて消えた。

結局のところ、小人の言ったことは正しかった。僕は今、国中の官憲に追われている。舞踏場で僕の踊りを見た誰か——あの老人かもしれない——が当局に出頭して、僕の体に踊る小人が入り込んでダンスをしたことを訴えたのだ。警官たちは僕の生活ぶりを監視する一方、僕のまわりのいろんな人々を呼んでこまかい訊問をした。僕の相棒が、僕がいつか小人の話をしていたと証言した。僕に逮捕状が出た。警官隊がやってきて工場をとりかこんだ。第八工程の美人の女の子が僕の仕事場にやってきて、僕にそっと教えてくれた。僕は仕事場をとびだして完成象をストックしておくプールにとびこみ、中の一頭の背中にとびのって森に逃げた。その時、警官を何人か踏みつぶした。

そのようにして僕はもう一ヵ月近く森から森、山から山へと逃げまわっている。木の実を食べ、虫を食べ、川の水を飲み、命をつないでいる。しかし警官の数は多い。彼らはいつか僕を捕えるだろう。彼らは僕を捕えたら、革命の名のもとにウィンチにまきつけて八つ裂きにするらしい。そういう話だ。

小人は毎夜僕の夢に現われて、僕の体に入れろと言う。

「少なくとも警官につかまって八つ裂きにはならずに済むからね」と小人は言う。

「そのかわり永劫に森の中で踊りつづけるんだろう?」と僕は訊く。

「そのとおり」と小人は言う。「どちらにするかはお前さんが自分で選ぶんだな」

そう言って小人はくすくすと笑う。でも僕にはどちらかを選ぶことなんてできない。

犬の鳴き声が聞こえる。何匹もの犬が鳴いている声だ。彼らはすぐそこまで来ているのだ。

The last lawn of the afternoon

午後の最後の芝生

僕が芝生を刈っていたのは十八か十九の頃だから、もう十四年か十五年前のことになる。けっこう昔だ。時々、十四年か十五年なんて昔というほどのことじゃないな、と考えたりもする。ジム・モリソンが「ライト・マイ・ファイア」を唄ったり、ポール・マッカートニーが「ロング・アンド・ワインディング・ロード」を唄っていたりした時代——少し前後するような気もするけれど、まあそんな時代だ——がそれほど昔のことだなんて、僕にはどうもうまく実感できないのだ。僕自身、あの時代に比べてそれほど変っていないんじゃないかと思うことだってある。

でも、そんなはずはない。僕はきっとかなり変ってしまったはずだ。というのは、そう思わないと説明のつかないことがけっこう沢山あるからだ。

オーケー、僕は変った。そして十四、五年というのはずいぶん昔の話である。

家の近所に——僕はこのあいだここに越してきたばかりだ——公立の中学校があって、僕は買物に行ったり散歩したりするたびにその前を通る。そして歩きながら中学生たちが体操をしたり、絵を描いたり、ふざけあったりしているのをぼんやり眺める。べつに好きで眺めているわけじゃなくて、他に眺めるものがないからだ。右手の桜並木を眺めていてもいいのだけれど、それよりは中学生を眺めていた方がまだましだ。

とにかく、そんな風に毎日中学生を眺めていて、ある日ふと思った。彼らは十四か十五なのだと。これは僕にとってはちょっとした発見であり、ちょっとした驚きだった。十四年か十五年前には彼らはまだ生まれていないか、生まれていたとしてもほとんど意識のないピンク色の肉塊だったのだ。それが今ではもう口紅を塗ったり、体育倉庫の隅で煙草を吸ったり、マスターベーションをやったり、ディスク・ジョッキーにくだらない葉書を出したり、どこかの家の塀に赤いスプレイ・ペンキで落書きをしたり、「戦争と平和」を——たぶん——読んだりしているのだ。

やれやれ、と僕は思った。

十四、五年前といえば、僕が芝生を刈っていたころじゃないか。

＊

記憶というのは小説に似ている、あるいは小説というのは記憶に似ている。

僕は小説を書きはじめてからそれを切実に実感するようになった。記憶というのは小説に似ている、あるいは云々。

どれだけきちんとした形に整えようと努力しても、文脈はあっちに行ったりこっちに行ったりして、最後には文脈ですらなくなってしまう。なんだかまるでぐったりした子猫を何匹か積みかさねたみたいだ。生あたたかくて、しかも不安定だ。そんなものが商品になるなんて——商品だよ——すごく恥かしいことだと僕はときどき思う。本当に顔が赤らむことだってある。僕が顔を赤らめると、世界中が顔を赤らめる。

しかし人間存在を比較的純粋な動機に基くかなり馬鹿げた行為として捉えるなら、何が正しくて何が正しくないかなんてたいした問題ではなくなってくる。そしてそこから記憶が生まれ、小説が生まれる。これはもう、誰にも止めることのできない永久運動機械のようなものだ。それはカタカタと音を立てながら世界中を歩きまわり、地表に終ることのない一本の線を引いていく。

うまくいくといいですね、と彼は言う。でもうまくいくわけなんてないのだ。うまくいったためしもないのだ。

でもだからって、いったいどうすればいい？

というわけで、僕はまた子猫を集めて積みかさねていく。子猫たちはぐったりとしていて、とてもやわらかい。目がさめて自分たちがキャンプ・ファイアのまきみたいに積みあげられていることを発見した時、子猫たちはどんな風に考えるだろう？　あれ、なんだか変だな、と思うくらいかもしれない。もしそうだとしたら――その程度だとしたら――僕は少しは救われるだろう。

ということだ。

＊

僕が芝生を刈っていたのは十八か十九のころだから、もうけっこう昔の話になる。そのころ僕にはおないどしの恋人がいたが、彼女はちょっとした事情があって、ずっと遠くの街に住んでいた。我々が会えるのは一年にぜんぶで二週間くらいのものだった。我々はそのあいだにセックスをしたり、映画をみたり、わりに贅沢な食事をしたり、次から次へととりとめのない話をしたりした。そして最後には必ず派手な喧嘩をし、仲直りをし、またセックスをした。要するに世間一般の恋人たちがやっていることを短縮版の映画みたいな感じでばたばたとやっていたわけだ。

僕が彼女を本当に好きだったのかどうか、これは今となってはよくわからない。思い出すことはできるが、わからないのだ。僕は彼女と食事をするのが好きだったし、彼女が一枚ずつ服を脱いでいくのを見るのが好きだったし、彼女のやわらかい体の中に入るのも好きだった。セックスのあと、彼女が僕の胸に顔をつけてしゃべったり眠ったりするのを眺めるのも好きだった。でも、僕にわかるのはそれだけだった。

僕にはそこから先のことをきちんと考えることができなかった。

彼女と会う何週間かをのぞけば、僕の人生はおそろしく単調なものだった。適当に大学に顔を出して講義を受け、なんとか人なみの単位は取った。それから一人で映画をみたり、わけもなく街をぶらぶらしたりした。ひとり仲のいい女ともだちがいた。彼女には恋人がいたが、僕らはよくふたりでどこかに行っていろんな話をした。一人でいる時はロックンロールのレコードばかり聴いていた。幸せなような気もしたし、不幸せなような気もした。でもあの頃って、みんなそういうものだ。

ある夏の朝、七月の初め、恋人から長い手紙が届いて、そこには僕と別れたいと書いてあった。あなたのことはずっと好きだし、今でも好きだし、これからも……云々。要するに別れたいということだ。新しいボーイフレンドができたのだ。僕は首を振って煙草を六本吸い、外に出て缶ビールを飲み、部屋に戻ってまた煙草を吸った。それから机の上にあるＨＢの長い鉛筆の軸を三本折った。べつに腹を立てたわけじゃない。何をすればいいのかよくわからなかっただけだ。そして服を着替えて仕事にでかけた。それからしばらくのあいだ、僕はまわりのみんなから「最近ずいぶん明るくなったね」と言われた。人生というのはよくわからない。

僕はその年、芝刈りのアルバイトをしていた。芝刈り会社は小田急線の経堂駅の近くにあって、けっこう繁盛していた。大抵の人間は家を建てると庭に芝生を植える。あるいは犬を飼う。これは条件反射みたいなものだ。一度に両方やる人もいる。それはそれで悪くない。芝生の緑は綺麗だし、犬は可愛い。しかし半年ばかりすると、みんな少しうんざりしはじめる。芝生は刈らなくてはならないし、犬は散歩させなくてはならないのだ。なかなかうまくいかない。

まあとにかく、我々はそんな人々のために芝生を刈った。僕はその前の年の夏、大学の学生課で仕事をみつけた。僕の他にも何人か一緒に入った連中もいたが、みんなすぐにやめてしまって、僕だけが残った。仕事はきつかったが、給料は悪くなかった。それにあまり他人と口をきかなくて済む。僕向きだ。僕はそこに勤めて以来、少しまとまった額の金を稼いでいた。夏に恋人とどこかに旅行するための資金にするつもりだった。しかし彼女と別れてしまった今となっては、旅行も何もない。僕は別れの手紙を受け取ってから一週間くらい、その金の使いみちをあれこれと考えてみた。というより、金の使いみちくらいしか考えるべきことはなかった。なんだかわけのわからない一週間だった。僕のからだは他人のからだみたいに見えた。自分の手や顔やペニスや、そんな何もかもが自分のものには見えなかった。僕は僕とは別の人間が彼女を抱いているところを想像してみた。誰かが——僕の知らない誰かが——彼女の小さな乳首をそっと噛んでいるのだ。なんだかすごく変な気持だ。まるで自分がなくなってしまったみたいだ。

金の使いみちはとうとう思いつけなかった。誰かから中古車——スバルの1000cc——を買わないかという話もあった。かなり距離を走っていたがものは悪くなかったし、値段も手頃だった。でも何故か気が進まなかった。ステレオ装置のスピーカーを大きなものに買い換えることも考えたが、僕の小さな木造アパートでは無理な相談だった。アパートを引越しても良かったが、引越す理由がなかった。アパートを引越してしまうと、スピーカーを買い換えるだけの金は残らないのだ。

金の使いみちはなかった。夏物のポロシャツを一枚とレコードを何枚か買っただけで、あとはまるまる残った。それから性能の良いソニーのトランジスタ・ラジオも買った。大きなスピーカーがついていて、FMがとてもきれいに入る。

その一週間が経ったあとで、僕はひとつの事実に気づいた。つまり、金の使いみちがないのなら、これ以上使いみちのない金を稼ぐのも無意味なのだ。

僕はある朝芝刈り会社の社長に仕事をやめたいんですが、と言った。そろそろ試験勉強も始めなくちゃいけないし、その前にちょっと旅行もしたいんです、と。まさかこれ以上もう金はいらないなんて言えない。

「そうかそうか、そりゃ残念だな」と社長（というか、植木職人といった感じのおじさんだ）は本当に残念そうに言った。それからため息をついて椅子に座り、煙草をふかした。顔を天井に向けてこりこりと首をまわした。「あんたはほんとうにとてもよくやってくれたよ。アルバイトの中じゃいちばんの古株だし、お得意先の評判もいいしな。ま、若いのに似合わずよくやってくれたよ」

どうも、と僕は言った。実際に僕はすごく評判がよかった。丁寧な仕事をしたせいだ。大抵のアルバイトは大型の電動芝刈機でざっと芝を刈ると、残りの部分はかなりいい加減にやってしまう。それなら時間も早く済むし、体も疲れない。僕のやり方はまったく逆だ。機械はいい加減に使って、手仕事に時間をかける。機械でうまく刈れない隅の細かい部分をきちんとやる。当然仕あがりは綺麗になる。ただしあがりは少ない。一件いくらという給料計算だからだ。庭のだいたいの面積で値段が決まる。それからずっとかがんで仕事をするものだから、腰がすごく痛くなる。これは実際にやった人じゃなくちゃわからない。慣れるまでは階段の上り下りにも不自由するくらいだ。

僕はべつに評判を良くするためにこんなに丁寧な仕事をしたわけではない。信じてもらえないかもしれないけれど、ただ単に芝生を刈るのが好きだったのだ。毎朝芝刈ばさみを研ぎ、芝刈機を積んだライトバンで得意先に行き、芝を刈る。いろんな庭があり、いろんな芝があり、いろんな奥さんがいる。おとなしい親切な奥さんもいれば、つっけんどんな人もいる。ノーブラにゆったりしたTシャツを着て、芝を刈る僕の前にかがみこみ、乳首まで見せてくれる若い奥さんだっている。

とにかく僕は芝を刈りつづけた。大抵の庭の芝はたっぷりと伸びている。まるで草むらみたいだ。芝が伸びていればいるほど、やりがいはあった。仕事が終ったあとで、庭の印象ががらりと変ってしまうのだ。

これはすごく素敵な感じだ。まるで厚い雲がさっとひいて、太陽の光があたりに充ちたような感じがする。

一度だけ——仕事の終ったあとで——奥さんの一人と寝たことがある。三十一か二、それくらいの年の人だった。彼女は小柄で、小さな堅い乳房を持っていた。雨戸をぜんぶしめ、電灯を消したまっ暗な部屋の中で我々は交った。彼女はワンピースを着たまま下着を取り、僕の上に乗った。胸から下は僕に触れさせなかった。彼女の体はいやに冷やりとして、ワギナだけが暖かかった。彼女はほとんど口をきかなかった。僕も黙っていた。ワンピースの裾がさらさらと音をたて、それが遅くなったり早くなったりした。途中で一度電話のベルが鳴った。ベルはひとしきり鳴ってから止んだ。

あとになって、僕が恋人と別れることになったのはその時のせいじゃないかなとふと思ったりもした。べつにそう考えなければいけない理由があったわけではない。なんとなくそう思っただけだ。応えられなかった電話のベルのせいだ。でもまあ、それはいい。終ったことだ。

「でも困ったな」と社長は言った。「あんたがいま抜けちゃうと、予約がこなせないよ。いちばん忙しい時期だしね」

梅雨のせいで芝がすっかり伸びているのだ。

「どうだろう、あと一週間だけやってくれないかな？ 一週間あれば人手も入るし、なんとかやれると思うんだ。もしあと一週間だけ延長してやってくれたら特別にボーナスを出すよ」

いいですよ、と僕は言った。さしあたってとくにこれといった予定もないし、だいいち仕事じたいが嫌いなわけではないのだ。それにしても変なものだな、と僕は思った。金なんていらないと思ったとたんに金が入ってくる。

三日晴れが続き、一日雨が降り、また三日晴れた。そんな風にして最後の一週間が過ぎた。

夏だった。それもほれぼれするような見事な夏だ。空にはきりっとした白い雲が浮かんでいた。太陽はじりじりと肌を焼いた。僕の背中の皮はきれいに三回むけ、もう真黒になっていた。耳のうしろまで真黒だった。

最後の仕事の朝、僕はTシャツとショートパンツ、テニス・シューズにサングラスという格好でライトバンに乗り込み、僕にとっての最後の庭に向った。車のラジオはこわれていたので、家から持って来たトランジスタ・ラジオでロックンロールを聴きながら車を運転した。クリーデンスとかグランド・ファンクとか、そんな感じだ。すべてが夏の太陽を中心に回転していた。僕はこまぎれに口笛を吹き、口笛を吹いていない時は煙草を吸った。FENのニュース・アナウンサーは奇妙なイントネーションをつけたヴェトナムの地名を連発していた。

僕の最後の仕事場は読売ランドの近くにあった。やれやれ。なんだって神奈川県の人間が世田谷の芝刈りサービスを呼ばなきゃいけないんだ？

でもそれについて文句を言う権利は僕にはなかった。何故なら僕は自分でその仕事を選んだからだ。朝会社に行くと黒板にその日の仕事場がぜんぶ書いてあって、めいめいが好きな場所を選ぶ。大抵の連中は近い場所を取る。往復の時間がかからないし、そのぶん数がこなせるのだ。僕は逆になるべく遠くの仕事を取る。いつもそうだ。それについてはみんな不思議がった。前にも言ったように、僕はアルバイトの中ではいちばん古株だし、好きな仕事を最初に選ぶ権利があるからだ。

べつにたいした理由はない。遠くまで行くのが好きなのだ。遠くの庭で遠くの芝生を刈るのが好きなのだ。遠くの道の遠くの風景を眺めるのが好きなのだ。でもそんな風に説明したって、たぶん誰もわかってくれないだろう。

僕は車の窓をぜんぶ開けて運転した。都会を離れるにつれて風が涼しくなり、緑が鮮やかになっていった。草いきれと乾いた土の匂いが強くなり、空と雲のさかいめがくっきりとした一本の線になった。素晴しい天気だった。女の子と二人で夏の小旅行に出かけるには最高の日和だ。僕は冷やりとした海と熱い砂浜のことを考えた。それからエア・コンディショナーのきいた小さな部屋とぱりっとしたブルーのシーツのことを考えた。それだけだった。それ以外には何も考えつけなかった。砂浜とブルーのシーツが交互に頭に浮かんだ。

ガソリン・スタンドでタンクをいっぱいにしているあいだも同じことを考えていた。僕はスタンドの横の草むらに寝転んで、サービス係がオイルをチェックしたり窓を拭いたりするのをぼんやり眺めていた。地面に耳をつけるといろんな音が聞こえた。遠い波のような音も聞こえた。でももちろんそれは波の音なんかじゃない。地面に吸い込まれた音がいろいろとまざりあっただけなのだ。目の前の草の葉の上を小さな虫が歩いていた。羽のはえた小さな緑色の虫だ。虫は葉の先端まで行くと、しばらく迷ってから同じ道をあともどりしていった。べつに、とくにがっかりしたようにも見えなかった。

十分ばかりで給油が終った。サービス係が車のホーンを鳴らして僕にそれを知らせた。

＊

目的の家は丘の中腹にあった。おだやかで上品な丘だ。曲りくねった道の両脇にはけやきの並木がつづいていた。どこかの家の庭では小さな男の子が二人、裸になってホースの水をかけあっていた。空に向けたしぶきが五十センチくらいの小さな虹を作っていた。誰かが窓を開けたままピアノの練習をしていた。

番地をたよりに辿っていくと家は簡単にみつかった。僕は家の前にライトバンを停め、ベルを鳴らした。返事はなかった。まわりはおそろしくしんとしていた。人の姿もない。僕はもう一度ベルを鳴らした。そしてじっと返事を待った。

こぢんまりとした感じの良い家だった。クリーム色のモルタル造りで、屋根のまん中から同じ色の四角い煙突がでていた。窓枠はグレーで、白いカーテンがかかっていた。どちらもたっぷりと日に焼かれて変色していた。古い家だが、古さがとても良く似合っていた。避暑地に行くと、よくこういう感じの家がある。半年だけ人が住み、半年は空き家になっている。そんな雰囲気だった。何かの加減で建物から生活の匂いが散らされてしまっているのだ。

フランス積みのれんがの塀は腰までの高さしかなく、その上はバラの垣根になっていた。バラの花はすっかり落ちて、緑の葉がまぶしい夏の光をいっぱいに受けていた。芝生の様子までは見えなかったが、庭はけっこう広く、大きなくすの木がクリーム色の壁に涼し気な影を落としていた。

三度めのベルを鳴らした時、玄関のドアがゆっくりと開いて、中年の女が現われた。おそろしく大きな女だった。僕も決して小柄な方ではないのだが、彼女の方が僕よりも三センチは高かった。肩幅も広く、まるで何かに腹を立てているみたいに見えた。年はおそらく五十前後というところだ。美人ではないにしても、顔つきは端整だった。もっとも端整とはいっても人が好感を抱くようなタイプの顔ではない。濃い眉と四角い顎は言い出したらあとには引かないという強情さをうかがわせた。

彼女は眠そうなとろんとした眼で面倒臭そうに僕を見た。白髪が僅かにまじった固い髪が頭の上で波うち、茶色い木綿のワンピースの肩口からはがっしりとした二本の腕がだらんと垂れ下がっていた。腕は真白だった。

「芝生を刈りに来ました」と僕は言った。それからサングラスをはずした。

「芝生？」と言って、彼女は首をひねった。

「ええ、電話をいただきましたので」

「うん。ああそうだね、芝生だ。今日は何日だっけ？」

「十四日です」

彼女はあくびをした。「そうか。十四日か」それからもう一度あくびをした。まるで一月くらい眠っていたみたいだった。「ところで煙草持ってる？」

僕はポケットからショート・ホープを出して彼女に渡し、マッチで火を点けてやった。彼女は気持良さそうに空に向けてふうっと煙を吐いた。

「どれくらいかかる？」と彼女は訊いた。

「時間ですか？」

彼女は顎をぐっと前に出して肯いた。

「広さと程度によりますね。拝見していいですか？」

「いいよ。だいいち見なきゃやれないだろ」

僕は彼女のあとをついて庭にまわった。庭は平べったい長方形で、六十坪ほどの広さだった。額あじさいの繁みがあり、くすの木が一本、あとは芝生だ。窓の下に空っぽの鳥かごが二つ放り出されていた。庭の手入れは行き届いていて、芝生はたいして刈る必要もないくらい短かった。僕はちょっとがっかりした。

「これならあと二週間はもちますよ」と僕は言った。

女は短く鼻を鳴らした。

「もっと短くしてほしいんだよ。そのために金を払うんだ。べつに私がいいって言うんだからいいじゃないか」

僕はちょっと彼女を見た。まあたしかにそのとおりだ。僕は肯いて、頭の中で時間を計算してみた。

「四時間というところですね」

「えらくゆっくりだね」

「もしよかったら、ゆっくりやりたいんです」と僕は言った。

「まあお好きに」と彼女は言った。


僕はライトバンから電動芝刈機と芝刈ばさみとくまでとごみ袋とアイスコーヒーを入れた魔法瓶とトランジスタ・ラジオを出して庭に運んだ。太陽はどんどん中空に近づき、気温はどんどん上がっていった。僕が道具を運んでいるあいだ、彼女は玄関に靴を十足ばかり並べてぼろきれでほこりを払っていた。靴は全部女もので、小さなサイズと特大のサイズの二種類だった。

「仕事をしているあいだ音楽をかけてかまいませんか」と僕は訊ねてみた。

彼女はかがんだまま僕を見上げた。「音楽は好きだよ」

僕は最初に庭におちている小石をかたづけ、それから芝刈機をかけた。石をまきこむと刃がいたんでしまうのだ。芝刈機の前面にはプラスチックのかごがついていて、刈った芝は全部そこに入るようになっている。かごがいっぱいになるとそれを取りはずしてごみ袋に捨てた。庭が六十坪もあると、短い芝でも結構な量を刈ることになる。太陽はじりじりと照りつけた。僕は汗で濡れたTシャツを脱ぎ、ショートパンツ一枚になった。まるで体裁の良いバーベキューみたいな感じだ。こんな風にしているとどれだけ水を飲んでも小便なんか一滴も出ない。全部汗になってしまうのだ。

一時間ほど芝刈機をかけてからひと休みして、くすの木の影に座ってアイスコーヒーを飲んだ。糖分が体の隅々にしみこんでいった。頭上では蟬が鳴きつづけていた。ラジオのスイッチを入れ、ダイヤルを回して適当なディスク・ジョッキーを探した。スリー・ドッグ・ナイトの「ママ・トールド・ミー」が出てきたところでダイヤルを止め、あおむけに寝転んでサングラスを通して木の枝と、そのあいだから洩れてくる日の光を眺めた。

彼女がやってきて僕のそばに立った。下から見上げると、彼女はくすの木みたいに見えた。彼女は右手にグラスを持っていた。グラスの中には氷とウィスキーらしきものが入っていて、それが夏の光にちらりと揺れていた。

「暑いだろ？」と彼女は言った。

「そうですね」と僕は言った。

「昼飯はどうする？」と彼女は言った。

僕は腕時計を見た。十一時二十分だった。

「十二時になったらどこかに食べに行きます。近くにハンバーガー・スタンドがありましたから」

「わざわざ行くことない。サンドイッチでも作ってあげるよ」

「本当にいいんです。いつもどこかに食べに行ってますから」

彼女はウィスキー・グラスを持ちあげて、一口で半分ばかり飲んだ。それから口をすぼめて息を吐いた。

「どうせ自分のぶんだって作るんだ。そのついでだよ。嫌なら無理には作らないけどね」

「じゃあいただきます。どうもありがとう」

彼女は何も言わずに顎を少し前に突き出した。それからゆっくりと肩をゆすりながら家の中にひきあげていった。

十二時まではさみで芝を刈った。まず機械で刈った部分のむらを揃え、それをくまで掃きあつめてから、今度は機械で刈れなかった部分を刈る。気の長い仕事だ。適当にやろうと思えば適当にやれるし、きちんとやろうと思えばいくらでもきちんとやれる。しかしきちんとやったからそれだけ評価されるかというと、そうとは限らない。ぐずぐずやっていると見られることもある。それでも前にも言ったように、かなり僕はきちんとやる。これは性格の問題だ。それからたぶんプライドの問題だ。

十二時のサイレンがどこかで鳴ると、彼女は僕を台所にあげてサンドイッチを出してくれた。それほど広くはないけれど、さっぱりとした清潔な台所だった。余計なかざりつけは何もなかった。シンプルで機能的な台所だった。電気器具はどれも古い型のものだった。懐かしいと言ってもいいくらいだった。まるでどこかで時代が止まってしまったようにも感じられた。巨大な冷蔵庫がぶううんという音を立ててうなっているのを別にすれば、あたりはとても静かだった。食器にもスプーンにも影のような静けさがしみこんでいた。彼女はビールを勧めてくれたが、僕は仕事中だからと言って断った。彼女はかわりにオレンジ・ジュースを出してくれた。ビールは彼女が自分で飲んだ。テーブルの上には半分に減ったホワイト・ホースの瓶もあった。流しの下にはいろんな種類の空瓶が転がっていた。

彼女の作ってくれたハムとレタスと胡瓜のサンドイッチは見た目よりずっと美味かった。とてもおいしいです、と僕は言った。サンドイッチを作るのは昔から上手いんだよ、と彼女は言った。それ以外のものは駄目だけど、サンドイッチは上手いんだ。死んだ亭主はアメリカ人でさ、毎日サンドイッチを食べてた。サンドイッチを食べさせておけばそれで満足してた。

彼女自身はそのサンドイッチをひときれも食べなかった。ピックルスをふたつかじっただけで、あとはずっとビールを飲んでいた。あまり美味そうには飲まなかった。しかたないから飲んでいるという風だった。我々は食卓をはさんでサンドイッチを食べ、ビールを飲んだ。しかし彼女はそれ以上のことは何も話さなかったし、僕の方にも話すことはなかった。

十二時半に僕は芝生に戻った。最後の芝生だ。これだけ刈ってしまえば、もう芝生とは縁がなくなる。

僕はFENのロックンロールを聴きながら芝生を丁寧に刈り揃えた。何度もくまなく刈った芝を払い、よく床屋がやるようにいろんな角度から刈り残しがないか点検した。一時半までに三分の二が終った。汗が何度も目に入り、そのたびに庭の水道で顔を洗った。とくに理由もなく何度かペニスが勃起し、そしておさまった。芝を刈りながら勃起するなんてなんだか馬鹿げている。

二時二十分に仕事は終った。僕はラジオを消し、裸足になって芝生の上をぐるりとまわってみた。満足のいく出来だった。刈り残しもないし、むらもない。絨毯のようになめらかだ。僕は目を閉じて、大きく息を吸い込んだ。そして足の裏の、そのひやりとした緑色の感触をしばらくのあいだ楽しんだ。でもそのうちに、体の力が突然ふっと抜けてしまった。

「あなたのことは今でもとても好きです」と彼女は最後の手紙に書いていた。「やさしくてとても立派な人だと思っています。これは嘘じゃありません。でもある時、それだけじゃ足りないんじゃないかという気がしたんです。どうしてそんな風に思ったのか私にもわかりません。それにひどい言い方だと思います。たぶん何の説明にもならないでしょう。十九というのは、とても嫌な年齢です。あと何年かたったらもっとうまく説明できるかもしれない。でも何年かたったあとでは、たぶん説明する必要もなくなってしまうんでしょうね」

僕は水道で顔を洗い、道具をライトバンに運び、新しいTシャツを着た。そして玄関のドアを開けて仕事が終ったことを知らせた。

「ビールでも飲めば」と彼女は言った。

「ありがとう」と僕は言った。ビールぐらい飲んだっていいだろう。

我々は庭先に並んで芝生を眺めた。僕はビールを飲み、彼女は細長いグラスでレモン抜きのウォッカ・トニックを飲んでいた。酒屋がよくおまけにくれるようなグラスだった。蟬はまだ鳴きつづけていた。彼女は少しも酔払ったようには見えなかった。息だけが少し不自然だった。すうっという歯のあいだから洩れるような息だ。こうしている今にも、彼女が意識を失ってばったりと芝生の上に倒れて、そのまま死んでしまうのではないかという気がした。僕は彼女が倒れるところを頭の中で想像してみた。たぶんまっすぐにばたんと倒れるんだろうなと僕は思った。

「あんたはいい仕事をするよ」と彼女は言った。とくに面白くもないという感じの声だったが、それはべつに何かを責めているわけではなかった。「これまでいろんな芝生屋を呼んだけど、こんなにきちんとやってくれたのはあんたが初めてだ」

「どうも」と僕は言った。

「死んだ亭主が芝生にうるさくってね。いつも自分できちんと刈ってたよ。あんたの刈り方と似てるよ」

僕は煙草を出して彼女に勧め、二人で煙草を吸った。彼女の手は僕の手よりも大きかった。そして石のように固そうだった。右手のグラスも左手のショート・ホープもとても小さく見えた。指は太く、指輪もない。爪にははっきりとした縦の線が何本か入っていた。

「亭主は休みになると芝生ばかり刈ってたよ。それほど変人ってわけでもなかったんだけどね」

僕はこの女の夫のことを少し想像してみた。うまく想像できなかった。くすの木の夫婦を想像できないのと同じことだ。

彼女はまたすうっという息をはいた。

「亭主が死んでからは」と女は言った。「ずっと業者に来てもらってんだよ。あたしは太陽に弱いし、娘は日焼けを嫌がるしさ。ま、日焼けは別にしたって若い女の子が芝刈りなんてやるわきゃないけどね」

僕は肯いた。

「でもあんたの仕事っぷりは気に入ったよ。芝生ってのはこういう風に刈るもんだ。同じ刈るにしても、気持ってものがある。気持がなかったら、それはただの……」、彼女は次のことばを探したが、ことばは出てこなかった。そのかわりげっぷをした。

僕はもう一度芝生を眺めた。それは僕の最後の仕事だったのだ。そして僕はそのことがなんとなく悲しかった。その悲しみのなかには別れたガールフレンドのことも含まれていた。この芝生を最後に彼女とのあいだの感情ももう消えてしまうんだな、と僕は思った。僕は彼女の裸のからだのことを思い出した。くすの木のような女がもう一度げっぷをした。そして自分ですごく嫌な顔をした。

「来月もまた来なよ」

「来月はだめなんです」と僕は言った。

「どうして？」と彼女は言った。

「今日が仕事の最後なんです」と僕は言った。「そろそろ学生に戻って勉強しないと単位があぶなくなっちゃうものですから」

彼女はしばらく僕の顔を見てから、足もとを眺め、それからまた顔を見た。

「学生なのかい？」

「ええ」と僕は言った。

「どこの学校？」

僕は大学の名前を言った。大学の名前はべつに彼女にたいした感動を与えなかった。とくに感動を与えるような大学ではないのだ。彼女は人さし指で耳のうしろをかいた。

「もうこの仕事はやらないんだね」

「ええ、今年の夏はね」と僕は言った。今年の夏はもう芝刈りはやらない。来年の夏も、そして再来年の夏も。

彼女はうがいでもするみたいにウォッカ・トニックをしばらく口にふくみ、それからいとおしそうに半分ずつ二回にわけて飲み下した。汗が額いっぱいに吹き出ていた。小さな虫が肌にはりついているみたいに見えた。

「中に入んなよ」と女は言った。「外は暑すぎるよ」

僕は腕時計を見た。二時三十五分。遅いのか早いのかよくわからない。仕事はもう全部終っていた。明日からはもう一センチだって芝生を刈らなくていいのだ。とても妙な気持だ。

「急いでんのかい？」と女が訊ねた。

僕は首を振った。

「じゃあうちにあがって冷たいものでも飲んでいきな。たいして時間はとらないよ。それにあんたにちょっと見てほしいものもあるんだ」

見てほしいもの？

でも僕には迷う余裕なんてなかった。彼女は先にたってすたすたと歩き出した。僕の方を振り返りもしなかった。僕はしかたなく彼女のあとを追った。暑さで頭がぼんやりしていた。

家の中は相変わらずしんとしていた。夏の午後の光の洪水の中から突然屋内に入ると、瞼の奥がちくちく痛んだ。家の中には水でといたような淡い闇が漂っていた。何十年も前からそこに住みついてしまっているような感じの闇だ。べつにとくに暗いというわけではなく、淡い闇だった。空気は涼しかった。エア・コンディショナーの涼しさではなく、空気の動いている涼しさだった。どこかから風が入って、どこかに抜けていくのだ。

「こっちだよ」と彼女は言って、まっすぐな廊下をぱたぱたと音を立てて歩いた。廊下にはいくつか窓がついていたが、隣家の石塀と育ちすぎたくすの木の枝が光をさえぎっていた。廊下にはいろんな匂いがした。どの匂いも覚えのある匂いだった。時間が作り出す匂いだ。時間が作り出し、そしてまたいつか時間が消し去っていく匂いだ。古い洋服や古い家具や、古い本や、古い生活の匂いだ。廊下のつきあたりに階段があった。彼女はうしろを向いて僕がついてきていることを確かめてから階段を上った。彼女が一段上るごとに古い木材がみしみしと音を立てた。

階段を上るとやっと光が射していた。踊り場についた窓にはカーテンもなく、夏の太陽が床の上に光のプールを作っていた。二階には部屋は二つしかない。ひとつは納戸で、もうひとつがきちんとした部屋だった。くすんだ薄いグリーンのドアに、小さなすりガラスの窓がついている。グリーンのペンキは少しひびわれ、真鍮のノブは把手の部分だけが白く変色していた。

彼女は口をすぼめてふうっと息をつくとほとんど空になったウォッカ・トニックのグラスを窓枠に置き、ワンピースのポケットから鍵の束を出し、大きな音を立ててドアの鍵を開けた。

「入んなよ」と彼女は言った。我々は部屋に入った。中は真暗でむっとしていた。暑い空気がこもっている。閉め切った雨戸のすきまから銀紙みたいに平べったい光が幾筋か部屋の中に射し込んでいた。何も見えなかった。ちらちらと塵が浮かんでいるのが見えるだけだった。彼女はカーテンを払ってガラス戸を開け、がらがらと雨戸を引いた。眩しい光と涼しい南風が一瞬のうちに部屋に溢れた。

部屋は典型的なティーン・エイジャーの女の子の部屋だった。窓際に勉強机があり、その反対側に小さな木のベッドがあった。ベッドにはしわひとつないコーラル・ブルーのシーツがかかっていて、同じ色の枕が置いてあった。足もとには毛布が一枚畳んである。ベッドの横には洋服ダンスとドレッサーがあった。ドレッサーの前には化粧品がいくつか並んでいた。ヘアブラシとか小さなはさみとか口紅とかコンパクトとか、そういったものだ。とくに熱心に化粧をするというタイプではないようだった。

机の上にはノートや辞書があった。フランス語の辞書と英語の辞書だった。かなり使いこまれているように見える。それも乱暴な使われ方ではなく、きちんとした使い方だった。ペン皿にはひととおりの筆記具が頭を揃えて並べられていた。消しゴムは片側だけが丸く減っていた。それから目覚し時計と電気スタンドとガラスの文鎮。どれも簡素なものだった。木の壁には鳥の原色画が五枚と数字だけのカレンダーがかかっていた。机の上に指を走らせてみると、指がほこりで白くなった。一ヵ月ぶんくらいのほこりだ。カレンダーも六月のものだった。

全体としてみれば部屋はこの年頃の女の子にしてはさっぱりしたものだった。ぬいぐるみもなければ、ロック・シンガーの写真もない。けばけばしい飾りつけもなければ、花柄のごみ箱もない。作りつけの本棚にはいろんな本が並んでいた。文学全集があったり、詩集があったり、映画雑誌があったり、絵画展のパンフレットがあったりした。英語のペーパーバックも何冊か並んでいた。僕はこの部屋の持ち主の姿を想像してみたが、うまくいかなかった。別れた恋人の顔しか浮かんでこなかった。

大柄な中年の女はベッドに腰を下ろしたままじっと僕を見ていた。彼女は僕の視線をずっと追っていたが、何かまったく別のことを考えているように見えた。目が僕の方を向いているというだけで、本当は何も見ていなかった。僕は机の椅子に座って彼女のうしろのしっくいの壁を眺めた。壁には何もかかっていなかった。ただの白い壁だった。じっと壁を眺めていると、それは上の方で手前に傾いているように見えた。今にも彼女の頭上に崩れかかってくるような感じだった。でももちろんそんなことはない。光線の加減でそんな風に見えるだけだ。

「何か飲まないか?」と彼女が言った。僕は断った。

「遠慮しなくったっていいんだよ。べつに取って食やしないんだから」

じゃあ同じものを薄くして下さい、と僕は言って彼女のウォッカ・トニックを指さした。

彼女は五分後にウォッカ・トニックを二杯と灰皿を持って戻ってきた。僕は自分のウォッカ・トニックをひと口飲んだ。全然薄くなかった。僕は氷が溶けるのを待ちながら煙草を吸った。彼女はベッドに座って、おそらくは僕のよりずっと濃いウォッカ・トニックをちびちびと飲んでいた。時々こりこりという音をたてて氷をかじった。

「体が丈夫なんだ」と彼女は言った。「だから酔払わないんだ」

僕は曖昧に肯いた。僕の父親もそうだった。でもアルコールと競争して勝った人間はいない。自分の鼻が水面の下に隠れてしまうまでいろんなことに気がつかないというだけの話なのだ。父親は僕が十六の年に死んだ。とてもあっさりとした死に方だった。生きていたかどうかさえうまく思い出せないくらいあっさりした死に方だった。

彼女はずっと黙っていた。グラスをゆするたびに氷の音がした。開いた窓から時々涼しい風が入ってきた。風は南の方から別の丘を越えてやってきた。このまま眠ってしまいたくなるような静かな夏の午後だ。どこか遠くで電話のベルが鳴っていた。

「洋服ダンスを開けてみなよ」と彼女が言った。僕は洋服ダンスの前まで行って、言われたとおり両開きのドアを開けた。タンスの中にはぎっしりと服が吊されていた。半分がワンピースで、あとの半分がスカートやブラウスやジャケットだった。全部夏ものだ。古いものもあれば殆んど袖の通されていないものもあった。スカート丈は大部分がミニだ。趣味もものも悪くなかった。とくに人目につくというわけではないけれど、とても感じはいい。これだけ服が揃っていれば一夏、デートのたびに違った服装ができる。しばらく洋服の列を眺めてから僕はドアを閉めた。

「素敵ですね」と僕は言った。

「引出しも開けてみなよ」と彼女は言った。僕はちょっと迷ったがあきらめて洋服ダンスについた引出しをひとつずつ開けてみた。女の子の留守中に部屋をひっかきまわすことが——たとえ母親の許可があったにせよ——まともな行為だとはとても思えなかったが、逆らうのもまた面倒だった。朝の十一時から酒を飲んでいる人間が何を考えているかなんて僕にはわからない。いちばん上の大きな引出しにはジーパンやポロシャツやTシャツが入っていた。洗濯され、きちんと折り畳まれ、しわひとつなかった。二段目にはハンドバッグやベルトやハンカチやブレスレットが入っていた。布の帽子もいくつかある。三段目には下着と靴下が入っていた。何もかもが清潔できちんとしていた。僕はたいしたわけもなく悲しい気分になった。なんだかちょっと胸が重くなるような感じだった。それから引出しを閉めた。

女はベッドに腰かけたまま窓の外の風景を眺めていた。右手に持ったウォッカ・トニックのグラスは殆んど空になっていた。

僕は椅子に戻って新しい煙草に火を点けた。窓の外はなだらかな傾斜になっていて、その傾斜が終ったあたりから、また別の丘が始まっていた。緑の起伏がどこまでも続き、そこに貼りつくように住宅地がつらなっていた。どの家にも庭があり、どの庭にも芝生がはえていた。

「どう思う？」と彼女は窓に目をやったまま言った。「彼女についてさ」

「会ったこともないのにわかりませんよ」と僕は言った。

「服を見れば大抵の女のことはわかるよ」と女は言った。

僕は恋人のことを考えた。そして彼女がどんな服を着ていたか思い出してみた。まるで思い出せなかった。僕が彼女について思い出せることは全部漠然としたイメージだった。僕が彼女のスカートを思い出そうとするとブラウスが消え失せ、僕が帽子を思い出そうとすると、彼女の顔は誰か別の女の子の顔になっていた。ほんの半年前のことなのに何ひとつ思い出せなかった。結局のところ、僕は彼女についていったい何を知っていたのだろう？

「わかりません」と僕は繰り返した。

「感じでいいんだよ。どんなことでもいいよ。ほんのちょっとでも聞かせてくれればいいんだ」

僕は時間を稼ぐためにウォッカ・トニックをひと口飲んだ。氷は殆んど溶け、トニック・ウォーターは甘い水みたいになっていた。ウォッカの強い匂いが喉もとを過ぎ、胃に下りてぼんやりとした暖かみになった。窓から吹き込んだ風が机の上に煙草の白い灰を散らせた。

「とても感じのいいきちんとした人みたいですね」と僕は言った。「あまり押しつけがましくないし、かといって性格が弱いわけでもない。成績は中の上クラス。学校は女子大か短大、友だちはそれほど多くないけれど、仲は良い。……合ってますか?」

「続けなよ」

僕は手の中でグラスを何度か回してから机に戻した。「それ以上はわかりませんよ。だいいちいま言ったことだって合っているかどうかまるで自信がないんです」

「だいたい合ってるよ」と女は無表情に言った。「だいたい合ってる」

彼女の存在が少しずつ部屋の中に忍びこんでいるような気がした。彼女はぼんやりとした白い影のようだった。顔も手も足も、何もない。光の海が作りだしたほんのちょっとした歪みの中に彼女はいた。僕はウォッカ・トニックをもうひと口飲んだ。

「ボーイフレンドはいます」と僕は続けた。「一人か二人。わからないな。どれほどの仲かはわからない。でもそんなことはべつにどうだっていいんです。問題は……彼女がいろんなものになじめないことです。自分の体やら、自分の考えていることやら、自分の求めていることやら、他人が要求していることやら……そんなことにです」

「そうだね」としばらくあとで女は言った。「あんたの言うことはわかるよ」

僕にはわからなかった。僕のことばが意味していることはわかった。しかしそれが誰から誰に向けられたものであるかがわからなかった。僕はとても疲れていて、眠りたかった。眠ってしまえば、いろんなことがはっきりするような気がした。でも正直なところ、はっきりすることが何かの助けになるとも思えなかった。

それっきり彼女はずっと口をつぐんでいた。僕も黙っていた。手もちぶさただったので、ウォッカ・トニックを半分飲んだ。風が少し強くなったようだった。くすの木の丸い葉が揺れているのが見えた。僕は目を細めるようにして、じっとそれを見ていた。沈黙はずいぶん長く続いたが、そのことはあまり苦にはならなかった。僕は眠ってしまわないように注意しながら、くすの木を眺め、僕の体の中に芯の様に存在している疲れを、架空の指先で確認し続けていた。それは僕の中にありながら、しかもずっと遠いどこかにあるもののように感じられた。

「ひきとめて悪かったね」と女は言った。「芝生がすごく綺麗に刈れてたからさ、嬉しかったんだよ」

僕は肯いた。

「そうだ、金を払うよ」と女は言ってワンピースのポケットに白い大きな手をつっこんだ。「いくらだい?」

「あとでちゃんとした請求書を送ります。銀行に振り込んで下さい」と僕は言った。

女は喉の奥でなんとなく不満そうな声を出した。


我々はまた同じ階段を下りて同じ廊下を戻り、玄関に出た。廊下と玄関は往きと同じように冷やりとして、闇につつまれていた。子供の頃の夏、浅い川を裸足でさかのぼっていて、大きな鉄橋の下をくぐる時にちょうどこんな感じがした。まっ暗で、突然水の温度が下がる。そして砂地が奇妙なぬめりを帯びる。玄関でテニス・シューズをはいてドアを開けた時には本当にほっとした。日の光が僕のまわりに溢れ、風に緑の匂いがした。蜂が何匹か眠そうな羽音を立てながら垣根の上を飛びまわっていた。

「立派なもんだ」と女は庭の芝生を眺めながらもう一度そう言った。

僕も芝生を眺めた。たしかにすごく綺麗に刈れていた。見事と言ってもいいくらいだった。

女はポケットからいろんなもの――実にいろんなもの――をひっぱり出して、その中からくしゃくしゃになった一万円札を選りわけた。それほど古くない札だったが、とにかくくしゃくしゃだった。十四、五年前の一万円といえばちょっとしたものだ。少し迷ったが、断らない方がいいような気がしたので受け取ることにした。

「ありがとう」と僕は言った。

女はまだ何か言い足りなさそうだった。どう言えばいいのかよくわからないみたいだった。よくわからないままに右手に持ったグラスを眺めた。グラスは空だった。それでまた僕を見た。

「また芝刈りの仕事を始めたら家に電話しなよ。いつだっていいからさ」

「ええ」と僕は言った。「そうします。それからサンドイッチとお酒ごちそうさまでした」

彼女は喉の奥で「うん」とも「ふん」ともわからないような声を出し、それからくるりと背を向けて玄関の方に歩いていった。僕は車のエンジンをふかせ、ラジオのスイッチを入れた。もうとっくに三時をまわっていた。

途中眠気ざましにドライブ・インに入ってコカ・コーラとスパゲティーを注文した。スパゲティーはひどく不味くて、半分しか食べられなかった。しかしどちらにしても、べつに腹なんか減ってはいなかったのだ。顔色の悪いウェイトレスが食器をさげてしまうと、僕はビニールの椅子に座ったままうとうとと眠った。店は空いていたし、良い具合にクーラーがきいていた。とても短い眠りだったので夢なんか見なかった。眠り自体が夢みたいなものだった。それでも目が覚めた時には太陽の光は幾分弱まっていた。僕はもう一杯コーラを飲み、さっきもらった一万円札で勘定を払った。

駐車場で車に乗り、キイをダッシュボードに載せたまま煙草を一本吸った。いろんな細々とした疲れが僕に向って一度に押し寄せてきた。結局のところ、僕はとても疲れていたのだ。僕は運転するのをあきらめてシートに沈みこみ、もう一本煙草を吸った。何もかもが遠い世界で起った出来事のようだった。双眼鏡を反対にのぞいた時みたいに、事物がいやに鮮明で不自然だった。

「あなたは私にいろんなものを求めているのでしょうけれど」と恋人は書いていた。「私は自分が何かを求められているとはどうしても思えないのです」

僕の求めているのはきちんと芝を刈ることだけなんだ、と僕は思う。最初に機械で芝を刈り、くまでで かきあつめ、それから芝刈ばさみできちんと揃える――それだけなんだ。僕にはそれができる。そうするべきだと感じているからだ。

そうじゃないかい、と僕は声に出して言ってみた。

返事はなかった。

十分後にドライブ・インのマネージャーが車のそばにやってきて腰をかがめ、大丈夫かと訊ねた。

「少しくらくらしたんです」と僕は言った。

「暑いからね。水でも持ってきてあげようか?」

「ありがとう。でも本当に大丈夫です」

僕は駐車場から車を出し、東に向って走った。道の両脇にはいろんな家があり、いろんな庭があり、いろんな人々のいろんな生活があった。僕はハンドルを握りながらそんな風景をずっと眺めていた。荷台では芝刈機がかたかたという音を立てて揺れていた。

＊

それ以来、僕は一度も芝生を刈っていない。いつか芝生のついた家に住むようになったら、僕はまた芝生を刈るようになるだろう。でもそれはもっと、ずっと先のことだという気がする。その時になっても、僕はすごくきちんと芝生を刈るに違いない。

The silence

沈黙

僕は大沢さんに向って、これまでに喧嘩をして誰かを殴ったことはありますか、と訊ねてみた。

大沢さんは何かまぶしいものでも見るように目を細めて僕の顔を見た。

「どうしてまたそんなことをお聞きになるんですか？」と彼は言った。

その目つきはどう考えても普段の彼らしくないものだった。そこには何かぎらっとした光を放つ生々しいものがあった。でもそれもほんの一瞬のことだった。彼はその光をすぐに奥にひっこめ、いつもの穏やかな顔つきに戻った。

とくに深い意味はありませんよ、と僕は言った。それは本当にたいして意味のない質問だったのだ。ほんのちょっとした好奇心が僕にそんな質問を——おそらくは余計な質問を——させたのだ。僕はそれからすぐに話題を変えた。しかし大沢さんはその話にはあまり乗ってこなかった。彼は何かについてじっと考えこんでいるようだった。何かに耐えているようでもあったし、何かを迷っているようでもあった。僕は仕方なくぼんやりと窓の外に並んだ銀色のジェット旅客機を眺めていた。

僕がそんな質問をしたそもそものきっかけは、彼が中学校の始めのころからずっとボクシングのジムに通っているという話をしたからだった。飛行機待ちの暇つぶしにあれこれととりとめもない世間話をしているうちに、なんとなくそういう話になったのだ。彼は三十一歳だが、今でもまだ週に一度はジムに通ってトレーニングを続けているということだった。彼は大学時代には何度も対抗試合の代表選手にさえ選ばれたのだ。僕はそれを聞いてちょっと意外な気がした。僕はそれまでに何度か一緒に仕事をしてきたが、大沢さんはどう考えても二十年近くもボクシングを続けるような人柄には見えなかったからだ。彼は物静かで、あまりでしゃばらない人間だった。仕事ぶりはあくまで誠実で、誰かに何かを無理に押しつけるというようなことは一度としてなかった。どんなに忙しいときでも声を荒らげたり、眉を吊り上げたりすることはなかった。他人のわるぐちを言ったり、愚痴をこぼしたりするのを耳にしたことは一度もなかった。彼は言うなれば人が好感を抱かざるをえない人間だった。風貌だって、いかにも温厚で、のんびりとしていて、攻撃的というには程遠い種類のものだった。そんな人物とボクシングがどういう地点で結びついたのか、僕には見当もつかなかった。だから僕はふとそんな質問をしてしまったのだ。僕には彼がそもそもボクシングというスポーツを選んだ動機がよくわからなかった。それでふとそう訊ねてみたのだ。

僕らは空港のレストランでコーヒーを飲んでいた。大沢さんは僕と一緒にこれから新潟に行こうとしているところだった。季節は十二月の初めで、空はどんよりと重く曇っていた。新潟は朝からひどい雪が降っているらしく、飛行機の出発は予定よりずっと遅れそうだった。空港は人でごったがえしていた。ラウド・スピーカーは便の遅延についてのお知らせを流しつづけ、人々はみんなうんざりとした顔をしていた。レストランの暖房はいささかききすぎていて、僕はずっとハンカチで汗を拭いつづけていた。

「基本的には一度もありません」大沢さんはしばらく沈黙していたあとで突然そう言った。「僕はボクシングを始めてから人を殴ったことはありません。それはボクシングを始めるときにいやっていうくらい叩きこまれるんです。ボクシングをやっている人間は絶対にグラブをつけずにリングの外で他人を殴っちゃいけないって。普通の人間が誰かを殴ったって、打ちどころが悪ければ変なことになっちゃうんです。でもそれがボクシングをやっている人間ということになれば、これはただじゃすみません。故意に凶器を使用するのに等しい行為ですからね」

僕は肯いた。

「でも正直に言うと、僕は一度だけ人を殴ったことがあります」と大沢さんは言った。「中学校の二年のときです。ボクシングを習いはじめてすぐの頃でした。でも言い訳するわけじゃありませんが、そのとき僕はまだボクシングの技術というようなものはまったく何ひとつとして教わっていませんでした。その当時僕がジムでやっていたのは基礎体力を作るためのメニューだけでした。縄飛びとか、ストレッチングとか、ランニングとか、その程度のことです。それに殴ろうと思って殴ったわけでもないんです。ただ僕はそのときものすごく腹を立てていて、ものを考えるより先に手が出ちゃったんです。本当に止めようもなかったんです。気がついたときには、僕はもう相手を殴りとばしていたんです。殴ったあとでも怒りでまだ体がぶるぶると震えていました」

大沢さんがボクシングを始めたきっかけは叔父さんがボクシング・ジムを経営していたからだった。それもどこにでもあるようないい加減な町のジムではなく、東洋チャンピオンを二度輩出したことがあるかなり立派なジムだった。両親は大沢さんに体を鍛えるためにそこのジムに通ってみてはどうかと言った。彼らは息子がいつも部屋に籠って本ばかり読んでいるのを心配していたのだ。大沢さんはボクシングを習うことに対してはあまり気が進まなかったのだが、その叔父さんのことは人間的に好きだったし、まあちょっとやってみてもいいかな、どうしても嫌ならそのときにやめればいいさ、という程度の軽い気持でそれを始めるようになった。しかし電車に乗って一時間近くかかる叔父のジムに何ヵ月か通っているうちに、彼はその競技に対して自分でも意外なくらい興味を引かれるようになった。彼がボクシングに引かれたいちばんの理由はそれが基本的に寡黙なスポーツであるからだった。そしてそれがきわめて個人的なスポーツであるからだった。それは彼がこれまでに見たことのない世界で繰り広げられる出来事だった。それは彼にとってまったく新しい世界だった。そしてその世界は彼のこころを理屈ぬきでわくわくさせた。年上の男たちの体からはじけ飛ぶ汗の匂いや、グラブの革が触れ合うきゅっきゅっという固くしまった音や、筋肉を有効に素早く使用することへの人々の寡黙な没頭が、彼の心を少しずつ、しかし確実に捉えていった。毎週の土曜日と日曜日にジムに通うことは彼にとっての数少ない楽しみのひとつになった。

「僕がボクシングを気に入った理由のひとつは、そこに深みがあるからです。その深みが僕を捉えたんだと思います。それに比べたら殴ったり殴られたりなんて本当にどうでもいいことなんです。そういうのはただの結果にすぎないんです。人は勝つこともあるし、負けることもあります。でもその深みを理解できていれば、人はたとえ負けたとしても、傷つきはしません。人はあらゆるものに勝つわけにはいかないんです。人はいつか必ず負けます。大事なのはその深みを理解することなのです。ボクシングというのは——少なくとも僕にとってはということですが——そういう行為でした。試合をしていると、ときどき自分が深い穴の底にいるみたいな気がします。ものすごい深い穴なんです。誰も見えないし、誰からも見えないくらい深いんです。その中で僕は暗闇を相手に戦っているんです。孤独です。でも悲しくないんです」と彼は言った。「一言で孤独と言ってもそこにはいろんな種類の孤独があります。神経を切り裂く辛く悲しい孤独もあります。でもそうじゃない孤独もあります。そういうものを得るためには自分の肉を削らなくてはなりません。でも努力をすれば、それだけのものはきちんと返ってきます。それは僕がボクシングというスポーツから学んだことのひとつでした」

大沢さんはそのまましばらく黙っていた。

「僕は本当はこの話をしたくないんです」と彼は言った。「僕はできることならこんな話はさっぱりと忘れてしまいたいと思っているんです。でももちろん忘れられません。忘れたいものは絶対に忘れられないんです」大沢さんはそう言って笑った。それから彼は自分の腕時計を見た。時間はまだたっぷりとあった。そして彼はおもむろに話を始めた。

＊

大沢さんがそのときに殴った男は同級生だった。青木というのがその男の名前だった。大沢さんはもともとその男が嫌いだった。どうしてそんなに嫌いなのか、自分でもよく理解できなかったが、でも一目見たときからその男のことが嫌で嫌でしかたなかった。そんなに誰かのことを嫌いになったのは、彼としても生まれて初めてのことだった。

「そういうことってあるでしょう？」と彼は言った。「誰にだって、どんな人にだって一度くらいはそういうことがあるんじゃないかと思います。理屈抜きで誰かを嫌いになることがです。僕は意味もなく他人を嫌ったりする人間ではないと自分では思っていますが、それでもやはりそういう相手っているんです。理屈じゃありません。そして問題は、大抵の場合、相手の方もおなじような感情をこちらに対して持っているっていうことなんです。

青木は勉強のよくできる男でした。大抵は一番の成績を取っていました。僕の通っていたのは男子ばかりの私立校だったんですが、彼はなかなか人気のある生徒でした。クラスでも一目置かれていたし、教師にも可愛がられていました。でも僕は彼の要領の良さと、本能的な計算高さのようなものが最初から我慢できなかったんです。じゃあそれは具体的にどういうことかと言われても僕は困るんです。例のあげようがないわけですから。ただ僕にはそれがわかったんだとしか、言いようがないんです。僕はその男が体から発散するエゴとプライドの臭いが、もう本能的に我慢できませんでした。それは誰かの体臭が生理的に我慢できないのと同じことでした。青木はそれなりに頭のいい男でしたから、そういう臭いをとてもたくみに消し去っていました。だから多くの級友は彼のことを公正で謙虚で親切な人間だという風に考えていました。僕はそういう意見を耳にするたびに——もちろん余計なことは何も言いませんでしたが——ひどく不快な気分になったものでした。

青木と僕とはあらゆる意味で対照的な立場にいました。僕はどちらかというと無口で、クラスでもあまり目立たない人間でした。もともと目立つことがそれほど好きじゃないし、一人でいてもとくに苦痛じゃないんです。もちろん友だちみたいな相手も何人かはいました。でもそれほど深いつきあいじゃありませんでした。僕はある意味では早熟な人間でもありました。だから同級生とつきあうよりは、一人で本を読んだり、父親の持っていたクラシック音楽のレコードを聴いたり、ボクシング・ジムに通って年上の人たちの話を聞いたりしている方が好きでした。僕はごらんのとおり風采だってそんなに目立つほうじゃありません。成績はまあわるい方じゃありませんでしたが、とくにいいってわけじゃないし、教師はよく僕の名前を忘れました。そういうタイプだったんです。だから僕もあまり自分というものを表に出さないようにつとめていました。ボクシング・ジムに通っていることも誰にも言わなかったし、読んだ本や聴いた音楽の話もしませんでした。

それに比べると、青木という男は何をやっても泥沼の中の白鳥みたいに目立ちました。クラスのスターであり、オピニオン・リーダーでした。とにかく頭がいいんです。それは僕も認めます。回転が早いんです。相手が何を求めているのか、何を考えているのか、そういうことがさっさと手に取るようにわかるんですね。そしてそれを見て巧妙に自分の対応を変えていくんです。だからみんな青木のことに感心しちゃうんです。あれは頭のいいたいした男だって。でも僕は感心しませんでした。青木という人間は僕には浅薄にすぎました。あれが頭のいいっていうことなら、僕は頭なんか良くなくたってかまわないとさえ思いました。たしかに剃刀みたいにすぱすぱと切れる。でもこの男には自分っていうものがないんです。他人に対してこれだけは訴えたいっていうものが何もないんです。自分がみんなに認められていれば、それだけで満足なんです。そういう自分の才覚にうっとりとしているんです。風向きひとつでただくるくると回っているだけなんです。実というものがないんです。でも誰にもそれを理解することはできませんでした。それがわかっているのはおそらく僕だけでした。

青木の方もおそらくそのような僕の気持をうすうすわかってたと思います。勘のいい男ですから。それに彼は僕に対してある種の不気味さのようなものを感じていたんじゃないかという気がするんです。僕は馬鹿じゃありません。たいした人間ではありませんが、それでも馬鹿じゃありません。自慢するわけではありませんけれど、僕はその頃から僕自身の世界というものを持っていました。本だって僕くらい沢山読んでいた人間は他にいないと思います。そして僕も若かったし、自分ではうまく隠しているつもりでも、たぶんそういうのを自然に鼻にかけて、他人を見下しているようなところがあったのだと思います。そしてそういう無言の自負心のようなものが青木を刺激したんじゃないかと思うんです。

ある日僕は期末試験の英語のテストで一番を取りました。試験で一番を取ったことなんて僕は初めてでした。偶然取ったわけじゃありません。そのとき何かとても欲しいものがあって——それが何だったかどうしても思い出せないんですが——もし試験でひとつでも一番を取ればそれを買ってもらえることになっていたんです。だから僕はとにかく英語で一番を取ってやろうと思って、徹底的に勉強をしたんです。試験の範囲は隅から隅までチェックしました。暇さえあれば動詞の活用を覚えていました。教科書一冊丸暗記できるくらい読み返しました。だから百点に近い成績を取って一番になるくらい僕としては不思議でも何でもなかったんです。当然のことでした。

でもみんなはびっくりしました。教師も驚いたみたいでした。そして青木もそのことではショックを受けたようでした。というのは青木は英語の試験に関してはずっと一番を続けていたからです。教師は答案を返すときにそのことで何か青木をからかいました。青木は真っ赤になりました。きっと自分が笑い物になったような気がしたんでしょうね。その何日かあとで青木が僕のことで何かあまり良くない噂を広めているということを誰かが教えてくれました。僕が試験でカンニングをしたというのです。それ以外に僕が一番を取る理由が考えられないというのです。僕はその話を何人かの級友から聞きました。僕はそれを聞いてかなり頭に来たんだと思います。本当はそんなものは笑って黙殺すればよかったんです。でもまだ中学生です、そこまではクールになれません。それで僕はある日の昼休みに青木を人気のないところに連れ出して、こういう話を耳にしたけれど、いったいそれはどういうことなのかと問いただしました。青木はそれに対してそらっとぼけました。おい、変ないいがかりをつけるなよな、と彼は言いました。お前にとやかく言われるような筋合いはないんだよ、何かの間違いで一番取ったからっていい気になるなよな、本当がどういうことだかは誰にだってわかってるんだよ。そんなことを彼は口にしました。そして僕のことを突き飛ばして向うに行こうとしました。きっと僕よりも自分の方が背も高いし、体格もいいし、力も強いと思ったのだと思います。僕が反射的に青木を殴ったのはそのときでした。気がついたとき、僕は青木の左の頬に思い切りストレートを打ち込んでいました。青木は横向けに倒れて、倒れる拍子に壁に頭を打ちつけました。こつんという大きな音がしたくらいでした。鼻血が出て白いシャツの前にべっとりとかかりました。彼はそこに座り込んだままぼんやりとした目で僕の方を見ていました。たぶんびっくりして何が起こったのかよく理解できなかったのだと思います。

でも自分の拳が彼の頬骨に触れた瞬間から、僕は相手を殴ったことを後悔しました。こんなことは何があろうとするべきではなかったのだと思いました。僕はひどく惨めな気持になりました。こんなことをしても何の役にも立たないのだと僕は一瞬にして悟りました。僕はまだずっと怒りに体を震わせていました。でも自分が馬鹿なことをしたのだということはよくわかっていました。

僕は青木に謝ろうかと思いました。でも謝れませんでした。相手が青木でさえなければ僕はそこできちんと謝っていたと思います。でも青木という男にだけはどうしても謝る気にはなれませんでした。僕は青木を殴ったことを後悔してはいましたが、青木に対して悪いことをしたとは露ほども思いませんでした。こんな奴は殴られて当然なんだと思いました。この男は害虫のような人間なのです。本当はこんなやつは誰かに踏み潰されて当然なんです。でも僕は彼を殴るべきではなかった、これは直観的な真理でした。でももう遅すぎました。僕はもう既に相手を殴ってしまっていたんです。僕は青木をそこに残したまま立ち去りました。

　午後の授業に青木は出ませんでした。たぶんそのまま家に帰ったのだろうと僕は思いました。嫌な気持はずっと僕の中にあっていつまでも去りませんでした。何をしても心が休まりませんでした。音楽を聴いても本を読んでも、ちっとも楽しくないのです。胃の底の方に何かどんよりとしたものが溜まっていて、ちっとも集中できないのです。まるで嫌な臭いのする虫を呑み込んでしまったような気分でした。僕はベッドに横になってじっと自分の拳を眺めました。そして自分がなんて孤独な人間なんだろうと思いました。僕は自分をこんな気持にした青木という男を前にも増してもっと激しく憎みました」

「青木は翌日から僕のことをずっと無視するようにつとめていました。僕なんか存在していないというふりをしていました。そしてあいかわらず試験で一番を取りつづけました。僕はもう二度と試験勉強に精を出したりはしませんでした。そんなことは僕にとってどうでもいいことのように思えたのです。そんなことで他人と真剣に争うなんて、僕にはひどくつまらないことのように思えました。だから勉強は落ちこぼれない程度に適当にこなして、あとは自分ですきなことをしていました。そして叔父のジムに通いつづけました。僕はとても熱心にトレーニングに励みました。おかげで僕の実力は中学生にしてはかなりのものになりました。自分の体がどんどん変わっていくのが感じられました。肩が広がり、胸が分厚くなりました。腕ががっしりとして、頬の肉がぎゅっと張ってきました。こんな風にして自分は大人になっていくんだと思いました。それは素敵な気分でした。僕は毎晩裸になって洗面所の大きな鏡の前に立ったものでした。その頃はそういう自分の体を眺めているだけで楽しかったんです。

その学年が終わると青木とは別のクラスになりました。僕はそれでとてもほっとしました。毎日教室の中で彼と顔を合わせないですむだけでも僕には嬉しかったのです。青木の方も同じだろうと僕は思っていました。そしてこのままあの嫌な記憶も遠のいていくのだろうと思っていました。でも物事はそんなに単純ではありませんでした。青木はずっと僕に復讐をしようと思って待っていたのです。プライドの強い人間が往々にしてそうであるように、青木は復讐心の強い男でした。彼は一度自分が受けた侮辱を簡単に忘れてしまうような人間ではなかったのです。彼は僕の足を徹底的に引っ張ることのできるチャンスをじっと待っていただけだったのです。

僕と青木は同じ高校に上がりました。僕らの学校は中学と高校が一緒になった私立校だったんです。毎年クラス替えがありましたが、僕と青木はずっと別のクラスでした。でもとうとう最後に、高校三年生のときにもう一度彼と同じクラスになってしまいました。彼とその教室で顔をあわせたとき、僕はすごく嫌な気がしました。そのときの彼の目つきが僕には気に入りませんでした。彼と目をあわせたあとで、胃の底に以前に感じたのと同じ重みのようなものがまた戻ってきました。不吉な予感というやつですね」

大沢さんはそこで口をつぐんで、目の前のコーヒー・カップをしばらくじっと眺めていた。やがて顔を上げてかすかに微笑を浮かべ、僕の顔をみた。窓の外でジェット機の爆音が聞こえた。ボーイング737が楔のように雲の中に一直線に突っ込んで、そのまま見えなくなった。

大沢さんは話を続けた。

「一学期は何ということもなく平穏無事に過ぎ去りました。青木もいつもどおりでした。彼は中学校二年生のときからほとんど何も変わっていませんでした。ある種の人間というのは成長も後退もしないいんです。

同じことを同じようにやっているだけです。青木の成績はあいかわらずトップ・クラスでしたし、人望もありました。その男は言うなれば人生のコツのようなものをうまく摑んでいました。そして僕にとってはあいかわらず不快きわまりない男でした。僕らはお互いになるべく目をあわせないようにしていました。教室の中にそういう嫌な関係の相手がいるというのは気持の良いもんじゃありません。が、まあ仕方ありません。僕にもその責任の一端はあるんですから。

やがて夏休みがやってきました。高校生としての最後の夏休みでした。僕はまあまあ悪くないそれなりの成績を取ってましたし、とくにより好みしなければ、どこかの適当な大学には入れるだろうと思っていましたから、受験勉強というほどの勉強はしませんでした。毎日の学校の予習と復習をひととおりやっているくらいでした。親の方もそれほどうるさいことは言いませんでした。土曜日と日曜日にはジムに出掛けてトレーニングをし、あとは本を読んだり、レコードを聴いたりしていました。でもみんなはかなり目の色を変えてましたね。うちの学校は中学高校一貫教育の、いわゆる受験校なんです。どこの大学に何人入るだとか、どこの大学の入学者数が何位だったとか、そういうことに教師が目のいろを変えて一喜一憂するような学校です。生徒の方も三年生ともなると、頭が完全に熱くなって、教室の空気もけっこう緊張したものになっていました。僕はこの学校のそういうところが好きではありませんでした。入ったときから好きじゃなかったし、六年間最後まで好きになれませんでした。学校では真剣な友だちをとうとう最後まで一人も作ることができませんでした。僕が高校時代まともにつきあった相手といえば、ジムで会う人たちだけでした。大部分は年上で、もう仕事を持っている人たちが大半だったんですが、僕は彼らととても楽しくつきあうことができました。僕らは練習が終わってから何処かでビールを飲んで、いろんな話をしました。彼らは僕のクラスの連中とはまったく違った種類の人たちでしたし、話すことも僕が普段クラスで話しているようなこととはまったく違っていました。でも僕は彼らと一緒にいた方がずっとリラックスできました。そして僕は彼らから本当にいろんなことを学びました。もし僕がボクシングをやっていなかったら、その叔父のジムに通うことがなかったら、自分はどんなに孤独だっただろうと思います。そんなことを想像すると今でもちょっとぞっとしますね。

夏休みの最中にひとつ事件がありました。クラスの一人が自殺したのです。松本という名前の男でした。松本はあまり目立たない生徒でした。正直に言うと、目立たないというよりはむしろ印象がないといった方が近いような男でした。死んだことを知らされたとき、彼がどんな顔をしていたのかはっきりとは思い出せないくらいでした。同じクラスにいながら、僕はたぶんその男と二回か三回以上は言葉を交わしていなかったと思います。ひょろっとして、顔色のあまり良くない男だった、というくらいのことしか思い出せないのです。彼が死んだのは八月十五日の少し前でした。終戦記念日と葬儀が一緒の日だったんで、よく覚えているんです。すごく暑い日でした。家に電話がかかってきて、その男が死んだことを知らされ、葬儀にみんなで参列するから来るようにと言われました。クラスの全員が葬儀に出ました。その男は地下鉄に飛び込んで死んだんです。原因はわかりませんでした。遺書らしいものがあとに残されていましたが、そこにはただひとこと、もう学校には行きたくないと書いてあっただけでした。どうして学校に行きたくないのかとかそういう細かい理由は何も書いてありませんでした。少くともそういう話でした。当然のことながら学校側はぴりぴりとしていました。葬儀のあとで学年の全員が学校に集められ、校長がみんなの前で話をしました。松本君の死は悼んであまりあるとか、彼の死の重みは我々全員がしっかりと担わなくてはならないだとか、この悲しみを乗り越えて全員一層の精進を重ね……だとか、その手の月並みな話でした。

それから僕のクラスだけが教室に集められました。教頭と担任の教師が前に立って、もし松本の自殺に何かはっきりとした原因があるのなら、我々はそれをきちんと正さなくてはならない、と彼らは言いました。だからもしこのクラスの中で何か彼の自殺の原因に心あたりのあるものがいたら正直に申し出てほしい、と。みんなはしんとして、誰もひとことも口をききませんでした。

僕はそんなことはたいして気にはしませんでした。死んだ級友のことは気の毒だと思いました。何もそんなひどい死に方をすることはないのです。学校が嫌なら、学校になんて来なければいいのです。それにあと半年もすれば嫌でも学校を出ていかなくてはならないんです。なのにどうしてわざわざ死ななくてはいけないんですか。僕にはよく理解できませんでした。たぶん何かのノイローゼだったんだろうと僕は思いました。明けても暮れても受験の話しか出ないんですから、頭がおかしくなる人間が一人くらい出てきたとしても、とくに不思議はありません。

でも夏休みが終わって学校が始まると、何か奇妙な空気がクラスに漂っていることに僕は気づきました。どうもみんなが僕に対してひどくよそよそしいのです。何か用事があって僕がまわりの誰かに話しかけても、なんだかとってつけたような素っ気ない返事しか返ってこないのです。最初のうちそれはたぶん気のせいだろうと思いました。あるいはみんなが全体的にナーヴァスになっているんだろうというくらいに思って、あまり気にもしませんでした。でも学期が始まって五日ばかり経ったところで、僕は突然教師に呼び出されました。放課後に残って職員室に来るようにと言われたのです。担任の教師が僕に向って君はボクシングのジムに通っているそうだが、それは本当かと尋ねました。本当です、と僕は答えました。それは別に校則とかそういうのに反しているわけではありません。いつから通っているのか、と彼は尋ねました。中学の二年生のときからですと僕は答えました。君が中学の時に青木を殴ったというのは本当かと教師は訊きました。本当です、と僕は答えました。嘘をつくわけにはいきませんからね。それはボクシングを始める前のことか、あとのことか、と教師は尋ねました。始めたあとのことです、と僕は言いました。でもその時は僕はまだ何も教わってはいませんでした、最初の三ヵ月くらいはグラブもつけさせてもらえませんでした、と僕は説明しました。でも教師はそんなことには耳も貸しませんでした。それで君は松本を殴ったことはあるか、と教師は尋ねました。僕はびっくりしてしまいました。だってさっきも言ったように、僕は松本という男とはほとんど口をきいたこともないんです。殴ったことなんてあるわけがありません、どうして僕が松本を殴らなくてはならないんですか、と僕は言いました。

　松本は学校でしょっちゅう誰かに殴られていたらしいんだよ、と教師はむずかしい顔をして言いました。顔やからだにあざをつけて家に帰ってくることがよくあったんだ。お母さんがそう言ってるんだ。学校で、この学校で、誰かに殴られて、小遣い銭を巻き上げられていたんだよ。でも松本はその名前をお母さんには言わなかった。そんなことをしたらもっと殴られていじめられると思ったんだろうな。それであいつは思いあまって自殺したんだ。かわいそうにな、誰にも相談できなかったんだよ。よほどひどく殴られたんだよ。我々は誰が松本を殴っていたかを調べているんだ。もし思い当たる節があったら正直に言ってほしい。そうすれば話は穏便につくんだ。そうじゃなければ、警察が調べに入ることになるよ。お前、それはわかっているんだろうな。

　これは青木がからんでいるなと僕はすぐにわかりました。青木はその松本という男が死んだことを実にうまく利用したのです。たぶん彼は何も嘘はついていなかったと思います。彼は僕がボクシングのジムに通っているということをどこかで知ったのです。どうしてそれがわかったのか、僕には見当もつきません。でもとにかく彼はそれを知ったのです。そして松本が死ぬ前に誰かに殴られていたことを聞きつけたのです。あとは簡単です。一と一を足せばいいんです。教師のところに行って、僕がジムに通っていることと、僕がかつて自分を殴ったことを教師に話せばいいんです。もちろん適当な尾鰭《おひれ》はつけたでしょう。僕にひどく脅されて今まで誰にも殴られたことを話せなかっただとか、ひどく血が出ただとか、そういうことは言ったんだろうと思います。でもあとですぐにわかるようなまったくの単純な嘘はつかなかったと思います。そういうことに対しては用心深い男だからです。彼は単純な事実のひとつひとつに巧妙な色づけをしていって、最終的にそこに否定することのできない空気のようなものを形成していったんです。僕には彼のそういう手口が手に取るようにわかりました。

教師は僕のことをクロだと睨んでいたようです。それに僕はもともと教師に気に入られるようなタイプの生徒ではありませんでした。その三日後に僕は警察に呼ばれました。言うまでもないことですが、僕にとってはショックでした。それは何の根拠もないことだったからです。証拠も何もないんです。それはただの噂なんです。僕は本当に悲しかったし、悔しかったですよ。誰も僕の言うことなんて信用してくれないわけですから。公正でなくてはならない教師でさえ僕をかばってはくれなかったんです。警察では簡単な調べを受けました。僕は松本とはほとんど口をきいたこともないのだと説明しました。たしかに僕は青木という生徒を三年前に殴った、でもそれはどこにでもあるつまらない喧嘩であって、そのあと僕は何も問題を起こしていないのだ、と。それだけです。君が松本君を殴っていたという噂があると担当の警官は言いました。そんなことは嘘です、と僕は言いました。誰かが悪意でそういうでたらめな噂を流しているんです、と。警察もそれ以上のことは何もできませんでした。だって証拠なんて何もないんです。ただの噂なんです。

でも僕が警察に呼ばれたことはすぐに学校に広まりました。それでクラスの空気はもっと険悪なものになってきました。警察に呼ばれたというのはいわば決定的なことでした。警察に呼ばれるからには呼ばれるなりの根拠があるんだろうってみんな思っちゃうんです。誰もが僕が松本を殴っていた人間だと信じているようでした。どんな話がクラスに流布していたのか、青木がいったいどんなもっともらしい話をみんなにしていたのか、僕にはわかりません。僕としてはそんなこと知りたくもありませんでした。でもそれはきっとひどい話だったのだろうと思います。とにかくクラスの誰も僕とは口をきいてくれないようになりました。申し合わせたみたいに——たぶん実際にどこかで申し合わせていたんでしょうが——誰も話してくれないのです。何かどうしても必要な用があって話しかけても返事は戻ってきませんでした。それまで僕と仲良く話をしていた連中も僕のそばに近寄らないようになりました。みんなが僕のことを、まるで伝染病の患者を避けるみたいに避けていました。僕という人間が存在しているということそのものを頭から無視しようとしていたんです。

生徒だけじゃありません。教師だって僕となるべく顔を合わせないようにしていました。彼らは出席を取るときに僕の名前を呼びました。でもそれだけです。彼らは絶対に僕のことを指名したりはしませんでした。いちばんひどいのは体育の時間でした。何かの競技をしても、僕は事実上どのチームにも入れませんでした。誰も僕とペアを組んではくれませんでした。そして教師は一度も僕を助けようともしてくれませんでした。僕は黙って学校に行き、黙って授業を受け、そのまま家に帰ってきました。それが毎日毎日続いたんです。それは本当に苦しい日々でした。二週間、三週間と経つうちに、僕はだんだん食欲をなくしていきました。体重も減りました。夜も眠れなくなってきました。横になると胸がどきどきして、いろんなイメージが次から次へと浮かんできて、とても眠れないんです。そして目がさめても、なんだかずうっと頭がぼんやりするんです。自分が今起きているのか眠っているのか、それさえもだんだんつかめなくなってくるんです。

そのうちに僕はボクシングの練習をときどき休むようにさえなりました。両親は心配して、何かあったのかと僕にききました。でも僕は何も言いませんでした。何もない、ただ疲れているだけだよ、と僕は言いました。たとえ両親に打ち明けたところで、彼らにだって何もできないのですから。僕は学校から帰ると自分の部屋に籠ってただぼんやりと天井を見ていました。何をすることもできませんでした。ただ天井を眺めていろんなことをあれこれと考えるだけです。僕はいろんなことを想像しました。いちばんよく想像したのは、青木を殴ることです。僕は青木がひとりでいるところを捕まえて、何度も何度も殴るんです。お前みたいなやつは人間の屑だと言って、思い切り殴ってやるんです。相手が悲鳴をあげても、泣いて許してくれといっても、殴って殴って、顔がぼろぼろになるくらい殴ってやるんです。でも殴っているうちに、僕はだんだん気分が悪くなってくるんです。最初のうちはいいんです。ざまあ見ろと思うんです。すごく気分がいいんです。でもだんだん嫌な気持になってくるんです。それでも僕は自分が青木を殴っている光景を想像することがやめられませんでした。天井を眺めていると自然に青木の顔がそこに浮かんできて、気がつくと僕は青木を殴りつけているんです。そして一度殴りはじめると、それを止めることができないんです。僕は想像しているうちに実際に気分が悪くなって吐いたこともあります。僕にはどうすればいいのか、まったくわかりませんでした。

みんなの前に立って、僕は何もしてないんだとはっきりと弁明することも考えました。僕が何か罰されるべきことをやったのなら、その証拠を示してほしい。そういう証拠がないのなら、僕をこういう風に罰するのはもうやめてほしいと。でも誰も僕の言うことなんか信用しないだろうという予感が僕にはありました。それに正直に言って、僕は青木の言うことをそのまま鵜呑みにしたような連中を相手に、そんな言い訳なんかしたくありませんでした。そしてそんな弁明をすれば、僕が参っているということを青木に知らせることになるのです。僕は青木みたいな人間と同じ土俵になんか上がりたくなかったんです。

そうなると、僕には動きようもありませんでした。青木を殴ることも罰することもできないし、かといってみんなを説得することもできないんです。僕にできることと言えば、じっと黙って耐えることだけです。あと半年です。あと半年で学校も終わるし、そうすればもう誰とも顔を合わせなくてもいいのです。半年間、じっとその沈黙に耐えればいいのです。でも僕には自分が六ヵ月もつかどうか自信がありませんでした。あと一ヵ月もつかどうかさえ自信がなかったんです。僕は家に帰るとフェルトペンでカレンダーを一日、一日とまっ黒に塗り潰していきました。やっと今日が終わった、やっと今日が終わったという具合にです。僕は押しつぶされてしまいそうでした。そしてもしある朝僕が青木と同じ電車に乗り合わせなかったなら、僕は本当に押しつぶされていたかもしれません。今になって思い返してみるとよくわかるんですが、僕の神経はそれくらい危うところまで押しやられていたんです。

僕がなんとかその地獄のような状況から立ち直ったのは、それが始まって一ヵ月経った頃でした。僕は学校に行く電車の中で青木と偶然顔を合わせたんです。電車は例によって満員で、身動きができないくらいでした。僕のちょっと先に青木の顔が見えました。二人か三人の人を隔てて、誰かの肩越しに、青木の顔が見えました。僕と彼とはちょうど向いあうような恰好で顔を突き合わせていたんです。彼も僕のことに気づきました。しばらく僕らは顔を見合わせていました。きっとその頃僕はひどい顔をしていたんだと思います。よく眠れないし、ノイローゼ気味になっていましたから。それで最初のうち青木は冷笑するような目で僕のことを見ていました。どうだ、といわんばかりにです。僕はこれらの出来事が全部青木が仕組んだことであることを知っていましたし、青木も僕がそれを知っていることを知っていました。僕らはしばらくのあいだじっと睨み合っていました。でも僕はその男の目をみているうちに、だんだん不思議な気持になってきたんです。それは僕がこれまでに感じたことのない感情でした。もちろん僕は青木に対して腹を立てていました。時には殺したいくらい憎んでいました。でもその時、電車の中で僕が感じたのは怒りとか憎しみよりは、むしろ悲しみとか憐れみに近い感情でした。本当にこの程度のことで人が得意になれたり、勝ち誇ったりできるのか、これくらいのことでこの男は本当に満足し、喜んでいるのだろうか、と僕は思いました。そう思うと、僕はなんだか深い悲しみを感じたんです。この男にはおそらく本物の喜びや本物の誇りというようなものは永遠に理解できないだろうと僕は思いました。ある種の人間には深みというものが決定的に欠如しているのです。僕は自分に深みがあると言っているわけじゃありません。僕が言いたいのは、その深みというものの存在を理解する能力があるかないかということです。でも彼らにはそれさえもないのです。それは空しい平板な人生です。どれだけ他人の目を引こうと、表面で勝ち誇ろうと、そこには何もありません。何の意味もないのです。

僕はそんなことを思いながら、彼の顔をじっと静かに見ていました。もう青木のことを殴りたいとは思いませんでした。彼のことなんてどうでもよくなってしまったのです。本当に、自分でもびっくりするくらいどうでもよくなったんです。そして僕はあと五ヵ月この沈黙に耐えようと思いました。そして自分はそれにちゃんと耐えられるだろうと思いました。僕にはまだ誇りというものが残っていました。青木のような人間にこのままずるずるとひきずり下ろされるわけにはいかないんだ、と僕ははっきりと思いました。

僕はそういう目で青木のことを見ていました。ずいぶん長いあいだ僕らはお互いの顔を見ていました。青木としても目をそらしたら負けだと思っていたのでしょう。電車が次の駅に着くまで、僕らはどちらも目をそらしませんでした。でも最後には青木の目は震えていました。ほんの微かな震えですが、僕にはそれを感知することができました。僕にはそれがはっきりとわかりました。それは足が動かなくなってしまったボクサーの目でした。自分では動かしているつもりなんですが、実際には動いていないんです。自分ではそれがわからないんです。動いていると思っているんです。でも足はとまっている。足がとまると肩が滑らかに動かなくなる。するとパンチに力がなくなるんです。そういう目でした。なんだか変だと思う、でもそれがどうしてなのか自分でもわからないんです。

それを境に僕は立ち直りました。夜はぐっすりと眠り、きちんと食事をし、ボクシングの練習にも通うようになりました。負けるわけにはいかないんだと僕は思いました。青木に勝つとか、そういうことじゃありません。人生そのものに負けるわけにはいかないと思ったんです。自分が軽蔑し侮蔑するものに簡単に押し潰されるわけにはいかないんです。僕はそのまま五ヵ月間我慢しました。誰ともひとことも口をききませんでした。自分は間違っていないんだ、みんなが間違っているんだ、と僕は自分に言い聞かせつづけました。僕は毎日胸を張って学校に行き、胸を張って学校から帰ってきました。そして高校を出ると、僕は九州の大学に入りました。そこまで行けば高校時代の知り合いの誰とも顔を合わせずに済むだろうと思ったからです」

大沢さんはそれだけ話すと、大きなため息をついた。そして僕にもう一杯コーヒーを飲まないかと訊いた。僕は断った。もうさっきから三杯もコーヒーを飲んでいるのだ。

「そういう強烈な経験をすると人間というのは否応なく変わってしまいます」と彼は言った。「良い方にも変わりますし、悪い方にも変わります。良い方で言えば、僕はそのことでずいぶん我慢強い人間になったと思います。あの半年に味わったことに比べれば、それからあとに僕が経験した苦境なんて、苦境のうちにも入らないようなものでした。あれに比べればと思うと、僕はたいていの苦しいことと辛いことは頑張ってしのぐことができました。そしてまわりの人々が受けている傷や苦痛のようなものに対しても、人並み以上に敏感になりました。これはプラスの点ですね。そういうプラスの特質を得たことによって、僕はそのあと何人かの本物の良い友人を作ることができました。でもそこにはマイナスもあります。僕はあのときから、人間というのを頭からすっかり信用するということができなくなったんです。人間不信とか、そういうものじゃありません。僕には女房もいますし、子供もいます。僕らは家庭を作り、お互いを守りあっています。そういうのは信頼がなければできないことです。でもね、僕は思うんです。たとえ今こうして平穏無事に生活していても、もし何かが起こったら、もし何かひどく悪意のあるものがやってきてそういうものを根こそぎひっくりかえしてしまったら、たとえ自分が幸せな家庭やら良き友人やらに囲まれていたところで、この先何がどうなるかはわからないんだぞって。ある日突然、僕の言うことを、あるいはあなたの言うことを、誰一人として信じてくれなくなるかもしれないんです。そういうことは突然起こるんです。ある日突然やってくるんです。僕はいつもそのことを考えています。この前はそれがなんとか六ヵ月で終わりました。でも次にもう一度同じようなことが起こったとき、それがどれだけ長く続くのかは誰にもわからないんです。そして僕はこの次自分がどれくらいそれに耐えられるかどうか、まったく自信が持てないんです。僕はそのことを考えると、ときどき本当に怖くなります。夜中にそういう夢を見て飛び起きることもあります。というか、そういうことはしょっちゅうあるんです。そういうとき僕は女房を起こすんです。そして彼女にしがみついて泣くんです。一時間くらい泣いていることもあります。僕は怖くて怖くてたまらないんです」

彼は話をやめてじっと窓の外の雲を見ていた。雲はさっきからぴくりとも動いていなかった。それは蓋のように重く、空にかぶさっていた。管制塔も飛行機も輸送車両もタラップも作業服を着た人々も、そんな雲の影にあらゆる色というものを吸い取られてしまっていた。

「僕が怖いのは青木のような人間ではありません。ああいう人間はおそらくどこにだっているのです。僕はそういう人間の存在についてはもうあきらめています。僕はそういう人間を見ると、何があっても関わりを持たないようにしています。とにかく逃げるんです。それはそんなにむずかしいことじゃありません。僕はそういう人間はすぐに見分けがつくんです。そしてまた同時に、僕は青木のような人間に対してはそれなりに偉いと思う節もあるんです。機会がくるまでじっと身を伏せている能力、機会を確実に捉える能力、人の心を実に巧みに掌握し煽動する能力――こういうのは誰にもあるものではありません。僕はその手のものが吐き気がするくらい嫌いですが、でもそれが能力であることは認めます。

でも僕が本当に怖いと思うのは、青木のような人間の話を無批判に受け入れて、そのまま信じてしまう連中です。自分では何も生み出さず、何も理解していないくせに、口当りの良い、受入れやすい他人の意見に踊らされて集団で行動する連中です。彼らは自分が何か間違ったことをしているんじゃないかなんて、これっぽっちも、ちらっとでも考えたりはしないんです。彼らは自分が誰かを無意味に、決定的に傷つけているかもしれないなんていうことに思い当たりもしないような連中です。彼らはそういう自分たちの行動がどんな結果をもたらそうと、何の責任も取りやしないんです。僕が本当に怖いのはそういう連中です。そして僕が真夜中に夢をみるのもそういう連中の姿なんです。夢の中には沈黙しかないんです。そして夢の中に出てくる人々は顔というものを持たないんです。沈黙が冷たい水みたいになにもかもにどんどんしみこんでいくんです。そして沈黙の中でなにもかもがどろどろに溶けていくんです。そしてそんな中で僕が溶けていきながらどれだけ叫んでも、誰も聞いてはくれないんです」

大沢さんはそう言って首を振った。

僕はそのまま続きを待っていたのだけれど、話はそこで終わった。大沢さんはテーブルの上で両手を組んで、ただじっと黙っていた。

「まだ時間は早いけれど、ビールでも飲みませんか」と少しあとで彼は言った。飲みましょう、と僕は言った。たしかにビールが飲みたいような気分だった。

The elephant vanishes

象の消滅

町の象舎から象が消えてしまったことを、僕は新聞で知った。僕はその日いつもと同じように六時十三分にセットした目覚まし時計のベルで目を覚まし、台所に行ってコーヒーをいれ、トーストを焼き、FM放送のスイッチを入れ、トーストをかじりながら朝刊をテーブルの上に広げた。僕は一ページめから順番に新聞を読んでいく人間なので、その象消滅の記事に行きあたるまでにかなりの時間がかかった。まず第一面に貿易摩擦問題やSDIについての記事があり、国内政治面があり、国際政治面があり、経済面があり、投書ページがあり、読書欄があり、不動産の広告ページがあり、スポーツ・ページがあり、それから地方版のページがやってきた。

象消滅の記事は地方版のトップに載っていた。「——町で象が行方不明」という地方版にしてはかなり大きな見出しがまず目につき、それから「町民のあいだに不安強まる。管理責任追及の声も」という一段小さな見出しが続いていた。何人かの警官が象のいない象舎を検証している写真も載っていた。象のいない象舎はどことなく不自然だった。必要以上にがらんとして無表情で、それは臓物を抜かれて乾燥された巨大生物のように見えた。

僕はページの上に落ちたパン屑を払い、その記事の一行一行を注意深く読んだ。記事によれば人々が象のいないことに気づいたのは五月十八日（つまり昨日）の午後の二時であった。いつものように象の食料をトラックで運んできた給食会社の人間が（象は町立小学校の小学生たちが残した給食の残飯を主食としていた）象舎がからっぽになっていることを発見したのだ。象の足につながれていた鉄の枷は、まるで象がすっぽりと足を抜きとったみたいに鍵のかかったままそこに残されていた。消えたのは象だけではなかった。ずっと象の世話をしていた飼育係の男も象と一緒に姿を消していた。

人々が最後に象と飼育係の姿を見たのはその前日（つまり五月十七日）の夕方の五時すぎだった。五人の小学生たちが象をスケッチするために象舎にやって来て、その時間までクレヨンを使って象の絵を描いていたのだ。その小学生たちが象の最後の目撃者で、その後象の姿を目にしたものはいない——と新聞記事は語っていた。何故なら六時のサイレンが鳴ると、飼育係は象の広場の門を閉めて、人々が中に入れないようにしてしまうからだ。

そのときは象にも飼育係にも何の異常も見受けられなかった、と五人の小学生たちは異口同音に証言していた。象はいつものようにおとなしく広場のまん中に立って、ときどき鼻を左右に振ったり、しわだらけの目を細めたりするだけだった。象はひどく年老いていたので体を動かすのもやっとというありさまだったし、はじめてこの象を見た人は今にも地面に崩れ落ちて息を引きとってしまうのではないかと不安な気持ちになるくらいだった。

象が町（つまり僕の住んでいる町だ）にひきとられることになったのも、その老齢のためだった。町の郊外にあった小さな動物園が経営難を理由に閉鎖されたとき、動物たちは動物取引仲介業者の手をとおして全国の動物園にひきとられていったのだが、その象だけは年をとりすぎているために、引き受け手をみつけることができなかった。どこの動物園も既に十分なだけの数の象を所有していたし、今にも心臓発作を起こして死んでしまいそうなよぼよぼの象をひきとるような物好きで余裕のある動物園なんてひとつもなかったのだ。そんなわけで、その象は仲間の動物たちがみんな一匹残らず姿を消してしまった廃墟の如き動物園に、何をするともなく——といってももともととくに何かをしていたというわけではないのだけれど——三ヵ月か四ヵ月のあいだたった一人で居残りつづけていた。

動物園側としても町としても、これはかなり頭の痛い事態だった。動物園側は既に宅地業者に動物園の跡地を売却しており、業者はそこに高層マンションを建てるつもりだったし、町は開発許可を与えていた。象の処理が長びけば長びくほど金利がかさんでいった。かといってまさか象を殺してしまうわけにもいかない。クモザルやコウモリならともかく、象を一頭殺すのは人目につきすぎるし、もし真相が露見すれば大問題になってしまう。そこで三者があつまって協議し、年老いた象の処置についての協定が結ばれることになった。

(1)象は町が町有財産として無料でひきとる。
(2)象を収容する施設は宅地業者が無償で提供する。
(3)飼育係の給与は動物園側が負担する。

これがその三者間に結ばれた協定の内容である。ちょうど一年前の話だ。

僕はその「象問題」にそもそものはじめから個人的な興味を抱いており、象に関する新聞記事は残らずスクラップしていた。象問題を討議する町議会の傍聴にもでかけた。だから今こうして事の推移をすらすらと正確に説明し述べることができるわけだ。話が少々長くなるかもしれないけれど、この「象問題」の処理経過は象消滅とかなり密接な関係があるかもしれないので、あえてここに記述しておく。

町長がこの協定を結び、いよいよ町が象をひきとるということになったとき、議会の野党を中心に（それまで僕は町議会に野党があったなんてまったく知らなかったのだが）反対運動がまきおこった。「何故町が象をひきとらなくてはならないのか？」と彼らは町長に迫った。彼らの主張をリストにすると

（リストが多くて申しわけないが、その方が理解しやすいと思うので）、
(1)象問題は動物園と宅地業者という私企業間の問題であり、町が関与する理由は何もない。
(2)管理費・食費等に金がかかりすぎる。
(3)安全問題はどうするのか？
(4)町が自前の象を飼うメリットがいったいどこにあるのか？

ということになる。

「象を飼ったりする前に下水道の整備や消防車の購入等、町の為すべきことは多々あるのではないか？」と彼らは論陣を張り、それほどあけすけな言い方ではないにせよ、町長と業者の間に裏取引があったのではないかという可能性を暗に示した。

これに対して町の言いぶんはこういうものだった。

(1)高層マンション群ができれば町の税収は飛躍的に増大し、象の飼育費など問題ではなくなるし、そのようなプロジェクトに町が関与するのは当然の行為である。
(2)象は高齢であり、食欲もたいしたものではない。人に危害を加えるおそれもまったくといっていいほどない。
(3)もし象が死ねば、象の飼育地として業者から提供された土地は町有財産となる。
(4)象は町のシンボルとなる。

結局長い討議の末に町は象をひきとることになった。古くからの郊外住宅地ということで町民のおおかたは比較的余裕のある生活を送っていたし、町の財政も豊かであった。それに行き場のない象をひきとるという行為に対して人々は好感を持つことができた。たしかに人は下水道や消防車よりは年老いた象の方に好意を抱くものなのだ。

僕も町が象を飼うことには賛成だった。高層マンション群ができるのはうんざりだけれど、それでも自分の町が象を一頭所有しているというのはなかなか悪くない。

山林が切り開かれ、老朽化した小学校の体育館が象舎としてそこに移築された。動物園でずっと象の世話をしていた飼育係がやってきて、そこに住みつくことになった。小学生たちの残した給食の残飯が象の飼料にあてられることになった。そして象は閉鎖された動物園からトレーラーで新居に運ばれ、そこで余生を送ることになった。

象舎の落成式には僕もでかけた。象を前にして町長が演説し（町の発展と文化施設の充実について）、小学生の代表が作文を読み（象さん、元気に長生きして下さい、云々）、象のスケッチ・コンテストが行われ（その後象のスケッチは町の小学生の美術教育にとっては欠くことのできない重要なレパートリーとなった）、ひらひらとしたワンピースを着た二人の若い女性（とくに美人というほどでもない）が象にバナナを一房ずつ与えた。象は殆んど身動きひとつせずにそのかなり無意味な——少くとも象にとっては完全に無意味だ——儀式にじっと耐え、無意識と言ってもいいくらいの漠然とした目つきのままバナナをむしゃむしゃと食べた。象がバナナを食べてしまうと、人々は拍手をした。

象は右の後脚にがっしりとした重そうな鉄の輪をはめられていた。輪からは十メートルほどの長さの太い鎖がのびて、その先はコンクリートの土台にしっかりと固定されていた。それは見るからに頑丈そうな鉄輪と鎖で、象が百年かけて力を尽したところでそれを破壊することは不可能であるように見えた。

象がその足枷を気にしていたのかどうかは僕にはよくわからない。しかし少くとも表面上、象は自分の足にまきつけられたその鉄塊にはまったく関心を払っていないように見えた。象はいつもぼんやりとした目で、どこかよくわからない空間の一点を眺めていた。風が吹くと耳や白い体毛がふわふわと揺れた。

象の飼育係はやせた小柄な老人だった。正確な年齢はわからない。六十代前半かもしれないし、七十代後半かもしれない。世の中にはある時点を越えると外見を年齢に左右されることをやめてしまう人がいるが、彼もそんな一人だった。肌は夏でも冬でも同じように赤黒く日焼けして、髪は固く短かく、目は小さい。これといって特徴のある顔ではないのだが、左右に突きだしたような格好の円形に近い耳だけが、顔全体が小さいぶんだけいやに目についた。

彼は決して無愛想というわけではなく、誰かに話しかけられればきちんとそれに答えたし、物のいいようもしっかりとしていた。そうなろうと思えば——いくぶんのぎごちなさは感じられるにせよ——愛想良くなることもできた。しかし原則としては、無口で孤独そうな老人だった。彼は子供たちのことが好きらしく、子供たちが来るとつとめて親切に振舞おうとしたが、子供たちの方はこの老人に対してあまり気を許そうとはしなかった。

この飼育係に心を許しているのは象だけだった。飼育係は象舎にくっつくように建てられたプレハブの小屋で寝起きし、朝から晩までつきっきりで象の面倒をみていた。象とその飼育係はもう十年以上のつきあいで、両者の関係が親密なものであることはそれぞれのちょっとした動作や目つきを見ればわかった。飼育係がぼんやりと一ヵ所に立ちすくんでいる象をどこかに移動させたいと思うとき、彼は象のわきに立って前足を手でぽんぽんと軽く叩いて何事かを囁きかけるだけでよかった。すると象は大儀そうにのっそりと身を揺らせながら、指定された場所に移動し、そこに位置を定めるとまた同じように空間の一点を見つめていた。

僕は週末になると象舎に立ち寄ってそのような作業を注意深く観察していたのだが、どういう原理に基づいて二人のコミュニケーションが成立しているのかはよく理解できなかった。象は簡単な人語を理解するのかもしれないし(なにしろ長生きしているから)、あるいは足の叩き方で情報を理解するのかもしれない。それともその象にはテレパシーに類する特殊な能力のようなものがあって、それで飼育係の考えていることがわかるのかもしれない。

僕は一度その飼育係の老人に「どのようにして象に命令するのか?」と質問してみたことがある。老人は笑って「長いつきあいですから」と答えただけで、それ以上は何の説明も与えてはくれなかった。

とにかくそのようにして何事もなく一年が過ぎた。それから突然象が消滅してしまったのだ。

僕は二杯目のコーヒーを飲みながら、新聞記事を最初からもう一度じっくりと読みなおしてみた。それは相当に奇妙な記事だった。シャーロック・ホームズがパイプを叩きながら「ワトソン君、見てみたまえ。ここになかなか興味深い記事が載っているよ」と言いだしそうな種類の記事だ。

その記事に奇妙な印象を与えている決定的な要因は、記事を書いた記者の頭を支配していたと想定されるとまどいと混乱だった。とまどいと混乱は、あきらかに状況の不条理性に起因していた。記者はその不条理性を巧妙に回避して「まともな」新聞記事を書こうと力の限りを尽していたが、それがかえって彼自身の混乱ととまどいを致命的な地点にまで推し進めていた。

たとえば記事は「象が脱走した」という表現をとっていたが、記事全体に目を通せば象が脱走なんかしていないことは一目瞭然だった。明らかに象は「消滅」しているのだ。記者はその自己矛盾を「細部にはなおいくつかの不明確な点も残」っていると表現していた。しかし僕にはそれが「細部」とか「不明確」とかいったようなありきたりの用語で片づけられてしまうような種類のものだとはどうしても思えなかった。

まず第一に象の足にはめられていた鉄輪の問題があった。鉄輪は鍵を
かけられたままそこに残されていたのだ。いちばん妥当な推論は飼育係が鍵でその鉄輪を象の足から外し、しかるのちにまた鍵だけをかけなおし、象と一緒に逃げたというものであったが（もちろん新聞もその可能性にしがみついていた）、問題は飼育係が鍵を持っていなかったということだった。鍵は二個だけ存在したが、それらは安全確保のためにひとつは警察署の金庫の中に、もうひとつは消防署の金庫の中に収められていたし、飼育係が――あるいは他の誰かが――そこから鍵を盗みだすことなどまず不可能だった。それにたとえ万にひとつそれが可能であったとしても、使用したあとの鍵をわざわざまたもとの金庫に戻す必要なんてまるでないのだ。にもかかわらず、翌朝調べたところ二個の鍵は警察署と消防署の金庫の中にちゃんと収まっていた。とすれば象は鍵を使うことなくその頑丈な鉄輪から足を抜き取ったということになるし、そんなことはのこぎりを使って足を切りとりでもしない限り絶対に不可能だった。

第二の問題は脱出経路だった。象舎と「象の広場」は三メートルほどの高さの頑丈な柵に囲まれている。象の安全管理が議会でとりざたされたことで、町は一頭の老象に対するにはいささか過剰といってもいいほどの警固体制を固めていたのだ。柵はコンクリートと太い鉄棒で作られ（その費用を出したのはもちろん土地会社だ）、入口はひとつしかなく、その入口は内側から鍵で閉ざされたままだった。そんな要塞のような柵を越えて象が外に出られるわけがない。

第三の問題は足あとだった。象舎の背後は急な勾配の丘になっていて象が上れるわけはないから、もし仮りに象が何らかの方法で鉄輪から足を抜きとって、何らかの方法で柵をとび越えることが可能だったとしても、象は正面の道を進んで逃げるしかなかったはずである。ところが道のやわらかい砂地の上には象の足跡らしきものはひとつとして残されてはいなかった。

要するにその困惑と苦し気なレトリックに充ちた新聞記事を綜合してみると、事件の結論というか本質はひとつしか見あたらなかった。つまり象は逃げたのではなく、「消滅した」ということだ。

しかしもちろん、言うまでもないことだが、新聞も警察も町長も象が消滅したという事実を少くとも表面上は絶対に認めようとはしていなかった。警察は「象は巧妙な方法で計画的に強奪されたか、脱出させられた可能性がある」として捜査を進めており、「象を隠蔽することの困難さを考えれば事件の解決は時間の問題であろう」と楽観的な予測を表明していた。そして警察は近郊の猟友会及び自衛隊狙撃部隊に出動を要請し、山狩りをするつもりだった。

町長は記者会見を開き（この記者会見の報道は地方版にではなく全国版の社会面に掲載されていた）、町側の警備体制の不備について謝していた。しかし町長は同時に「象の管理体制は全国のどの動物園のその種の施設に比しても決して劣ったものではなく、基準よりははるかに強固かつ万全なものである」ことを強調し、これは「悪意に充ちた危険かつ無意味な反社会的行為であり、決して許されるべきことではない」と語っていた。

野党の議員グループは一年前と同じように「企業と結託して象処理問題に安易に町民を巻きこんだ町長の政治責任を追及する」と述べていた。

ある母親（37）は「しばらくは安心して子供を外に遊びに出せませんね」と〈不安な面持ちで〉語っていた。

新聞には町が象をひきとることになった詳しい経緯と、象収容施設の見取図が載っていた。象の略歴も書いてあったし、象と一緒に消えてしまった飼育係（渡辺昇・63歳）についての記述もあった。渡辺飼育係は千葉県館山の出身で、長く動物園の哺乳類飼育係を勤め、「動物についての知識の豊富さと温厚かつ誠実な人柄とで関係者の信頼は篤かった」とあった。象は二十二年前に東アフリカから送られてきたのだが、正確な年齢は不明であったし、その人柄についてはもっと不明であった。

記事のいちばん最後には、警察は町民からの象についてのあらゆる形の情報を求めているとあった。僕は二杯目のコーヒーを飲みながら、それについてしばらく考えてみたが、やはり警察には電話をかけないことにした。あまり警察とは関りあいになりたくないということもあったし、それに僕が提供する情報を警察が信用してくれるとも思えなかったからだ。象が消滅した可能性さえ真剣に考慮しないような連中に何を話したところで、まあ無駄というものだ。

僕は本棚からスクラップ・ブックを出してきて、新聞から切り抜いた象関係の記事をそこにはさみこんだ。そしてカップと皿を洗い、会社に出かけた。

夜の七時のＮＨＫニュースで、僕は山狩りの様子を見た。麻酔弾をつめた大型ライフル銃を抱えたハンターたちと自衛隊員と警官と消防団員とが近郊の山をかたっぱしからしらみつぶしに捜索し、空には何機かのヘリコプターが舞っていた。山といっても、東京郊外の住宅地近辺の山だからたかが知れている。それだけの人数を集めれば一日であらかた捜索してしまえるし、それに捜し求める相手は小人の殺人鬼ではなく巨大なアフリカ象なのだ。身を隠すことのできる場所はおのずと限られている。しかし夕方になっても象はみつからなかった。ＴＶの画面に出た警察署長は「なおも捜索は続ける」と語っていた。ＴＶのニュース・キャスターは「誰がどのようにして象を脱出させ、どこに隠したのか、そしてその動機は何であったのか？　すべては深い謎に包まれております」としめくくっていた。

それから何日か捜索はつづいたが、結局象はみつからなかったし、当局は手がかりらしい手がかりひとつみつけることができなかった。僕は毎日の新聞報道を丹念に読み、目についた記事をひとつひとつはさみで切りとってスクラップした。象事件を扱った漫画までスクラップした。おかげでスクラップ・ブックはすぐにいっぱいになり、文房具店で新しいスクラップ・ブックを買い求めねばならなかった。しかしそのような厖大な量の記事にもかかわらず、そこには僕の知りたいような種類の事実は何ひとつとして書かれてはいなかった。新聞に書いてあるのは「依然として行方不明」とか、「苦悩の色濃い捜査陣」とか、「背後に秘密組織か」といったような無意味で見当違いなことばかりだった。そして象の消滅から一週間経った頃からはその記事も目に見えて減少し、ついには殆んど目につかないまでになってしまった。週刊誌もいくつか興味本位の記事を載せ、中には霊能者までひっぱりだしたものもあったが、それもやがては尻すぼみに終わってしまった。人々は象の事件を数多くの同僚を有する「解明不能の謎」というカテゴリーの中に押しこもうとしているように見えた。年老いた象が一頭と年老いた飼育係が一人この土地から消滅してしまったところで、社会の趨勢には何の影響もないのだ。地球は単調な回転をつづけ、政治家はさしてあてになりそうもない声明を発表しつづけ、人々はあくびをしながら会社にでかけ、子供たちは受験勉強をつづけていた。寄せては返す果てしない日常の波の中で、行方不明になった一頭の象に対する興味がいつまでもつづくわけはない。そのようにしてこれといって特徴のない何ヵ月かが、窓の外を行進していく疲弊した軍隊のように過ぎ去っていった。

僕はときどき暇をみつけてはかつての象舎にまででかけ、象のいなくなった象の住みかを眺めた。鉄柵の入口には太いチェーン錠がぐるぐると巻きつけられ、誰も中に入れないようになっていた。柵のあいだからのぞいてみると、象舎の扉にも同じようにチェーン錠が巻きつけられているのが見えた。警察は象をみつけることができなかった失地を回復するために、象のいなくなったあとの象舎の警備を必要以上に固めているようだった。あたりはがらんとして人影もなく、象舎の屋根の上に鳩の一群が羽を休めているのが目につくだけだった。広場の手入れをするものもなく、そこにはまるでチャンスを待ちかねていたように緑の夏草が生い茂りはじめていた。象舎の扉に巻かれたチェーンは密林の中で朽ち果て廃墟と化した王宮をしっかりと守っている大きな蛇を思わせた。たった数ヵ月の象の不在は、ある種の宿命さえをも思わせる荒廃をその場所にもたらし、雨雲のような重苦しい空気をそこに漂わせていた。

僕が彼女に出会ったのは九月も終わりに近づいた頃だった。その日は朝から晩まで雨が降りつづいていた。その季節によく降るような細くてやわらかで単調な雨だった。そんな雨が地表に焼きついた夏の記憶を少しずつ洗い流していくのだ。全ての記憶は溝を伝って下水道や川へと流れこみ、暗く深い海へと運ばれていく。

我々は僕の会社が催したキャンペーンのためのパーティーで顔を合わせた。僕はある大手の電機器具メーカーの広告部に勤めていて、ちょうどそのとき秋の結婚シーズンと冬のボーナス時期にあわせて発売する予定の一連の台所電化製品のプレス・パブリシティーを担当していた。いくつかの女性誌にタイアップ記事を載せてもらうように交渉するのが僕の役目だった。たいして頭の要る仕事ではないが、なるべく読者に広告臭が感じとれないように要領よく記事をまとめあげてもらう必要がある。そしてその代償として我々は雑誌に広告を掲載することになる。世の中は持ちつ持たれつだ。

彼女は若い主婦向けの雑誌の編集者で、そのパブリシティーがらみの取材のためにパーティーにやってきた。ちょうど手のあいていた僕が彼女の相手をし、イタリア人の有名デザイナーがデザインしたカラフルな冷蔵庫やコーヒー・メーカーや電子レンジやジューサーの説明をした。

「いちばん大事なポイントは統一性なんです」と僕は言った。「どんな素晴しいデザインのものも、まわりとのバランスが悪ければ死んでしまいます。色の統一、デザインの統一、機能の統一——それが今のキッチンに最も必要なことなんです。調査によれば、主婦は一日のうちいちばん長い時間をキッチンの中で過ごします。キッチンは主婦の仕事場であり、書斎であり、居間なんです。だから彼女たちはキッチンを少しでも居心地の良い場所にしようと努めています。広さは関係ありません。たとえそれが広くても狭くても、優れたキッチンの原則はひとつしかないんです。シンプルさ、機能性、統一性です。今回のこのシリーズはそのようなコンセプトに沿って設計され、デザインされています。たとえばこのクッキング・プレートを見て下さい――云々」

彼女は肯いて、小さなノートにメモをとっていた。彼女だってとくにそんな取材に興味があるわけではないし、僕の方もクッキング・プレートに個人的な関心があるわけではない。我々はそれぞれの仕事をこなしているだけのことなのだ。

「ずいぶん台所のことにくわしいんですね」と僕の説明が終わったあとで彼女は言った。

「仕事ですからね」と僕は営業用の笑顔で答えた。「でも、それとはべつに料理を作るのは好きです。簡単な料理だけれど、毎日作っていますよ」

「台所には本当に統一性が必要なのかしら？」と彼女は質問した。

「台所じゃなくてキッチンです」と僕は訂正した。「どうでもいいようなことだけど、会社がそう決めているものですから」

「ごめんなさい。でもそのキッチンには本当に統一性が必要なのかしら？　あなたの個人的な意見として」

「僕の個人的な意見はネクタイを外さないと出てこないんです」と僕は笑いながら言った。「でも今日は特別に言っちゃいますけれど、台所にとって統一性以前に必要なものはいくつか存在するはずだと僕は思いますね。でもそういう要素はまず商品にはならないし、この便宜的な世界にあっては商品にならないファクターは殆んど何の意味も持たないんです」

「世界は本当に便宜的に成立しているの？」

僕はポケットから煙草をとりだして口にくわえ、ライターで火をつけた。

「ただそう言ってみただけです」と僕は言った。「そう言った方がいろんなことがわかりやすいし、仕事もしやすい。ゲームみたいなもんです。本質的な便宜性とか、便宜的な本質とか、いろんな言い方ができるし、そういう風に考えていれば波風も立たないし、複雑な問題も起きませんからね」

「なかなか面白い意見だと思うわ」と彼女は言った。

「べつに面白くもなんともない。誰でもが考えていることです」と僕は言った。「ところでそれほど悪くないシャンパンがあるんだけれど、いかがです？」

「ありがとう。頂くわ」と彼女は言った。

僕と彼女はそれから冷えたシャンパンを飲みながら世間話をしたが、話をしているうちに二人のあいだには何人かの共通の知人がいることが明らかになった。我々の属している業界はそれほど広いものではないから、いくつか石を投げればひとつかふたつは〈共通の知人〉に当たることになる。それに加えて、僕の妹がたまたま彼女と同じ大学の出身だった。我々はそのようないくつかの名前を手がかりにして比較的滑らかに話題を広げていくことができた。

彼女も僕も独身者だった。彼女は二十六で、僕は三十一だった。彼女はコンタクト・レンズを入れ、僕は眼鏡をかけていた。彼女は僕のネクタイの色を賞め、僕は彼女の上着を賞めた。我々はそれぞれの住んでいるアパートの家賃について話し、給料の額や仕事の内容についての愚痴も言った。要するに我々はかなり親密になったわけだ。彼女はなかなか魅力的な女性だったし、押しつけがましいところもなかった。僕は二十分ばかりそこで彼女と立ち話をしたが、彼女に対して好意を抱いてはいけないという理由はひとつとしてみつけることはできなかった。

パーティーが終わりかけた頃、僕は彼女を誘って同じホテル内のカクテル・ラウンジに移り、そこに腰を据えて話のつづきをすることにした。ラウンジの大きな窓からは初秋の雨が見えた。雨はあいかわらず音もなく降りつづき、その奥の方に街の光が様々なメッセージをにじませているのが見えた。ラウンジには客の姿は殆んどなく、湿っぽい沈黙があたりを支配していた。彼女はフローズン・ダイキリを注文し、僕はスコッチのオン・ザ・ロックを注文した。

我々はそれぞれの飲みものを飲みながら、いくぶん親密になった初対面の男女が普通酒場で話すような話をした。大学時代の話や、好きな音楽の話や、スポーツや、日常的習慣や、そんな話だ。

それから僕は象の話をした。どうして急に象の話なんかになってしまったのか、僕にはそのつながりを思い出すことができない。たぶん何か動物のことを話していて、それが象に結びついてしまったのだろうと思う。それとも僕はごく無意識的に誰かに――上手く話すことができそうな誰かに――象の消滅についての僕なりの見解を語りたいと思っていたのかもしれない。あるいはただ単に酒を飲んだ勢いだったのかもしれない。

しかしそれを口にしたその瞬間に、僕は自分がそのような状況にとって最も不適当な話題をひっぱりだしてしまったことに気づいた。僕は象の話なんて持ちだすべきではなかったのだ。それはなんというか、あまりにも完結しすぎた話題なのだ。

それで僕はすぐに象の話題をひっこめようとしたのだが、彼女は具合の悪いことにその象の消滅事件に人並み以上の関心を持っていて、僕がその象を何度も見たことがあると言うと、たてつづけに質問を浴びせかけてきた。

「どんな象だったの？　どんな風にして逃げたんだと思う？　いつも何を食べていたの？　危険はないのかしら？」、そんな風なことだ。

僕はそれに対して新聞に書いてあるようなごく一般的なありきたりの説明をした。しかし彼女は僕の口調の中に不自然に歪められた冷淡さを感じとったようだった。僕は昔から嘘をつくのがかなり苦手な方なのだ。

「象がいなくなったときはすごくびっくりしたでしょ？」と彼女は二杯目のダイキリをすすりながら、なんでもなさそうに訊ねた。「象が一頭突然消えてしまうなんて、誰にも予測できないですものね」

「そうだね。そうかもしれない」と僕は言ってガラス皿に盛られたプリッツェルを手にとり、ふたつに割って半分を食べた。ウェイターが回ってきて灰皿を新しいものにとりかえていった。

彼女は興味深そうにしばらく僕の顔を見つめていた。僕はまた煙草を口にくわえて火をつけた。三年も禁煙していたのに、象が消えて以来また煙草を吸うようになってしまったのだ。

「そうかもしれないということは、象が消えることは少しは予測できたっていうことなの？」と彼女は質問した。

「予測なんてできっこないよ」と僕は笑って言った。「ある日突然象が消えちゃうなんて、そんな前例もないし必然性もない。理にもかなっていない」

「でもあなたの言い方はすごく変だったわよ。いい？　私が『象が消えてしまうなんて誰にも予測できないもの』と言ったら、あなたは『そうだね。そうかもしれない』って答えたのよ。普通の人はそういう答え方はしないわ。『まったくね』とか『見当もつかないな』とか言うものじゃないかしら」

僕は彼女に向って曖昧に肯いてから手を上げてウェイターを呼び、スコッチのおかわりを頼んだ。新しいオン・ザ・ロックがやってくるまで、暫定的な沈黙がつづいた。

「ねえ、私にはよくわからないわ」と彼女は静かな口調で言った。「あなたはついさっきまでとてもきちんと話をしていたのよ。象の話になるまではね。でも象のことになるとなんだか急にしゃべり方がおかしくなっちゃったわ。何を言おうとしているのかよくわからないし、いったいどうしたの？　象のことで何かまずいことでもあるの？　それとも私の耳がどうかしちゃったのかしら？」

「君の耳はおかしくないよ」と僕は言った。

「じゃああなたの方に問題があるのね？」

僕は指をグラスの中に入れて氷をくるくるとまわした。僕はオン・ザ・ロックの氷がグラスにぶつかるときの音が好きなのだ。

「問題というほど大げさなものじゃないよ」と僕は言った。「ほんの些細なことなんだ。べつに人に隠しているわけじゃなくて、うまく話せるかどうか自信がないんで話さないだけのことなんだ。変わっているといえば、たしかにちょっと変わった話だからね」

「どんな風に？」

僕はあきらめてウィスキーをひとくち飲み、それから話しはじめた。

「ひとつ気になるのは、僕がその消えた象のおそらく最後の目撃者だっていうことなんだ。僕が象を見たのは五月十七日の午後の七時過ぎで、象がいなくなっているのがわかったのが翌日の昼すぎ、そのあいだに象の姿を見た人は一人もいないんだ。夕方の六時には象舎の扉は閉められてしまうからね」

「話の筋がよくわからないんだけれど」と彼女は僕の目をのぞきこみながら言った。「象舎の扉が閉められてしまったのに、あなたはどうして象を見ることができたの？」

「象舎の裏には殆んど崖のようになった小さな山があるんだ。誰かの持ち山で、道らしい道もついていないけれど、そこに一ヵ所だけ裏側から象舎の中をのぞきこめるポイントがあるんだ。そんなことを知っているのは僕くらいだろうけれどね」

僕がそのポイントを発見したのはまったくの偶然だった。ある日曜日の午後に裏山を散歩していて道がわからなくなり、適当な見当をつけて歩いているうちにたまたまその場所に出てしまったのだ。そこには人間一人が寝転べるほどの平らな地面が開けており、灌木のすきまから下を見下ろすと、ちょうど真下に象舎の屋根が見えた。屋根の少し下のあたりにはかなり大きめの通風口があって、そこから象舎の内部がはっきりと見えた。

それ以来、僕はときどきそこを訪れて、象舎の中に入っているときの象を眺めることを習慣とするようになった。どうしてわざわざそんな面倒なことをしたのかと訊かれても、僕にはうまく答えられない。僕はただプライベートな時間の象の姿を見たかったというだけなのだ。それ以上の深い理由はない。

象舎の中が暗いときにはもちろん象の姿は見えなかったけれど、夜の早いうちは飼育係は象舎の電灯をつけ放しにして象の世話をしていたので、僕はその様子をこと細かに見物することができた。

僕がまず最初に気づいたのは、象舎の中で二人きりになったときの象と飼育係は、人前にその公的な姿を見せているときよりはずっと親密そうに見えるということだった。それは彼らのあいだのちょっとした仕草を見ていればすぐにわかった。彼らはまるで昼のあいだは二人のあいだの親密さを人々に気取られぬように注意深く感情をセーブし、二人きりになれる夜のためにそれをとりわけておいているように思えたほどだった。とはいっても二人が象舎の中で何か特殊なことをしていたというわけではない。象は象舎の中に入ってもあいかわらずぼんやりとしていたし、飼育係もデッキ・ブラシで象の体を洗ったり、床に落ちた巨大な糞をあつめたり、食事のかたづけをしたりといった飼育係としてはまずあたり前の作業をしているだけだった。しかしそれでも彼ら二人のあいだに結ばれた信頼感のかもしだす独得なあたたかみは見逃しようがなかった。飼育係が床を掃除していると、象は鼻を振って、飼育係の背中を軽くとんとんと叩いたりした。僕はそんな象の姿を見るのが好きだった。

「象のことは昔から好きだったの？　つまりその象に限らずということだけれど……」と彼女が質問した。

「そうだね。そうだと思う」と僕は言った。「象という動物には何かしら僕の心をそそるものがあるんだ。昔からずっとそうだったような気がするな。どうしてだかはよくわからないけれどね」

「それでその日も日が暮れてから、裏山にのぼって一人で象を見ていたのね」と彼女は言った。「えーと、五月の……」

「十七日」と僕は言った。「五月十七日の午後七時くらい。その頃はもうずいぶん日が長くなっていて、空にはまだ夕焼けが少し残っていた。でも象舎の中には煌々と灯りがともっていたよ」

「そのときは象にも飼育係にもべつに異常はなかったのね？」

「異常はなかったとも言えるし、異常はあったとも言える。僕には正確なことは言えないんだ。なにしろすぐ目の前で見ていたわけじゃないからね。目撃者としての信頼性はそれほど高いとも言えないだろうし」

「いったい何があったの？」

僕は氷がとけて少し薄まったオン・ザ・ロックをひとくち飲んだ。窓の外の雨はまだ降りつづいていた。強くもならず、弱くもならない。それはまるで恒久的に続く静止した風景の一部のように見えた。

「何があったというわけでもないんだ」と僕は言った。

「象と飼育係はいつもと同じようなことをしているだけだった。掃除をしたり、食事をしたり、仲良さそうにちょっとふざけてみたりっていうくらいのことだよ。そんなのはいつもやっていることさ。ただ僕がちょっと気になったのは、そのバランスのことなんだ」

「バランス？」

「つまり大きさのバランスだよ。象とその飼育係の体の大きさのつりあいさ。そのつりあいがいつもとは少し違うような気がしたんだ。いつもよりは象と飼育係の体の大きさの差が縮まっているような気がしたんだ」

彼女はしばらくのあいだ自分の持ったダイキリのグラスにじっと視線を注いでいた。中の氷がとけて、その水が小さな海流のようにカクテルの隙間にもぐりこもうとしているのが見えた。

「ということは象の体が小さくなっていたっていうこと？」

「あるいは飼育係が大きくなっていたか、あるいはその両方が同時に起こっていた、ということになるね」

「そのことを警察に知らせなかったのね？」

「もちろんさ」と僕は言った。「そんなの知らせたって警察はまず信用しないだろうし、そんな時間に裏山から象を見物していたなんて言ったら僕が疑われるのがオチだろうからね」

「でもそのバランスがいつもと違っていたというのは確かなのね？」

「たぶんね」と僕は言った。「たぶんとしか僕には言えないよ。証拠は何もないし、それに何度も言うようだけれど、通風口から中をのぞきこんでいただけだからね。でも僕は何十回となくそれと同じ条件で象と飼育係を見てきたわけだから、その大きさのバランスで思い違いをしたりするようなことはまず考えられないと思うんだ」

そう、僕はそれが目の錯覚かもしれないと思って、そのとき何度も目を閉じたり頭を振ったりしてみたのだけれど、それでもどれだけ見なおしてみても象の大きさは変化しなかったのだ。たしかに象は縮んでいるように見えた。僕は最初のうち町が新しい小型の象を手に入れたのかと思ったほどだった。でもそんな話は耳にしたこともないし――僕が象についてのニュースを見逃すはずもないし――となると、これまでいた老象が何らかの理由で急に縮んでしまったという以外に考えようがないのだ。それによく見ていると、その小型の象の仕草は老象がいつもやる仕草ぴったりそのままであることが見てとれた。象は体を洗われるときに嬉しそうに右足で地面を叩き、いくぶん細くなったその鼻で飼育係の背中を撫でた。

それは不思議な光景だった。通風口からじっと中をのぞきこんでいると、まるでその象舎の中にだけ冷や、やりとした肌あいの別の時間性が流れているように感じられたのだ。そして象と飼育係は自分たちを巻きこまんとしている――あるいはもう既に一部を巻きこんでいる――その新しい体系に喜んで身を委ねているように僕には思えた。

僕が象舎の中を眺めていた時間は全部で三十分足らずだったと思う。象舎の灯りはいつもよりずっと早く、七時三十分には消え、それを境に全ては闇に包まれてしまった。僕はなおもその場にとどまってもう一度象舎の灯りがともるのを待っていたが、電灯は二度とは点灯されなかった。それが僕が象を見た最後だった。

「じゃあ、あなたは象がそのままどんどん縮んでいって小さくなって柵のすきまから逃げだしてしまったか、それともまったく消えてしまったと考えているわけ？」と彼女が訊ねた。

「わからない」と僕は言った。「僕は自分がこの目で見たことを少しでも正確に思い出そうとしているだけなんだ。それ以上先のことは殆んど何も考えていない。目で見たものの印象が強すぎて、正直なところ、それから何かを類推するなんてことは僕にはとてもできそうにないんだ」

それが象の消滅についての僕の話の全てだった。僕が最初に予想したように、その話は知りあったばかりの若い男女が語りあうには話題としてあまりにも特殊だったし、それ自体が完結しすぎていた。僕が話し終えると、しばらく二人のあいだに沈黙が下りた。消えた象についての殆んど何のとりかかりもない話のあとにいったいどんな種類の話題を持ちだせばいいのか、僕にも彼女にも見当がつかなかった。彼女はカクテル・グラスの縁を指でなぞり、僕はコースターに印刷された文字を二十五回くらい読みかえした。僕はやはり象の話なんてするべきではなかったのだ。それは口に出して誰かに打ちあけるような類いの話ではなかったのだ。

「昔、うちで飼っていた猫が突然消えちゃったことがあるけれど」とずっとあとで彼女が口を開いた。

「でも猫が消えるのと象が消えるのとでは、ずいぶん話が違うわね」

「違うだろうね。大きさからして比較にならないからね」と僕は言った。

その三十分後に我々はホテルの入口で別れた。彼女がカクテル・ラウンジに傘を忘れたことを思い出したので、僕がエレベーターに乗って取りに戻った。柄の大きなレンガ色の傘だった。

「どうもありがとう」と彼女は言った。

「おやすみ」と僕は言った。

それっきり僕は彼女と会っていない。一度だけ広告記事の細部について我々は電話で話をした。そのとき僕は余程彼女を食事にでも誘おうかと思ったのだけれど、結局誘わなかった。電話で話しているうちに、何だかそんなのはどうでもいいことであるような気分になってしまったのだ。

象の消滅を経験して以来、僕はよくそういう気持ちになる。何かをしてみようという気になっても、その行為がもたらすはずの結果とその行為を回避することによってもたらされるはずの結果とのあいだに差異を見出すことができなくなってしまうのだ。ときどきまわりの事物がその本来の正当なバランスを失ってしまっているように、僕には感じられる。あるいはそれは僕の錯覚かもしれない。象の事件以来僕の内部で何かのバランスが崩れてしまって、それでいろんな外部の事物が僕の目に奇妙に映るのかもしれない。その責任はたぶん僕の方にあるのだろう。

僕はあいかわらず便宜的な世界の中で便宜的な記憶の残像に基づいて、冷蔵庫やオーブン・トースターやコーヒー・メーカーを売ってまわっている。僕が便宜的になろうとすればするほど、製品は飛ぶように売れ——我々のキャンペーンは我々のいくぶん楽観的な予想さえをも越えて成功した——僕は数多くの人々に受け入れられていく。おそらく人々は世界というキッチンの中にある種の統一性を求めているのだろう。デザインの統一、色の統一、機能の統一。

新聞にはもう殆んど象の記事は載らない。人々は彼らの町がかつて一頭の象を所有していたことなんてすっかり忘れ去ってしまったように見える。象の広場に茂った草は枯れ、あたりには既に冬の気配が感じとれる。

象と飼育係は消滅してしまったし、彼らはもう二度とはここに戻ってこないのだ。

象の消滅 短篇選集 1980-1991　初出・所収一覧
The elephant vanishes
Stories by Haruki Murakami
(A Borzoi Book, Alfred A.Knopf, Inc.1993)

ねじまき鳥と火曜日の女たち
(「新潮」1986年1月号・『パン屋再襲撃』文藝春秋 1986年4月刊)
The wind-up bird and Tuesday's women
(The New Yorker 1990.11.26)

パン屋再襲撃
(「マリ・クレール」1985年8月号・『パン屋再襲撃』)
The second bakery attack
(Playboy 1992.1)

カンガルー通信
(「新潮」1981年10月号・
『中国行きのスロウ・ボート』中央公論社 1983年5月刊)
The kangaroo communiqué
(ZYZZYVA 1988 spring)

四月のある晴れた朝に
100パーセントの女の子に出会うことについて
(「トレフル」1981年7月号・『カンガルー日和』平凡社 1983年9月刊)
On seeing the 100% perfect girl
one beautiful April morning

眠り
(「文學界」1989年1月号・『TVピープル』文藝春秋 1990年1月刊)
Sleep
(The New Yorker 1992.3.30)

ローマ帝国の崩壊・一八八一年のインディアン蜂起・
ヒットラーのポーランド侵入・そして強風世界
（「月刊カドカワ」1986年1月号・『パン屋再襲撃』）
The fall of the Roman empire,
the 1881 Indian uprising,
Hitler's invasion of Poland,
and the realm of raging winds
（The Magazine 1988.3）

レーダーホーゼン
（『回転木馬のデッド・ヒート』講談社 1985年10月刊〈書下ろし〉）
Lederhosen
（Granta 1992.2）

納屋を焼く
（「新潮」1983年1月号・
『螢・納屋を焼く・その他の短編』新潮社 1984年7月刊）
Barn burning
（The New Yorker 1992.11.2）

緑色の獣
（「村上春樹ブック」〈「文學界」1991年4月臨時増刊〉・
『レキシントンの幽霊』文藝春秋 1996年11月刊）
The little green monster

ファミリー・アフェア
（「ＬＥＥ」1985年11/12月号・『パン屋再襲撃』）
Family affair

窓
（「トレフル」1982年5月号
〈原題「バート・バカラックはお好き？」〉・
『カンガルー日和』）
A window

TVピープル
(「Par AVION」1989年6月号・『TVピープル』)
TV people
(The New Yorker 1990.9.10)

中国行きのスロウ・ボート
(「海」1980年4月号・『中国行きのスロウ・ボート』)
A slow boat to China
(The Threepenny Review 1993.3.1)

踊る小人
(「新潮」1984年1月号・『螢・納屋を焼く・その他の短編』)
The dancing dwarf

午後の最後の芝生
(「宝島」1982年8月号・『中国行きのスロウ・ボート』)
The last lawn of the afternoon

沈黙
(『村上春樹全作品 1979〜1989』第5巻 1991年1月刊〈書下ろし〉・
『レキシントンの幽霊』)
The silence

象の消滅
(「文學界」1985年8月号・『パン屋再襲撃』)
The elephant vanishes
(The New Yorker 1991.11.18)

本書は
『村上春樹全作品 1979〜1989』
第３巻、第５巻、第８巻、
『村上春樹全作品 1990〜2000』
第１巻、第３巻（いずれも講談社刊）を定本としました。
収録にあたって加筆訂正された作品があります。
「レーダーホーゼン」は、
米国で刊行されたクノップフ版（英語）から
作者が新しく翻訳したものです。

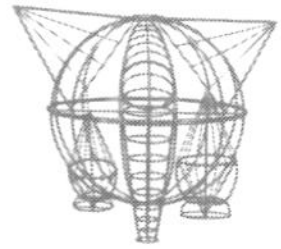

象《ぞう》の消滅《しょうめつ》

発行
2005年 3 月30日
23刷
2024年 8 月10日
著者
村上春樹
（むらかみ はるき）
発行者
佐藤隆信
発行所
株式会社新潮社
〒162-8711 東京都新宿区矢来町71
電話
編集部03-3266-5411　読者係03-3266-5111
http://www.shinchosha.co.jp
印刷所
錦明印刷株式会社
製本所
株式会社大進堂

乱丁・落丁本は、ご面倒ですが小社読者係宛お送り下さい。
送料小社負担にてお取替えいたします。
価格はカバーに表示してあります。

Printed in Japan
ISBN978-4-10-353416-7 C0093

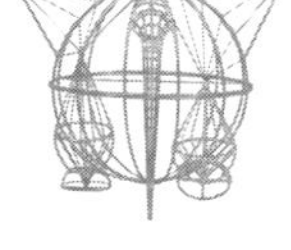